Sprachenunterricht im Kontext
gesellschaftlicher und politischer Ereignisse
und Entwicklungen

Münchener Arbeiten zur Fremdsprachen-Forschung

herausgegeben von Friederike Klippel

Band 36

Ulrike Eder
Friederike Klippel
(Hrsg.)

Sprachenunterricht im Kontext gesellschaftlicher und politischer Ereignisse und Entwicklungen

Historische Vignetten

Waxmann 2017
Münster • New York

Bibliografische Information der Deutschen Nationalbibliothek
Die Deutsche Nationalbibliothek verzeichnet diese Publikation in der
Deutschen Nationalbibliografie; detaillierte bibliografische Daten sind
im Internet über http://dnb.d-nb.de abrufbar

Münchener Arbeiten zur Fremdsprachen-Forschung, Bd. 36
herausgegeben von Friederike Klippel

Print-ISBN 978-3-8309-3483-7
E-Book-ISBN 978-3-8309-8483-2
ISSN 2196-4343

© 2017 Waxmann Verlag GmbH, Münster
www.waxmann.com
info@waxmann.com

Umschlaggestaltung: Anne Breitenbach, Münster
Druck: Hubert & Co., Göttingen
Gedruckt auf alterungsbeständigem Papier, säurefrei gemäß ISO 9706

Printed in Germany

Inhalt

Friederike Klippel

Einleitung

1 Sprachenlernen in der Vergangenheit aus privatem und öffentlichem Interesse

Wer eine andere Sprache lernt, kann dies aus eigenem Antrieb tun oder durch – im weitesten Sinne – Entscheidungen des politischen oder sozialen Umfelds dazu veranlasst oder gar gezwungen werden. Die Motive, die heutzutage meist für das Sprachenlernen von Individuen ausschlaggebend sind, liegen vor allem in der vermuteten oder erwiesenen Nützlichkeit von Sprachkenntnissen für berufliche oder private Zwecke, die biographisch bestimmt sind; gelegentlich mag auch ein ästhetisches oder interkulturelles Interesse an anderen Ausdrucksweisen oder einer ganz anderen Aussprache und Intonation motivierend sein, ohne dass mit dem Erlernen einer neuen Sprache ein sofortiger Nutzeffekt verknüpft sein muss. In der langen Geschichte des Sprachenlernens und Sprachenlehrens unterscheidet man für diese stärker auf das Individuum oder eine Gruppe bezogenen Sprachlernbemühungen zwei große Wirkungsbereiche der Sprachenkenntnis: den durch sie ermöglichten Handel und die Realisierung von (Alltags-) Kommunikation mit Anderssprachigen (*marketplace tradition*, McArthur 1998, 83) oder den Zugang zu sprachlich festgehaltenen Wissensbeständen, d.h. zur (Fach-) Literatur in diesen Sprachen (*monastery tradition*, McArthur 1998, 83).

Diesen beiden langen Traditionen des Sprachenlernens und -lehrens lassen sich zwar viele Sprachlernsituationen und Sprachvermittlungskontexte in der Geschichte zuordnen, aber ein genauerer Blick in die Vergangenheit macht deutlich, dass es zusätzlich eine ganze Reihe weiterer Motivations- und Zwangslagen gab, die Menschen etwa veranlassten, Sprachen zu bewahren, um sie in anderssprachigen Umgebungen weiter zu verbreiten, oder die Erwachsene oder Kinder mit mehr oder weniger Nachdruck zum Erlernen anderer Sprachen brachten. In den meisten Fällen war das Sprachenlernen nicht nur abhängig von individuellen Motiven oder sozial geprägten Konventionen, wie wir sie etwa aus der Adelserziehung kennen (vgl. Aehle 1938), sondern unterlag auch Machtinteressen und Erfordernissen staatlicher Herrschaftsausübung.

Diese kontextuellen Aspekte der Vermittlung von anderen Sprachen haben in der historischen Forschung zum Fremdsprachenunterricht bislang eine geringere Rolle gespielt; vielmehr lag der Schwerpunkte der historischen Forschung in den Fremdsprachendidaktiken vor allem auf den theoretischen Konzepten und praktischen Vorschlägen für Lehr- und Lernprozesse, den Unterrichtsmethoden und -materialien, der Beschreibung von Entwicklungsprozessen und dem Einfluss wichtiger Theoretiker oder überzeugender Praktiker des Sprachenunterrichts. In der relativ jungen Teildisziplin der Historischen Soziolinguistik (vgl. etwa Ricento 2000; Mas i Miralles 2003; Russi 2016) befasst man sich ebenfalls mit sprachenpolitischen und sprachenplanerischen Aspekten der Vergangenheit, deren zugrundeliegenden Ideologien und internationalen sowie nationalen Entwicklungen. Dabei geht es in erster Linie um Erkenntnisse zum gesellschaftlich und politisch motivierten Sprachwandel und Sprachkontakt, kaum jedoch um Sprachvermittlung oder Sprachenlernen (eine Ausnahme ist Glück 2002). Für die historische Forschung unter fremdsprachendidaktischen Fragestellungen können sich hier jedoch wichtige Anknüpfungspunkte ergeben. Denn es ist unbestritten, dass soziale, politische und gesellschaftliche Entwicklungen Sprachen nachhaltig geprägt haben und weiter prägen, ihre Verbreitung fördern oder hemmen und zum gesellschaftlichen Zusammenhalt oder Zwist beitragen. Dennoch sollte auch die Perspektive des Individuums, des einzelnen Sprachenlernenden oder -lehrenden in der fremdsprachendidaktischen Forschung nicht aus dem Blick verloren werden.

In den Spannungsfeldern von individuellem Sprachgebrauch und gesellschaftlichem Umfeld, von Sprachwandel und Sprachvermittlung, von Lernbedürfnissen und Lernmaterialien bestehen im historischen Rückblick noch sehr viele unerforschte Aspekte. Welche Auswirkungen offizielle sprachenpolitische Bemühungen auf soziale Gruppen gehabt haben, ist mitnichten für alle Sprachen oder Regionen bekannt. Inwiefern politische, soziale, wirtschaftliche oder auch technische Entwicklungen Sprachenlernen motiviert oder gehemmt haben, wissen wir nur punktuell. Die Fremdsprachendidaktik hat bislang vor allem die Mikroebenen des Unterrichts und des Selbstlernens sowie die Mesoebene von institutioneller Entwicklung und Konzeptbildung (vgl. etwa Schröder 1969; Kelly 1969; Reinfried 1992; Klippel 1995; Hüllen 2005) untersucht.

Die historische Sektion beim 26. Kongress der Deutschen Gesellschaft für Fremdsprachenforschung in Ludwigsburg im Jahr 2015, auf der dieser Sammelband basiert, hatte sich das Ziel gesetzt, an diesen Traditionen anknüpfend das historische Netz weiter auszuwerfen, um bisher weniger berücksichtigte Zeiten, Sprachen, Regionen und Aspekte des Sprachenlernens und Sprachenlehrens in der Vergangenheit in die Diskussion einzubringen.

2   Zu diesem Band

Die in diesem Band versammelten Beiträge sind chronologisch angeordnet und umfassen die Zeit vom 16. bis in die Mitte des 20. Jahrhunderts. Geographisch wird der Rahmen von Georgien über Europa bis in die USA gespannt. Die Autorinnen und Autoren beschäftigen sich mit unterschiedlichen Sprachen, darunter Böhmisch, Polnisch, Englisch, Deutsch und Französisch. Auch die Kontexte sind äußerst divers: Der Dreißigjährige Krieg spielt ebenso eine Rolle wie die religiösen Umwälzungen in England im 16. Jahrhundert; staatliche Herrschaftsverhältnisse und wirtschaftliche Macht werden in ihren Auswirkungen auf sprachliche Erfordernisse und Realisierungen untersucht. Aber auch der konkrete Unterricht und seine inhaltliche Gestaltung, die Ausbildung der Lehrer und der Schüleraustausch mit Zielländern werden dargestellt. Aufgrund dieser Breite an Themen kann es in diesem Buch nicht um eine systematische Aufarbeitung zu gesellschaftlichen und politischen Ereignissen und deren Einfluss auf das Sprachenlernen im Allgemeinen gehen, vielmehr liefern die elf Beiträge Schlaglichter auf bestimmte Kontexte, Zeiten und Aspekte, die vor allem dazu anregen wollen, sich mit historischen Fragestellungen weiter zu befassen. Dabei sollte es sowohl um genaue Analysen auf der Mikroebene von Sprachenlernen und Sprachenvermittlung im Hinblick auf bestimmten Epochen, Sprachen und Regionen gehen als auch um breitere Synthesen auf der Makroebene. Wenn wir genauer verstehen wollen, welche bedeutsame Rolle die Sprachen in der Entwicklung unserer Gesellschaften aber auch einzelner Gruppen und Individuen gespielt haben, dann sind sprachen- und länderübergreifende Forschungsarbeiten ebenso wichtig wie Detailanalysen. Dieser Band will zu beidem einen Beitrag liefern.

Literatur

Aehle, Wilhelm (1938). *Die Anfänge des Unterrichts in der englischen Sprache, besonders auf den Ritterakademien*. Hamburg: Riegel.

Glück, Helmut (2002). *Deutsch als Fremdsprache in Europa vom Mittelalter bis zur Barockzeit*. Berlin: de Gruyter.

Hüllen, Werner (2005). *Kleine Geschichte des Fremdsprachenlernens*. Berlin: Erich Schmidt.

Kelly, Louis. G. (1969). *25 Centuries of Language Teaching. 500BC – 1969*. Rowles (Mass.): Newbury House.

Klippel, Friederike (1994). *Englischlernen im 18. und 19. Jahrhundert. Die Geschichte der Lehrbücher und Unterrichtsmethoden*. Münster: Nodus.

McArthur, Tom (1998). *Living Words. Language, Lexicography, and the Knowledge Revolution*. Exeter: University of Exeter Press.

Mas i Miralles, Antoni (2003). Historical sociolinguistics: An alternative to the analysis of linguistic change [online: http://www.gencat.cat/llengua/noves/noves/hm03tardor /docs/a_mas.pdf, letzter Zugriff 30.07.2017].

Reinfried, Marcus (1992). *Das Bild im Fremdsprachenunterricht. Eine Geschichte der visuellen Medien am Beispiel des Französischunterrichts*. Tübingen: Narr.

Ricento, Thomas (2000). Historical and theoretical perspectives in language policy and planning. *Journal of Sociolinguistics* 4/2, 196–213.

Russi, Cinzia (Hrsg.). (2016). *Current Trends in Historical Sociolinguistics*. Berlin: de Gruyter.

Schröder, Konrad (1969). *Die Entwicklung des englischen Unterrichts an deutschsprachigen Universitäten*. Ratingen: Henn.

Annette Haseneder

Mobilität und Fremdsprachenlernen im Europa der Frühen Neuzeit

1   Historische Rahmenbedingungen

Nachdem Martin Luther zu Beginn des 16. Jahrhunderts seine deutliche Kritik gegen die katholische Kirchenführung und -praxis gerichtet hatte, fand diese Glaubensrichtung im deutschsprachigen Kulturraum immer mehr Anhänger. Diese und weitere Vertreter der protestantischen Konfessionen in ganz Europa wandten sich gegen die katholische Machtposition bis hin zum Papst in Rom, ebenso wie gegen die von weltlichen Herrschern. Der Augsburger Religionsfrieden von 1555 sollte eigentlich das friedliche Nebeneinander von katholischen und protestantischen Gebieten regeln, doch die Unruhen konnten nicht gänzlich beendet werden. Protestantische Aufständische warfen 1618 drei katholische Stadthalter in Prag aus dem Fenster des Hradschin; dies war die Initialzündung für den 30-jährigen Krieg.

Auch in anderen Gegenden gab es soziale und kulturelle Probleme. In Frankreich war der verunglimpfende Name Hugenotten für protestantische Gläubige entstanden. Ab Mitte des 16. Jahrhunderts wurden diese mehr oder weniger systematisch ausgegrenzt. Eine taktische Hochzeit zwischen dem protestantischen Heinrich von Navarra mit der katholischen Margarete von Valois in Paris endete im grausamen Mord an Hugenotten in der Bartholomäusnacht 1572. Das Morden weitete sich aus, tausende Menschen wurden umgebracht, wodurch sich der Hass der Bevölkerungsgruppen aufeinander erheblich steigerte und aufgrund der religiösen Dimension deutlich festigte (vgl. Diefendorf 2009).

England entwickelte sich aus ganz anderen Gründen ebenfalls zu einem gespaltenen Land: Heinrich VIII., der nach jahrzehntelanger Ehe ohne männlichen Nachkommen die Scheidung verlangte, diese vom Papst jedoch nicht zugestanden bekam, nutzte diesen Konflikt, um seine Herrscherposition im Land weiter auszubauen. Er gründete 1534 seine eigene protestantische Kirche, die *Church of England* oder Anglikanische Kirche, und setzte sich selbst als Oberhaupt dieser Kirche ein. Jahrzehntelange Verfolgung entweder der Katholiken oder – nach dem Machtwechsel an die katholisch gebliebene Tochter Mary – der Anglikaner bestimmte in den weiteren Jahrzehnten den Alltag der Bevölkerung. Heinrichs Tochter Elizabeth I. setzte später die Politik des Vaters zur eigenen Machterhaltung fort.

Diese und weitere Konflikte bestimmten den europäischen Kulturraum zu jener Zeit; die Folge waren Krieg, Zerstörung, Verfolgung, Fluchtbewegungen und Exil. Menschen auf der Suche nach einem Leben in Frieden und der Möglichkeit, ihre Religion frei ausüben zu können, siedelten in anderen, ihnen eigentlich fremden Gebieten Europas. Dies hatte Auswirkungen auf das (Fremd-)Sprachenlernen im Europa des 16. und 17. Jahrhunderts. Mit einem besonderen Fokus auf englische Muttersprachler soll im Folgenden ein Schlaglicht auf diesen Aspekt der unruhigen Zeit geworfen werden.

2   Exil und Migration

Zunächst muss man feststellen, dass im 16. Jahrhundert ebenso wie heute die Fluchtgründe vielfältig waren. Manchmal führte nicht nur ein einzelner Anlass zum Aufbruch in die Fremde, sondern eine Vielzahl an Ursachen.

> Immigranten aus den südlichen Niederlanden am Ende des 16. Jahrhunderts lassen sich beispielsweise als Flüchtlinge betrachten. Als Protestanten wurden sie von den katholischen spanischen Herrschern unterdrückt. Auf der anderen Seite spielten bei ihrem Entschluss zur Abwanderung auch ökonomische Überlegungen eine Rolle. Die Textilindustrie war im Niedergang begriffen, und viele erhofften sich in der neuen, unabhängigen niederländischen Republik bessere Chancen (Lucassen/Lucassen 2004, 23).

In anderen Worten „ist jede bloße ‚Ordnung' historischer Migrationsprozesse schon in hohem Grade stilisierende Abstraktion, weil viele Formen und Muster im Wanderungsgeschehen, aber auch im Wanderungsverhalten fließende Grenzen hatten bzw. in Wechselbeziehungen zu anderen standen" (Bade 2002, 22). Gleiches gilt für diffizile Unterscheidungen zwischen freiwilliger versus erzwungener Auswanderung.

> In der Regel sehen Historiker den so elementaren Unterschied zwischen freier und unfreier Migration nur implizit. Die meisten schließen unfreie oder unfreiwillige Migrationen aus ihren Definitionen aus. Diejenigen, die diese miteinbeziehen, richten ihr Augenmerk wiederum so stark darauf, dass sie die freie Migration übersehen (Lucassen/Lucassen 2001, 18).

Wirtschaftliche, politische, religiöse, manchmal ganz individuelle, persönliche Ursachen führten zu Wanderbewegungen und Arbeitsverhältnissen, „die wir als unfrei betrachten würden" (Lucassen/Lucassen 2004, 19). Unsere Perspektive auf die historischen Gegebenheiten kann wohl niemals alle Aspekte gänzlich erfassen. Die Termini ‚Migration' und ‚Exil' bleiben in der Literatur zur Frühen Neuzeit relativ vage, insbesondere deshalb, weil sich verschiedene Forschungszweige zu wenig interdisziplinär orientieren (vgl. Lucassen/Lucassen 2004, 18).

Im Rahmen meines Beitrags führen all diese Abgrenzungen zu keinem Erkenntnisgewinn. Die Prämisse, dass „Migration ein Teil der menschlichen Verhaltensmuster" (Lucassen/Lucassen 2014, 17) ist, der entweder durch äußere Anlässe forciert oder auch frei gewählt worden ist, genügt bereits als Grundlage für die weitere Betrachtung des Fremdsprachenlernens im 16. Jahrhundert. Überlegungen zum Spracherwerb dagegen, z.B. zur Lernmotivation aufgrund von Migrationsplänen oder bereits erfolgter Migration, bleiben wohl auch in Zukunft unerforscht, da keine, allenfalls sehr vereinzelte Dokumente aus der Frühen Neuzeit zu finden sein werden.

Des Weiteren sind Forschungsvorhaben sowohl zur gelungenen als auch zu einer nicht erfolgten Integration und Assimilierung im 16. Jahrhundert rar oder rudimentär, gerade auch was den sprachlichen Bereich betrifft. „Eine allzu ausschließliche Fokussierung der Einsprachigkeit im Exil (als Sprachbewahrung oder Sprachverlust) blendet all jene Formen des individuellen, aber auch kulturellen Überlebens aus, die an Übersetzung, Fremdspracherwerb und Sprachwechsel geknüpft sind" (Bischoff/Gabriel/Kilchmann 2014, 15). Dieser Beitrag kann nur ausgewählte Beispiele dieser breit angelegten Thematik umreißen, die jedoch in ihrer Gesamtheit durchaus ein Bild ergeben, wie unterschiedliche Wanderbewegungen auf das Sprachenangebot und die Sprachenlerner des 16. Jahrhunderts wirkten.

3 Fremdsprachenlernen im England des 16. Jahrhunderts

Latein, aber auch Griechisch, waren durch die Gottesdienste und die praktizierte Frömmigkeit, z.B. das Rosenkranzbeten, kulturell festgelegt als die klassischen Fremdsprachen, die das religiöse Leben maßgeblich bestimmten, wenn nicht sogar komplett definierten. Entsprechend gestaltete sich die Lehrpraxis der Klöster des Mittelalters: Latein und Griechisch galten als die Sprachen der Gelehrsamkeit, deren Kenntnis in der Regel zu einer Verbesserung des Status führte.

So wie die Lutherbibel für das Deutsche prägend war, so spielte auch für das Englische die Bibelübersetzung neben der Übertragung der (anglikanischen) Liturgie in die Muttersprache eine wichtige Rolle, wobei die hürdenreiche Übersetzung in das Englische die Veröffentlichung hinauszögerte (vgl. Kibbee 1991, 108). Dadurch erstarkten die Landessprachen erheblich, auch rückwirkend durch ihre Verwendung für den theologischen Diskurs und in der weiteren religiösen Praxis.

Manche elitäre Kreise hätten allerdings ihre traditionelle Vormachtstellung durch ihr exklusives (Sprachen-)Wissen gerne weiterhin für sich behalten: „By translating the Bible and other works into English, knowledge was open to all, not just to those who had had the opportunity for advanced studies. This challenge to authority was not universally welcomed" (Kibbee 1991, 109). Ärzte beispielsweise waren nicht über den Gebrauch des Englischen in ihrer Profession erbaut.

Das Leben im 16. Jahrhundert brachte allerdings eine Vielzahl an konkreten Umständen mit sich, die es geradezu erforderten, die modernen Fremdsprachen, oder wenigstens eine von diesen, zu erlernen.

Adelige und royale Sprachenschüler erhielten Unterweisung durch Privatlehrer. Leider informiert die Fachliteratur kaum darüber, welche Qualifikation diese vorweisen konnten oder mussten, um in den Dienst genommen zu werden. Letztendlich scheint alleine der Erfolg eines Unterrichts über die Anstellung eines Sprachenlehrers (es ist davon auszugehen, dass es Männer waren) entschieden zu haben. Ihre Kenntnisse und Sprachfertigkeit im Lateinischen, aber besonders in den modernen Fremdsprachen Spanisch und Französisch waren die Möglichkeit für Königin Elisabeth I., als Frau in ihrer Stellung als Herrscherin Größe zu zeigen, ohne je ein Schlachtfeld betreten zu haben.

Sie konnte sich in der Männerdomäne der Politik als schlagfertige Gesprächspartnerin bei ausländischen Diplomaten beweisen.[1]

Das Studium des Französischen und der Grundlagen im Rechtswesen waren nicht nur für zukünftige Juristen von Bedeutung, sondern ebenso für den Landadel oder Handelsfamilien, die mit Rechtsvorschriften, Regelungen der Landvermessung, des Kaufens und Verkaufens zu tun hatten (vgl. Kibbee 1991, 97).

Im London des 16. Jahrhunderts gab es hierfür Schulen, die in der Regel von Einwanderern eröffnet worden waren. Die einzige Bedingung für eine berufliche Karriere auf diesem Feld scheint die muttersprachliche Beherrschung der zu lehrenden Sprache gewesen zu sein. Das Sprachlerninteresse der Engländer war eine relativ naheliegende Einnahmequelle für die Exilanten, die ja meist sonst keine Basis für ihr Überleben mitbrachten (vgl. Kibbee 1991, 106). Eine der bekanntesten Schulen in London wurde von dem Hugenotten Claudius Hollyband 1568 in der Nähe von St. Paul's Churchyard eröffnet. Er hielt nicht nur für andere Flüchtlinge und deren Kinder Unterricht ab, sondern auch für englische, lehrte Französisch, Italienisch ebenso wie protestantische Religionslehre und veröffentlichte Grammatiken (vgl. Montgomery 2012, 7f.). Seine Französisch-Fibel ‚The French Schoolemaister' war für die damaligen Verhältnisse weit verbreitet.

Ein weiterer Immigrant war Jacques Bellot, der offenbar kein Englisch gelernt hatte, bevor er in London ankam. Seine beschwerlichen Anfänge im Sprachenlernen inspirierten ihn wohl, anderen Lernern des Englischen, oder auch englischen Lernern des Französischen ein Grammatikwerk und Parallel-Dialoge zur Verfügung zu stellen (vgl. Kibbee 1991, 131). Grundlagen der Fremdsprachen erhielten Jurastudenten in London zunächst in Schulen wie in der des Claudius Hollyband, höhere Sprachenstudien wurden an den *Inns*, den Anwaltskammern im Stadtzentrum, durchgeführt. Anfänger durften ihre Rechtsgeschäfte auch auf Englisch durchführen, Studenten höherer Semester sollten Fachfranzösisch anwenden. Dabei ist zu beachten, dass die Fremdsprache nur im Lesen und Schreiben zu beherrschen war, selten sollten die Rechtsgelehrten Fremdsprachen sprechen oder hören, denn „those readings were more and more often in English" (Kibbee 1991, 97).

In Londons City befanden sich darüber hinaus viele weitere protestantische Flüchtlinge aus den Gebieten der Niederlande, die von den katholischen Habsburgern beherrscht wurden. Für sie wurden Flüchtlingsgemeinden „niederdeutscher, französischer und italienischer Sprache" gegründet (vgl. Jürgens 2010, 15), in denen auch Sprachunterricht durchgeführt wurde. Diese geflüchteten Protestanten kehrten später wiederum zurück auf das europäische Festland, wurden also ein zweites Mal vertrieben, als die katholische Mary auf den englischen Thron kam und die fanatische Verfolgung von Protestanten einleitete.

Während der Regentschaft protestantischer Machthaber in England flüchteten dagegen viele katholische englische Bürger vor der systematischen Benachteiligung und der

---

1   Die englische Königin konnte mit einem italienischen Diplomaten 1554 persönlich in dessen Landessprache reden. Auch ihr Vater Heinrich VIII. beherrschte Italienisch (vgl. Montgomery 2012, 5 und Kibbee 1991, 106).

rigiden religiösen Verfolgung im Land. Unter Heinrich VIII., besonders aber während der Herrschaftszeit von Elizabeth I. und James I. suchten Katholiken in sicheren Gegenden auf der anderen Seite des Ärmelkanals Schutz, so z.B. in den Spanischen Niederlanden, in Frankreich oder anderen katholischen Gebieten (vor allem im heutigen Belgien). Manche Geflüchtete gelangten bis nach Bayern und weiter südlich. Hierzu nachfolgend mehr.

Unter Handelsreisenden waren die modernen Sprachen Italienisch und Spanisch von Bedeutung. Einen ersten öffentlichen Italienischunterricht in London begann Michael Angelo Florio etwa um 1550 (vgl. Kibbee 1991, 106). Er war wegen der italienischen Inquisition, die 1542 eingesetzt hatte, nach England gekommen. Insgesamt blieb jedoch die Verbreitung des Italienischen als Fremdsprache im englischen Kulturraum immer hinter dem Französischen zurück.

Schließlich waren es die Bildungsreisenden, die Fremdsprachenkenntnisse benötigten. „Foreign travel was seen as a period of preparation for a government career" (Gibbons 2011, 32). Die Ausbildung bestand darin, in den fremden Ländern Europas (und darüber hinaus) bestimmte Sehenswürdigkeiten und Bildungsziele persönlich gesehen zu haben, aber auch Menschen und deren Verhaltensweisen zu studieren. „By the middle of the sixteenth century Latin was no longer sufficient for intercourse between educated people. In the most civilized countries the vernacular had been elevated to the dignity of the classical tongues" (Howard 1913, 15).

Der Nutzen der Fremdsprachenkenntnisse wird in vielen Situationen deutlich, beim Knüpfen von sozialen Kontakten in adeligen Kreisen auf dem Festland, aber auch im täglichen Miteinander mit Soldaten oder einem Wirt:

> Hardly anyone but churchmen talked Latin in familiar conversation with one. When a man visited foreign courts and wished to enter into social intercourse with ladies and fashionables, or move freely among soldiers, or settle a bill with an inn-keeper, he found that he sorely needed the language of the country. (Howard 1913, 16)

Robert Dallington, ein Autor von Reiseführern[2] wie ‚View of France' (1598) und ‚Survey of Tuscany' (1596), rät zum schülerzentrierten, regelmäßigen Gebrauch der Fremdsprache, um diese richtig einüben zu können: „Continual speaking with all sorts of people, insisting that his teacher shall not do all the talking, and avoiding his countrymen are unchangeable rules for him who shall travel for language[3]" (Howard 1913, 112f).

Die Tatsache, dass auf Londons Bühnen zumindest einzelne Sätze oder kurze Phrasen der Fremdsprachen Niederländisch, Spanisch und Walisisch zur Aufführung kamen, ist ein Hinweis darauf, dass zumindest mit dem Sprachklang bewusst gearbeitet wurde, gegebenenfalls stereotype Länderbilder im Zuschauer evoziert werden sollten und vielleicht beim einen oder anderen Zuschauer auch ein wenig aus dem Zusammenhang ableitbares Verständnis des anderssprachlich Dargebotenen erwartet werden durfte (vgl. Montgomery 2012).

---

2   „[W]riter of advice to travellers" (Howard 1913, 108).
3   Die Fußnote an dieser Stelle im Original ist in dieser Arbeit ohne Belang.

Einschränkend muss erwähnt werden, dass das Studium des Französischen oder auch anderer moderner Fremdsprachen für viele Bereiche zwar notwendig oder zumindest sinnvoll war, gleichzeitig jedoch erstarkte das Englische parallel rasch, so dass ein Fremdsprachenstudium manchen nicht mehr reizvoll genug erschien.

> In the course of the 16th century more and more commentaries on the law were published in English, starting with Rastell's translation of the laws into English (1527)[4]. Furthermore, it was clearly recognized that Law French had little to do with continental French. (Kibbee 1991, 95)

Die Muttersprache gewann immer mehr Einfluss im Bereich der Gesetzgebung, der Statistik und in den offiziellen Büchern der Stadtverwaltungen: „the position of French was threatened by the rise of English" (Kibbee 1991, 107). Gleiches galt für die Medizin.

Konträr zur Ausweitung des Fremdsprachenlernens im 16. Jahrhundert in England führte die durch Heinrich VIII. initiierte Auslöschung der Klöster und Schulen unter katholischer Leitung (1535–1536) zu einer starken Einschränkung des Schul- und Erziehungswesens, so also auch des Fremdsprachenerwerbs. „It took English education a half-century to recover" (Kibbee 1991, 108).

4   Englischunterricht im Exil

Wie bereits dargestellt, flohen zu unterschiedlichen Zeiten Protestanten ebenso wie Katholiken aus England; in diesem Beitrag konzentriere ich mich auf ausgewanderte Katholiken.

Zentraler Aspekt der Migration von Katholiken auf das europäische Festland war die Tatsache, dass recht gute logistische und organisatorische Rahmenbedingungen herrschten, die den Auswanderwilligen zur Verfügung standen, beispielsweise waren der Geldtransfer oder der Personenverkehr per Segelschiff über den Ärmelkanal nach den damaligen Standards üblicherweise problemfrei. Zunehmend machten Lernangebote es möglich, dass englische Muttersprachler ihr Exil vorbereiten konnten; für manche mag diese Möglichkeit erst ein Anreiz gewesen sein, ein Exil ernsthaft ins Auge zu fassen. Jede Flüchtlingsgemeinde operiert in Netzwerken, das war auch im 16. Jahrhundert so. *Lincoln's Inn* in London hatte den Ruf, auch Katholiken zur Lehre zuzulassen und sozusagen ein Sammelbecken für Auswanderwillige zu sein (Gibbons 2011, 31). Vom Heimatland aus konnten sie Fluchtwege, erste Aufnahmestellen oder spätere Aufenthaltsorte eruieren oder organisieren.

Auch Kinder ab etwa 10 Jahren und Jugendliche waren (unbegleitete) Migranten. Katholiken, denen eine katholisch geprägte Erziehung wichtig war, schickten ihre Kinder in der Regel mit hohem Kostenaufwand in eine der Jesuitenschulen auf dem Kontinent in Spanien, Portugal, oder etwas näher nach Douai, nach St. Omer in der Nähe von Calais, oder bei besonderer Eignung in das *English College* in Rom (Gibbons 2011, 31).

---

4   Die Fußnote an dieser Stelle im Original ist in dieser Arbeit ohne Belang.

Häufig kehrten sie erst nach mehreren Jahren, nach Beendigung ihrer Ausbildungszeit, als junge Männer wieder nach Hause zurück. Man kann heute nur ansatzweise ermessen, wie prägend eine Trennung von der Familie und der Heimat unter diesen Umständen für die jungen Exilanten gewesen sein muss. Das Ziel der Jesuiten war „the education of missionaries, the religious training of boys and young men" (Guilday 1914, 132), so dass sie später nach erfolgter Theologieausbildung als Priester oder unerkannt als Laienprediger in die sogenannte Englische Mission gehen konnten, wenigstens aber als pflichtbewusste Familienoberhäupter für zukünftigen katholischen Nachwuchs sorgen konnten.

Diese Internatsschulen der Jesuiten waren „multiple, den jeweiligen politischen, sozialen, ökonomischen und kulturellen Kontexten angepasste Konstruktionen von Identität" (Lachenicht 2010, 169), weshalb sie in besonderem Maße „den elementaren Grundlagen des Überlebens einer Diaspora" dienten (Lachenicht 2010, 169). Eine ähnliche Abkapselung und Konzentration auf sich selbst scheint die gesamte englische katholische Migrantengemeinde praktiziert zu haben, insbesondere auch erwachsene Flüchtlinge. „English Catholics preserved their own distinct and coherent community while remaining administratively and geographically within the universal Catholic Church" (Corens 2014, 25). Praktisch heißt dies, dass die auf dem Festland lebenden Engländer regen Kommunikationsaustausch untereinander, aber auch mit den Daheimgebliebenen pflegten.

> Those leaving England did not intend to cut ties with their homeland. In most cases, initially at least, they thought of their removal as a temporary state, and looked to the day when they would be able to go home. In this sense, it was perhaps even more important to keep in touch with those at home. (Gibbons 2011, 33)

In St. Omer gab es eine Jesuitenschule für französischsprachige Jugendliche, und eine zweite (Internats-)Schule für englischsprachige. Diese wurde 1593 gegründet und konnte im Jahr 1598 schon 106 Schüler verzeichnen, vier Jahre später waren es 120 (Guilday 1914, 141). Die Qualität der Lehre war hoch: „The studies were beyond doubt higher at Saint Omer than in many other English Colleges at the time. This in itself proved a strong attraction" (Guilday 1914, 142). Der Fund eines First Folio von Shakespeare mit handschriftlichen Anmerkungen in der städtischen Bibliothek von St. Omer belegt, dass an der Schule, die ja nur Jungen aufnahm, mit sehr hoher Wahrscheinlichkeit nur wenige Jahre nach dem Tod des berühmten Autors ein Stück in der Muttersprache Englisch als Schuldrama aufgeführt wurde. „In one scene from Henry IV., the word 'hostess' is changed to 'host' and 'wench' to 'fellow' – possibly reflecting an early performance where a female character was turned into a male" (BBC 2014). Hieraus lässt sich der Schluss ableiten, dass in den genannten Schulen, aber auch an Universitäten wie z.B. dem *English College* in Rom, die sich auf die Aufnahme von katholischen Geflüchteten aus England spezialisiert hatten, Englisch die Unterrichtssprache war – vermutlich, je nach Bildungseinrichtung, in Kombination mit mehr oder weniger Latein.

Für Mädchen und junge Frauen gab es die (bedeutend geringere) Möglichkeit, eine Schule in den katholischen Gegenden Europas zu besuchen, oder Klöstern beizutreten in der Hoffnung, dass diese etwas Bildung vermittelten. Eine solche Internatsschule war

1609 von Mary Ward, einer jungen englischen Frau aus Yorkshire, nach dem Modell der Jesuitenschulen gegründet worden. Wieder einmal bewährte sich das katholische Netzwerk von zu Hause: Zusammen mit anderen auswanderwilligen Frauen siedelte Ward sich in St. Omer an,

> leading a strictly religious life and teaching young children. They had a boarding school for those sent from a distance and free day-school for the young girls of the town. (…) This was the first free school for English Catholic girls, governed by women living in community (Guilday 1914, 169).

Auch hier liegt es nahe, dass die englische Sprache gesprochen und gelehrt wurde, wobei diese These allerdings noch durch geeignete Dokumentenfunde gestützt werden muss.

Die Schulgründerin betrieb ihr Projekt mit sehr viel Elan. Die Schule in St. Omer war sozusagen nur der Start für ein Netz von Schulen, das sich von Köln über München bis nach Rom und Neapel spannte. Nachvollziehbarerweise war der Ansporn, die hiesigen Mädchen in Englisch zu unterrichten, weniger naheliegend – auszuschließen ist es aber nicht. Man kann auf alle Fälle davon ausgehen, dass die Muttersprache Mary Wards und ihrer englischen Gefährtinnen, die sie in der Anfangszeit unterstützten, ständig benutzt wurde. Die „English Ladies" oder „Englischen Fräulein", wie sie im deutschsprachigen Raum genannt wurden, konnten in all ihren Schulgründungen für Mädchen rasche Erfolge verbuchen. Der Briefkorpus der Gründerin ist ausnahmslos in Englisch verfasst. Wenn Mary Ward nicht selbst vor Ort war, blieben die Schulen in den Händen einer englischen Leitung. Zumindest auf der Organisationsebene müssen also die Schulen in der englischen Sprache geführt worden sein. Leider steht auch auf diesem Feld noch ein endgültiger Beweis aus.

Bereits knapp zwei Jahre vor dem Start ihrer Schulen hatte die umtriebige Mary Ward in der Küstenstadt Gravelines eine Klarissengemeinschaft von katholischen englischen Klosterfrauen „Convent of Nazareth of the Poor Clares" (Hunnybun/Registers 1914, 31) gegründet. Unüblich für eine Niederlassung, die sich traditionell auf die Hl. Klara von Assisi beruft und nach deren Vorbild ein zurückgezogenes, kontemplatives Leben führt, hatte diese Gemeinschaft ein klares Bildungsprofil. Dieses hatte dauerhaft Bestand, obwohl Mary Ward ihre eigene Gründung kaum ein ganzes Kalenderjahr begleitet hatte. Im Vergleich zu anderen Klosterfrauen waren diese Schwestern überdurchschnittlich gebildet und fertigten Übersetzungsarbeiten von religiösen Schriften an, meist vom Französischen ins Englische (vgl. Goodrich 2011, 85). Sowohl was die Qualität, aber auch die Quantität ihrer Übersetzungsarbeit betrifft, war Elizabeth Evelinge, die den Ordensnamen Sister Catherine Magdalin trug, unübertroffen. Ihr Nachruf nennt ihre für eine Frau besonders erwähnenswerten Fähigkeiten auf diesem Gebiet: „admirable guifts of her Soul, also a more polish'd way of writing above her Sex" (Hunnybun/Registers 1914, 52). Sie wusste auch ihre Arbeit notfalls gegen Anfeindungen zu verteidigen, „making Evelinge's intervention in monastic warfare a skirmish within the larger battle faced by all English Catholics" (Goodrich 2011, 99). Ihr

Beitrag auf dem Gebiet der Veröffentlichung von katholischen Schriften der Frühen Neuzeit in englischer Sprache ist kaum zu überschätzen.[5]

In London sind spätestens ab 1553 Druckwerke in europäischen Fremdsprachen für die Verbreitung in den katholischen Gebieten auf der anderen Seite des Ärmelkanals nachgewiesen (vgl. Woodfield 1973, 1f.). Die Pressen für katholische Druckerzeugnisse waren hingegen schon zu Beginn der Repressalien in England auf den Kontinent umgesiedelt (vgl. Gibbons 2014, 46). Dies ermöglichte zumindest dort eine relativ freie Verbreitung von Schriftstücken katholischer Prägung in englischer Sprache. Zusätzlich konnten die im Ausland hergestellten religiösen Pamphlete und Bücher per Schiff nach England eingeschmuggelt werden, dienten also der Einflussnahme der Exilanten auf die Gläubigen in der Heimat.

Eine sehr große Mehrheit der Migrantinnen und Migranten hatte den Wunsch und die Hoffnung, nach England zurückzukehren, sobald sich dort die gesamtpolitische Lage wieder katholikenfreundlicher gestalten würde. Am Beispiel von Reliquien, meist kleineren Objekten der Heiligenverehrung, die an katholischen Gemeinden und auch an den Jesuitenschulen herumgeschickt wurden, wird deutlich, dass der Katholizismus englischer Ausprägung auf dem europäischen Festland immer mit der Perspektive operierte, eine Erneuerung des religiösen Lebens der katholischen Kirche auf den britischen Inseln vorzubereiten.

> Expatriates defined their situation by this transience, which made them acutely aware of the present as a shifting moment between past and future. The future was thereby a compelling element in their self-understanding. The significance attributed to the future also meant that expatriate Catholics framed the interim period as a bridge between past and present, and upheld that continuity as a key aspect of their time abroad. (Corens 2014, 30)

Wenn man dies bedenkt, wird sofort klar, warum die englischen Auswanderer selten Versuche unternahmen, sich sozial oder politisch an die Gegebenheiten ihrer Gastgeberländer anzupassen, oder warum sie so großen Wert auf Unterricht in ihrer Landessprache Englisch legten. Diese Grundhaltung ist zudem wichtig, um die Pläne und Projekte zu verstehen, die Katholiken im Exil initiierten. Diese waren nicht immer friedliebender Natur, was der Anschlag des *Gun Powder Plots* (Pulververschwörung) unter der Ägide von Guy Fawkes 1605 bewies. Auf anderer Ebene hatten alle schulischen Anstrengungen der Jesuiten ebenso wie der Bildungsgedanke von Mary Ward das Ziel, in der Fremde oder aus der Ferne heraus eine gewisse katholische (Untergrund-)Basis in der Bevölkerung zu schaffen, um letztendlich eine Remissionierung Englands in naher oder ferner Zukunft gestalten zu können. Unabhängig dieses im 21. Jahrhundert schwer nachvollziehbaren religiösen Impetus bleibt die Leistung auf dem Feld der Bildung und Erziehung enorm, insbesondere von Mary Ward und ihren Gefährtinnen, die im Bereich der Mädchenbildung besondere Pionierarbeit geleistet haben.

Um ein rundes Bild der Situation zu erhalten, darf nicht unerwähnt bleiben, dass einerseits nicht alle Exilanten an eine Rückkehr in ihr ursprüngliches Heimatland dachten, denn wenn trotz aller (sprachlicher) Bemühungen die Nähe zum Heimatland verloren

---

5   „Elizabeth Evelinge contributed substantially to contemporary efforts to restore English

geht, reduziert sich „die Distanz der Mehrheit der Gruppe zu der Aufnahmegesellschaft aus wirtschaftlichen, sozialen, kulturellen oder politischen Gründen" (Lachenicht 2010, 169), so dass der Einzelne oder auch eine Gruppe im Zielland kulturell assimiliert wird. Andererseits waren manche Zurückgebliebenen in England bisweilen irritiert von den Aktivitäten der Glaubenseiferer im Ausland. Im Lande verdeckt operierende Katholiken beschwerten sich über die Einmischung der Geflüchteten und äußerten Besorgnis, dass die Tätigkeiten der Exilanten kontraproduktiv sein könnten, „making things considerably worse for their fellow coreligionists who stayed and suffered within England" (Gibbons 2014, 47). Nicht immer war also das Festhalten an alten Kommunikationsstrukturen beiderseitig gewollt.

5   Unterrichtsmaterialien für den Fremdsprachenunterricht

Natürlich spielte die Entwicklung des Buchdrucks für die Unterrichtsmöglichkeiten eine große Rolle, auch und besonders im Sprachenbereich.

> Printing changes the nature of the grammatical works in two ways: first, through the use of font variation and special characters grammatical information could be presented in a more interesting and clearer way; secondly, the amount of information could be greatly expanded (Kibbee 1991, 111).

Eine entscheidende Neuerung durch die Druckerzeugnisse für den Sprachunterricht war die genaue Beschreibung der Aussprache. Dialektale oder regionale Unterschiede in der phonologischen Realisierung der Laute in der Fremdsprache werden möglichst genau beschrieben und als entweder nachahmenswert oder als nicht erwünscht definiert (vgl. Kibbee 1991, 125f.).

Der Rückgang der religiösen Bedeutung von biblischen und liturgischen Texten kann im Sprachlernbuch von Hollyband ‚Frenche Littelton' (1576) gesehen werden. Dort sind zwar Gebete wie das Vaterunser, Tischgebete oder Auszüge aus der Bibel enthalten, diese werden aber nicht zur religiösen Unterweisung, sondern sehr offensichtlich zur Ausspracheübung verwendet: „That these were meant to serve as pronunciation exercises is clear from the use of symbols to indicate liaison, elision, and silent letters" (Kibbee 1991, 132). Überraschenderweise findet man bereits im 16. Jahrhundert ein Werbeversprechen, das in ähnlicher Form für manche Bildungsmedien heute noch hartnäckig gegeben wird, das aber damals ebenso wie im 21. Jahrhundert zu hinterfragen ist: „Throughout the period, some textbook authors claimed that the books themselves would provide the key to language learning, and the students could master new languages without school or tutor" (Kibbee 1991, 106).

Zusammenfassend bleibt festzuhalten, dass die Frühe Neuzeit einen rasanten kulturellen Wandel erlebte, ausgelöst durch die europaweite Neubewertung der Alltagssprachen. Die weit verbreitete Migration beschleunigte diesen Prozess ganz erheblich. Durch Kommunikationsbedarf in unterschiedlichen Bereichen wie Diplomatie, Handel,

---

Franciscanism and to reclaim England as a Catholic nation" (Goodrich 2011, 99).

Exil oder aufgrund von individuellem Bildungsinteresse entstanden völlig neu konzipierte Lernsettings, besonders für die modernen Fremdsprachen.

Literatur

Bade, Klaus J. (2002). Historische Migrationsforschung. In: Bade, Klaus J.; Oltmer, Jochen; Wenzel, Hans-Joachim (Hrsg.). *Migration in der europäischen Geschichte seit dem Mittelalter* (IMIS-Beiträge 20). Osnabrück: Universitätsverlag Rasch, 21–44.

BBC (28. November 2014). Shakespeare First Folio 'left behind' by Stonyhurst College. In: www.bbc.com/news/uk-england-lancashire-30243747 (letzter Zugriff 27.6.2016).

Bischoff, Doerte; Gabriel, Christoph; Kilchmann, Ester (2014). Sprache(n) im Exil. In: dies. (Hrsg.). *Sprache(n) im Exil* (Jahrbuch Exilforschung 32). München: edition text + kritik im Richard Boorberg Verlag, 9–25.

Corens, Liesbeth (2014). Saints beyond Borders: Relics and the Expatriate English Catholic Community. In: Spohnholz, Jesse; Waite, Gary (eds.). *Exile and Religious Identity 1500–1800*. London: Pickering & Chatto, 25–38.

Diefendorf, Barbara (2009). *The Saint Bartholomew's Day Massacre. A Brief History with Documents*. Boston: Bedford/St. Martin's.

Gibbons, Katy (2014). Religious and Family Identity in Exile: Anne Percy, Countess of Northumberland in the Low Countries. In: Spohnholz, Jesse; Waite, Gary (eds.). *Exile and Religious Identity 1500–1800*. London: Pickering & Chatto, 39–50.

Gibbons, Katy (2011). *English Catholic Exiles in Late Sixteenth-Century Paris*. Woodbridge, Suffolk/New York: Boydell & Brewer.

Goodrich, Jaime (2011). 'Ensigne-Bearers of Saint Clare': Elizabeth Evelinge's Early Translations and the Restoration of English Franciscanism. In: White, Micheline (ed.). *English Women, Religion, and Textual Production 1500–1625*. Farnham: Ashgate, 83–100.

Guilday, Peter (1914). *The English Catholic Refugees on the Continent 1558–1795*. London, New York: Longmans, Green and Co.

Howard, Clare (1913). *The English Travellers of the Renaissance*. London, New York, Toronto: John Lane.

Hunnybun, William Martin (ed.) (1914). Registers of the English Poor Clares at Gravelines, including those who Founded Filiations at Aire, Dunkirk and Rouen, 1608–1837. In: Catholic Record Society (ed.). *Publications* Vol. XIV. London/Edinburgh: Mercat Press, 25–173.

Jürgens, Henning P. (2010). Die Vertreibung der reformierten Flüchtlingsgemeinden aus London. Jan Utenhoves 'Simplex et fidelis narratio'. In: Jürgens, Henning P.; Weller, Thomas (Hrsg.). *Religion und Mobilität. Zum Verhältnis von raumbezogener Mobilität und religiöser Identitätsbildung im frühneuzeitlichen Europa*. Göttingen: Vandenhoeck & Rupprecht, 13–40.

Kibbee, Douglas (1991). *For To Speke Frenche Trewely. The French Language in England, 1000–1600*. Amsterdam/Philadelphia: John Benjamins.

Lachenicht, Susanne (2010). Renaissance in der Diaspora? Hugenottische Migration und Identität(en) im 'Refuge'. In: Jürgens, Henning P.; Weller, Thomas (Hrsg.). *Religion und Mobilität. Zum Verhältnis von raumbezogener Mobilität und religiöser Identitätsbildung im frühneuzeitlichen Europa*. Göttingen: Vandenhoeck & Rupprecht, 169–182.

Lucassen, Jan; Lucassen, Leo (2004). Alte Paradigmen und neue Perspektiven in der Migrationsgeschichte. In: Beer, Mathias; Dahlmann, Dittmar (Hrsg.). *Über die trockene Grenze und über das offene Meer. Binneneuropäische und transatlantische Migrationen im 18. und 19. Jahrhundert.* Essen: Klartext Verlag, 17–84.

Montgomery, Marianne (2012). *Europe's Languages on England's Stages 1590–1620.* Farnham, Burlington: Ashgate.

Woodfield, Denis B. (1973). *Surreptitious Printing in England 1550–1640.* New York: Bibliographical Society of America.

Walter Kuhfuß

Französischunterricht für Reisen, Krieg und Frieden

Der Straßburger Sprachlehrer Daniel Martin während des
Dreißigjährigen Krieges[1]

Zu den privilegierten Orten französischer Sprach- und Kulturvermittlung im 16. und 17. Jahrhundert gehörte neben Köln, der großen Handelsstadt in der Nähe der flandrischen Märkte, die Freie Reichsstadt Straßburg. Die Stadt war Drehscheibe im Grenzverkehr zwischen Frankreich und dem Alten Reich, sie war Umschlagplatz im Warenaustausch zwischen Frankfurt und dem Inneren Frankreichs, vornehmlich mit der Stadt Lyon, sie war ein Zentrum humanistischer Studien und der Sitz des berühmten protestantischen Gymnasiums, dessen Rektor Johannes Sturm als Pädagoge der Reformation einen weit über die Stadt hinauswirkenden Einfluss hatte, sie war schließlich Vorbereitungsort auf den *Grand Tour* für junge Edelleute und Patriziersöhne vornehmlich aus dem süddeutschen Raum. Die jungen Leute brachten der attraktiven fremden Sprache und Kultur Aufgeschlossenheit und Neugier entgegen und zeigten eine Bereitschaft zur räumlichen Mobilität, die in Straßburg in vielfältiger Form bedient werden konnte.

Daher gab es in Straßburg seit dem Ende des 15. Jahrhunderts eine zunehmend gefestigte Tradition des Französischunterrichtens (vgl. Zwilling 1888, 257ff.), die sich in einer Vielzahl privater Sprachlehrer und in der Zahl und Qualität der in der Stadt gedruckten Lehrmaterialien zeigte. Zwischen 1550 und 1620 wurden die meisten Lehrwerke des Französischunterrichts für den deutschsprachigen Raum in Straßburg hergestellt. Das seit 1460 in der Stadt etablierte, in die Oberrheinregion ausstrahlende Druckgewerbe nahm in einer Phase des Niedergangs der humanistischen Studien gerne neue Aufträge entgegen.

Ein entscheidender Faktor für die Entwicklung des zeitgenössischen Französischunterrichts war die Anwesenheit französischer und (französisch sprechender) Schweizer Protestanten in der Stadt, die während der Religionskriege geflüchtet waren und ein reiches Angebot an potenziellen Französischlehrern bereitstellten. Die geflüchteten protestantischen Französischlehrer brachten als Calvinisten, Lutheraner oder Zwinglianer ihre konfessionellen Überzeugungen und Praktiken in den Unterricht ein. Außerdem wurde damit das Angebot an muttersprachlichen französischen Lehrkräften erweitert und so zunehmend zum Standard eines Berufsbildes, das in Gegensatz zum akademisch

---

1   Die folgenden Ausführungen basieren z.T. auf meinem Buch „Eine Kulturgeschichte des Französischunterrichts in der frühen Neuzeit. Französischlernen am Fürstenhof, auf dem Marktplatz und in der Schule in Deutschland" (Kuhfuß 2014).

gebildeten deutschen Fremdsprachenlehrer trat.[2] Zu einer protestantischen Flüchtlings-
welle verdichtete sich der Zuzug französischer, seit etwa 1560 *huguenots* genannter
Protestanten (die Etymologie aus dem schweizerischen „Eidgenossen" verweist auf das
Genf Calvins) in den Jahren 1560 bis 1585. Zunächst benötigten die französischen
Flüchtlinge, sofern sie nicht weiterzogen, Sprachlehrer für den Unterricht ihres eigenen
Nachwuchses. Hier wie in vielen anderen Städten entwickelte sich der frühe Franzö-
sischunterricht aus dem Kontakt der französischen Flüchtlingskolonie mit der deutsch-
sprachigen Bevölkerung und aus dem Bedürfnis der zunächst mittel- und rechtlosen
(weil ohne Bürgerrechte und mit dem gelegentlichen Argwohn der Bürger in der Stadt
lebenden) Flüchtlinge, die muttersprachlichen französischen Sprachkenntnisse zur
Grundlage der beruflichen Existenzsicherung zu machen.[3] So entstanden schon früh von
Flüchtlingen geführte Privatschulen. Das Protestantische Gymnasium bildete darüber
hinaus mit seiner Tradition humanistischer Lateinstudien ein übermächtig in das städti-
sche Bildungsmilieu hineinwirkendes Muster für den Erwerb einer modernen Fremdsprache. Johannes Sturm, dem Rektor des Straßburger Gymnasiums, galt die lateinische
Sprache als zentrales Mittel der Persönlichkeitsbildung und der Welterschließung junger
Menschen. Konnte das nicht auch für die Volkssprache Französisch nutzbar gemacht
werden?

Straßburg war also in vielfältiger Hinsicht ein bevorzugter Standort für den Französischunterricht in der Frühen Neuzeit. Die Stadt lag im Einflussbereich beider Sprachen
und Kulturen, hatte den Status einer Freien Reichsstadt mit rechtlicher Reichsunmittel-
barkeit, eine Tradition humanistisch-gelehrter Sprachvermittlung an Universität und
Gymnasium, eine Vielzahl mittelloser Glaubens- (und Wirtschafts-)flüchtlinge aus dem
französischsprachigen Raum; hinzu kam eine große Anzahl an jungen Leuten aus den
süddeutschen Oberschichten mit hoher räumlicher Mobilität, die sich auf die Bildungsreise nach Frankreich sprachlich vorbereiten wollten, sowie ein Klima intellektueller
Aufgeschlossenheit. *Marketplace* und *monastery* waren die archetypischen Orte und
Traditionen (McArthur 1998, 83), die das Profil der Stadt Straßburg im Hinblick auf
den Französischunterricht bestimmten, als sie in den Wirkungskreis der Kriegsparteien
im Dreißigjährigen Krieg geriet. Der Dreißigjährige Krieg war nicht nur eine konfessio-
nelle Auseinandersetzung zwischen der Katholischen Liga und der Protestantischen
Union. Im Verlauf der Kriegshandlungen gerieten die religiösen Motive zunehmend in
den Hintergrund zugunsten machtpolitischer Interessen der beiden Blöcke Spanien und
Österreich auf der einen sowie Frankreich und seiner jeweiligen europäischen Verbündeten auf der anderen Seite. Spätestens nach dem Fall der Hugenottenhochburg La Ro-
chelle 1628 richtete sich die französische Außenpolitik offensiver auf die Ostgrenze der

---

2   Vor dem Dreißigjährigen Krieg gab es deutlich mehr deutsche Lehrkräfte als während der
     Regierungszeit Ludwigs XIV. Daniel Martin führte einen erbitterten Streit um diese beiden
     Lehrertypen (mit durchaus exemplarischer Bedeutung) mit seinem deutschen Sprach-
     meister-Kollegen Stefan Spalt in Straßburg (vgl. Brunot 1966 und Caravolas 1994, 154).
3   Zu der wechselvollen Geschichte der französischen Gemeinde in Straßburg, dem Franzö-
     sischunterricht vor dem Dreißigjährigen Krieg sowie den Sprachmeistern vor Daniel Mar-
     tin vgl. Zwilling 1888, 257ff.

Monarchie. Im Mai 1635 trat Frankreich offen in den Krieg gegen die Spanier ein und besetzte neben Trier und den Städten Metz, Toul und Verdun auch das Elsass mit den Städten Breisach und Colmar. Als der Krieg das Elsass erreichte, war er eine Fortsetzung des habsburgisch-bourbonischen Antagonismus um die Hegemonie in Europa.

Die Freie Reichsstadt Straßburg war während der gesamten Kriegszeit nicht selbst in kriegerische Auseinandersetzungen verwickelt. Aber sie war vom Krieg umgeben, als das französische Interesse am Elsass zur Mitte der dreißiger Jahre handgreiflich wurde. Über die aktuellen Kriegsereignisse im südwestdeutschen Raum konnte man sich in der Stadt auf dem Laufenden halten. In der *Relation aller Fürnemmen und gedenckwürdigen Historien*, der ersten deutschen Wochenzeitung, die der Drucker Johann Carolus seit 1605 in Straßburg herausgab, wurde der Leser im Jahre 1636 wöchentlich über die gesamten Kriegsbewegungen in Mitteleuropa, die Siege und Niederlagen, die Gräuel gegen Städte und Dörfer informiert. Geschätzte 80 bis 90% der Nachrichten galten dem Dreißigjährigen Krieg, der in Mitteleuropa und um Straßburg herum tobte.

Beherrschende Figur auf dem privaten Arbeitsmarkt der Sprachlehrer war in diesen Jahren Daniel Martin (1594–1637) aus Sedan, der bereits seit 1614 in Straßburg lebte; er war ein gebildeter Intellektueller, weltoffen und geschäftstüchtig, ein virulenter Polemiker, Leiter einer französischen Privatschule und eifriger Lehrbuchverfasser mit einem ausdifferenzierten Unterrichtsprogramm. Neben einer Grammatik und einem Übungsbuch, einer Sprichwortsammlung, einem 1635 (also mit dem Kriegseintritt Frankreichs) erschienenen Lehrbuch des Deutschen für französische Soldaten (vgl. Glück 2002, 242f.) und einer Kollektion von Musterbriefen, die aus der eigenen Berufserfahrung entstanden waren (vgl. Zwilling 1888, 265; Caravolas 1994, 153), veröffentlichte er 1637 eine nach dem niederländischen Sprachmeister Berlaimont fälschlicherweise *Parlement* genannte Gesprächssammlung zur sprachlichen Bewältigung relevanter Situationen im Beruf, auf Reisen und im Krieg. Er ist zeitgeschichtlich bewandert, nimmt in diesem Gesprächsbuch Bezug auf das grauenhafte Gemetzel, das die kaiserlichen Truppen 1631 unter der Führung des General Tilly in Magdeburg anstellten, und erwähnt auch weitere Schlachten in Leipzig und in Neubrandenburg. Und: Sicher hat er Notiz genommen von jenem Wüten der kaiserlichen Soldateska im Oberelsass, von dem die Wochenzeitung *Relation* in ihrer Nachricht vom 14. bis 24. Februar 1636 schrieb: Sie „hausen so grewlich mit den Leuten/ daß es unerhört/ lassen sich von niemanden Commandiren" (Carolus 1636, 39).

In dieser Stadt konnte der Französischunterricht diesem Thema nicht ausweichen; in vielfältiger Hinsicht war es im Unterricht und in den Lehrmaterialien präsent.[4] In seinem Gesprächsbuch *Parlement Nouveau* (Stengel/Niederehe 1976, 36; Schmidt 1931, 33f.) versprachlicht Daniel Martin in einhundert (!) Kapiteln eine exhaustive Fülle lebensnaher Situationen, darunter in fünf Kapiteln auch den Krieg. Das Entsetzen über die

---

4   Zum Thema Militär und Mehrsprachigkeit im neuzeitlichen Europa vgl. den Sammelband von Glück und Häberlein 2014, insbesondere die Einführung durch den Herausgeber Mark Häberlein (Glück/Häberlein 2014, 11ff.) sowie den Beitrag von Andrea Flurschütz da Cruz (Flurschütz 2014, 47ff.).

persönlichen und sozialen Verwundungen äußert er in diesen Lektionen des Französischunterrichts in drastischen Worten:

> Quasi tous les villages & bourgs ont esté, non seulement rançonnez, bransquetez & pillez, mais enfin reduits en cendres: les foibles villes prises par plusieurs fois, & autant de fois reprises, saccagées & en partie bruslées; les fortes surchargées de garnisons, espuisées par tailles, capitations, corvées, entretenement de soldats, & double ou triple cens. – Es seind fast alle Dörffer und Flecken / nicht allein rantzonniert/brandschatzet und außgeplündert / sondern auch endlich in aschen gelegt worden: die unbefestigten Stätt vielmahl eingenommen / und eben so viel wider erobert / außgeplündert / bis zum theil abgebrennt: die vesten aber mit besatzungen beschwert / durchsatzungen / hauptschatzungen / frohn / soldaten gelt / doppelt und dreyfach stallgelt erschöpfft (Martin 1637, 133f.).

Martin bleibt nicht stehen bei dem Ausdruck seines Entsetzens. In einem Lerndialog zwischen einem fiktiven Sprachmeister und einem Soldaten wird die ethische Vertretbarkeit des Soldatenberufs in Kriegszeiten erörtert. Der Dialog gewinnt von vornherein an Schärfe durch die Berufsbiographie des Soldaten. Dieser war nämlich in einer früheren Lebensphase Student der Theologie, bevor er sich zum militärischen Metier entschloss. Der Sprachlehrer, der ihn von früher kennt, beginnt das Gespräch daher mit einem kaum verhohlenen Tadel: „A ce que ie voiy, vous avez iectè le froc aux orties" – ‚Wie ich mercke, so habt ihr den Pfaffenrock an einen Nagel gehenckt' (Martin 1637, 132). Die Nachfrage nach den Gründen für seinen beruflichen Wechsel beantwortet der Soldat mit einem trivialen Rekurs auf die Zeiten, die sich ändern, und mit seiner persönlichen Biographie (die natürlich auch nur beispielhafter Lerntext ist):

> Man muß aus noth tugend machen. Der krieg hat unser arm vatterland verderbt / die Soldaten haben meine liebe Eltern rein außgeplündert / also daß sie nichts mehr haben mich beym studieren zu erhalten / darumb hab ich mich unterhalten oder schreiben lassen das leben zu haben / unnd etwas wider zu wegen zu bringen und zu gewinnen (Martin 1637, 133).

Dem Sprachlehrer geht eine solch banale Rechtfertigung nicht weit genug; er hält dem Soldaten Mord und Totschlag vor und droht mit dem Höllenfeuer:

> da seind böse tugenden / die einen in die weite höllen straße leiten. Ich wollte lieber hungers sterben / als ein zeit lang wohl leben / unnd hernach so ein thewre zech in dem pful bezahlen / der mit fewer und schwebel brennet (Martin 1637, 136).

Martin stellt für die Moraldiskussion über das militärische Töten zwei ethisch gegensätzliche Argumentationen zur Verfügung. Man muss mit den Wölfen heulen, um zu überleben und seinen Hunger zu stillen, lautet die Position des ehemaligen Theologiestudenten, dessen Haltung als ein Verstoß gegen christliche Werte diskreditiert wird; der fiktive Sprachlehrer stellt mit seiner Warnung vor ewiger Verdammnis eine christliche Position vor, die freilich moraltheologisch auch nicht einwandfrei ist. Aber der reale Sprachlehrer Daniel Martin möchte seine Schüler nicht einseitig indoktrinieren: Er inszeniert vielmehr einen Konflikt, in dem zwei unterschiedliche Werthaltungen zum Ausdruck kommen. Die Neutralität der Reichsstadt, die Kriegsnachrichten aus der schwedisch, französisch und kaiserlich umkämpften Region, die Präsenz einer zunächst kalvinistischen, dann lutherischen Frömmigkeit und Theologie, dies alles machte offensichtlich den Kopf (und die Lehrmaterialien) offen für eine ethische Diskussion über den Krieg – der sich der Sprachmeister in seinen Lektionen stellte. Hier wird punktuell ein erzieherisches Potenzial des frühen Fremdsprachenunterrichts deutlich, das sich in Gegensatz zu den einseitigen und bornierten Kriegsparteien mit ihrem konfessionellen und machtpolitischen Alleinvertretungsanspruch setzt. Zwischen den verschiedenen Wahrheiten sollte sich der Schüler selbst entscheiden. Umgekehrt betrachtet, offenbart sich in dieser Thematik freilich auch so etwas wie eine pragmatische Dienstleistungsmentalität Martins. Die jungen Männer, die in seiner Privatschule Französisch lernten, erhielten gegen Bezahlung das nachgefragte Vokabular für das soldatische Handwerk, die militärische Terminologie einschließlich der Befehle und eben auch die sprachlichen Elemente eines Wertekonflikts, mit der sie selbst eine Diskussion führen konnten.

Die beiden Positionen bleiben im Lektionstext letztlich unentschieden, lassen aber eine charakteristische Verschiebung erkennen. Der Sprachschüler sollte für sich selbst entscheiden, der Sprachmeister wollte ihm seine Haltung nicht aufzwingen, denn die jungen Patrizier und Edelleute, die ihn bezahlten, waren sozial höherstehend und bezahlten ihn für ihren sprachlichen Zugewinn, nicht für eine ideologische Indoktrinierung. Doch seine eigene philologische Position ist klar: „So will ich dan lieber darvon reden / als darbey sein" (Martin 1637, 137). Der Sprachmeister verschiebt den Dialog von der ethischen Auseinandersetzung mit der Kriegsproblematik zur Ethik des Sprachlehrerberufs und der Sprachvermittlung – eine Form der Ohnmacht angesichts der schlimmen Verhältnisse und zugleich ein Symptom für ein ethisches Professionsverhalten.

Man geht daher in das Wirtshaus, wo der fiktive Sprachmeister dem Schüler – und dem heutigen Leser – in einem „register der wort so zum krieg gehören" (Martin 1637, 137) die Schrecken des Krieges als sprachliches Material vorstellt. In der Privatschule des Daniel Martin erfahren die jungen Leute eine große Anzahl an militärtechnischen Redemitteln („Charger l'aile droicte, la percer, l'avant garde" etc. – „Auff den rechten flügel scharsieren, durchbrechen, der vortrab' usw.") und eine fast unerträgliche Fülle an sprachlichen Redewendungen über die grausamen Übergriffe auf die Zivilbevölkerung:

> Eine statt mit fevver vnd schwerdt vertilgen, daß kinds in mutterleib nicht verschonen mettre vne ville à feu & à sang, n'espargner pas l'enfant au ventre de sa mere.
>
> Weiber vnd Iungfravven schänden. Violer & forcer femmes et filles.
>
> Barbarische vnd unerhörte grausamkeiten vben. User de cruautez barbaresques & inouyes.
>
> Das vnschuldige blut vergiessen die alten zu todts schlagen, die gurgel abschneiden, zerknitschen, die kindlein vereissen. Espancher ou respandre le sang innocent, Assommer les vieillards, esgorger, escraser, desmembrer les enfançons. (Martin 1637, 142)

Die Gräuel des Krieges, wie sie auch die bekannten Radierungen „Les misères de la guerre" des lothringischen Kupferstechers und Radierers Jacques Callot (1592–1635) darstellen, haben sich bei Daniel Martin in drastische Lernsituationen und furchterregende Materialien des privaten Französischunterrichts verwandelt. Indem der Sprachmeister und Lehrbuchverfasser die Leiden der Menschen in fremdsprachige Lehr- und Lernsequenzen, Formeln und Redewendungen modularisiert, werden sie in erfahrbare und lernbare Einheiten zergliedert, in scheinbar nüchterne Distanz gesetzt, d.h. von ihren ursprünglichen, realen Kontexten abgelöst, was den Effekt des Entsetzens zumindest beim heutigen Leser allerdings nicht mindert. Zugleich demonstriert dieses Verfahren die bewusste ethische Dimension professionellen Nachdenkens über die eigenen Aktivitäten, über die Lehrerrolle sowie die gesellschaftlichen Aufgaben des Fremdsprachenlehrers.

Dieses Nachdenken über die Funktionen und Zielsetzungen des Fremdsprachenunterrichts ist seit der 2. Hälfte des 16. Jahrhunderts ein (allerdings nicht wirklich häufiger) Aspekt in den Reflexionen der Sprachlehrer, der sich direkt auf die friedensstiftende und kriegsvermeidende Aufgabe des modernen Fremdsprachenunterrichts bezieht. In praktizierter Mehrsprachigkeit wird hier eine Grundbedingung für das weltoffene und konfliktfreie Zusammenleben gesehen, gelegentlich wie bei Martin im Dreißigjährigen Krieg auch vergeblich beschworen. Sprachlehrer der modernen Fremdsprachen, sofern sie sich über das Alltagsgeschäft erheben, sind sich dieser friedensstiftenden Qualität durchaus bewusst, wie schon der flämische Sprachmeister Gabriel Meurier (1500?–1587?) in seinen *Conjugaisons* (1564). Der hatte vor 1580 in der flämischen Handelsstadt Antwerpen das Zusammenleben und die Konflikte fremder Kulturen und Konfessionen beobachtet:

> Cosi come piu nationi principi, o Re hanno differito come hoggi ancora differiscono in amicitia & amore per causa che l'uno pare non intenda, o non voglia intendere, l'altro, spero peró si come la differentia à causato la discordia per il passato fra molte nationi & genti, che di breve per l'intelligenza di esse, si ritrovera una quiete, & santa pace (Meurier 1580, fol. A iiv, zit. n. Cave 2001, 91).

Allgemein sollten die Schüler eine attraktive moderne Fremdsprache nicht nur der Sprache wegen erlernen, sondern zur Zivilisierung ihres Verhaltens. Daher gilt auch für den Französischunterricht in Straßburg, was der in München lebende baskische Sprachmeister Sumarán in der Widmung zu seinem *Thesaurus fundamentalis quinque linguarum* (1626) schreibt:

> Por las lenguas se mantiene la buena correspõdencia, y amistad. Por las lenguas se oye benignamente, las relaciones, quexas, y diferencias que en la Republica occoren, y a distinguir lo bueno de lo malo.[5] (Sumarán 1626, A3)

„Distinguir lo bueno de lo malo", „ritrovare una quiete, & santa pace" das ist es, was Martin in Straßburg während des Dreißigjährigen Krieges für seine Schüler anstrebt und was ihm angesichts der existentiellen Not der Menschen nicht recht gelingt. Bei Sumarán erhält die Kenntnis von modernen Fremdsprachen eine programmatische Dimension, die während des Dreißigjährigen Krieges in den Bereich des Politischen und des Völkerverbindenden vorstößt: Wer Fremdsprachen spricht, ist zur Verständigung, zur Konfliktvermeidung und zur Freundschaft sowie zur Konfliktbearbeitung über die Sprachgrenzen hinweg fähig. Gegen die Furcht vor dem Fremden und Fremdsprachigen

---

5   „Durch die Sprachen wird gute Verständigung und Freundschaft aufrechterhalten. Durch die Sprachen versteht man in wohlwollender Weise die Beziehungen, die Klagen und die Unterschiede, die in der Republik auftreten, und durch sie lässt sich das Gute vom Bösen unterscheiden" (Übersetzung W.K.).

setzen diese Sprachlehrer Verstehen und friedliches Zusammenleben durch Mehrsprachigkeit. Der Niederländer Meurier, der Baske Sumarán und der Franzose Martin formulierten ihren Wunsch nach friedensstiftenden Fremdsprachenerfahrungen in kulturell und sozial vielschichtigen Räumen, die Menschen verschiedener Interessen und Sprachen zusammenführten: in internationalen Kontoren, Handelsstädten und Fürstenhöfen, angesichts konkurrierender Konfessionen mit Absolutheitsanspruch, in den niederländischen Bürgerkriegen des 16. Jahrhunderts, im Straßburg des Dreißigjährigen Krieges. Mit Höflichkeit, Diplomatie und Sprachkenntnissen, so lautet das Rezept dieser Sprachlehrer, kann man gegen Bekenntniszwang angehen und soziale und politische Gräben überbrücken.

Auch in den übel zerstörten Regionen des Elsass geht das Leben weiter. In Straßburg, der durch die Eroberungen und Truppenbesetzungen am Oberrhein und im Elsass stark tangierten, aber während des gesamten Krieges unzerstörten Reichsstadt, scheint zur gleichen Zeit die touristische Betreuungsindustrie für junge Edelleute intakt gewesen zu sein. Die Edelleute aus dem süddeutschen Raum wollen Französisch für die große Reise[6] lernen und anschließend nach Paris, Lyon oder in eine französische Universitätsstadt aufbrechen. Allenfalls verändert man in Kriegszeiten die Route, um nicht ein Gebiet mit Kampfhandlungen durchqueren zu müssen. Um nach Paris zu gelangen, nimmt man daher entweder den Weg über die niederländischen Handelsrouten, oder man geht über Basel, die Schweiz und Genf nach Lyon, wenn auf dem *Grand Tour* auch Italien ansteht. Die Normalroute behandelt Daniel Martin in den 1626 publizierten *Colloques ou devis françois*. Die Bildungsreisenden werden in diesem Lehrbuch sprachlich vorbereitet mit Lektionen vom morgendlichen Aufstehen in der Pension, dem Anziehen, vom Frühstück und vom Erwerb der in Frankreich modischen Kleidung, von den Gesellschaftsspielen für junge Leute bis zur langen Kutschfahrt nach Paris, während der man sich Geschichten gegen die Langeweile erzählt. Nach Saverne wird die Sprachgrenze überquert, später die Staatsgrenze. Von nun an muss zur Kommunikation mit den Landesbewohnern Französisch gesprochen (und deshalb vorher gelernt) werden. Und für diese Reisen stellen die Straßburger Sprachlehrer Lernmaterialien für das Selbststudium und für das Lernen in ihren Klassen zur Verfügung.

Bevorzugte Lernmaterialien für die Reisevorbereitung ins fremdsprachige Ausland waren in Straßburg Dialoge, die zuvor schon in Renaissance und Humanismus zunehmend in den Lateinunterricht des humanistischen Gymnasiums und schließlich auch in den Französischunterricht drangen. Musterdialoge wie die *Colloquia familiaria* (1518) des Erasmus (1466/1467/1469?–1536) oder die *Linguae latinae exercitatio* (1538) des Spaniers Juan Luis Vives (1492–1540) übten die lateinische Sprache in alltäglichen Situationen der Zöglinge ein. Sie dienten wie expositorische Texte dem grammatischen Zergliedern, dem Übersetzen und dem Training der Aussprache und waren Anlass für

---

6   Zu den sprachlichen Aspekten des Reisens in Mittelalter und Früher Neuzeit vgl. den gleichlautenden Sammelband von Matthias Schulz (Schulz 2014b), insbesondere die Beiträge von Matthias Schulz, Helmut Glück und Konrad Schröder (Glück 2014, 157ff.; Schröder 2014, 167ff.; Schulz 2014a, 9ff.).

Sprech- und Rezitierübungen mit verteilten Rollen. Diese methodische Praxis am Straßburger Gymnasium diente auch als Muster für den Französischunterricht.

Martins Gesprächsbuch *Parlement nouveau*, das 1637 in fünf Lektionen so beredt
Zeugnis von der bedrückenden Realität des Krieges gab, enthält in den übrigen Kapiteln
ausführliche „fachsprachliche" Redemittel für eine Vielzahl von Berufen und zugleich
wie ein heutiger Reiseführer ausführliche Informationen für deutsche Reisende in
Frankreich sowie die sprachlichen Formeln und Redensarten, die sie für die Verständigung im fremden Land benötigen. Die Dialoge sind für die sprachpraktischen Ansprüche im französischsprachigen Raum konzipiert und nehmen die lebenspraktischen Bedürfnisse und Wünsche von adligen und reichen bürgerlichen Bildungs- und Distinkti-
onsreisenden auf. Dieses Verbundsystem des Fremdsprachenlernens über die private
Instruktion im eigenen Sprachraum und (anschließend) das Lernen der Fremdsprache im
fremden Land gehörte seit dem 15. Jahrhundert zum Pflichtprogramm des deutschen
Adels. Es trug bei zu einem Statuserwerb, zu der Aneignung einer „Identität" der höfi-
schen jungen Männer, zum distinktiven Erwerb kultureller Kompetenzen für ein Leben
in der höfisch-ständischen Gesellschaft, zu einem kulturellen Kapital sowie zu den
unterschiedlichsten kulturellen Importen (vgl. Stannek 2001). Wegen des erheblichen
finanziellen Aufwandes dieser Reisen, die bei den Erbfürsten eine entsprechende Entou-
rage mit Hofmeister umfasste, und der relativen Seltenheit dieser oft mehrjährigen Un-
ternehmungen müssen sie als luxuriöses Element einer frühen Fremdsprachenausbil-
dung im Rahmen gesellschaftlicher Ungleichheit angesehen werden. Die jungen Männer
brachten in unterschiedlicher Breite und Intensität sprachliche Kenntnisse, Informationen über Land und Leute, Urteile und Vorurteile, Verhaltensweisen und Umgangsfor-
men mit zurück von ihrer Reise und trugen so zur Entstehung von Selbst- und
Fremdbildern von Deutschland und Frankreich bei. Neben Bildung und Nützlichkeit
war das Streben nach Distinktion ein zentraler Antrieb für das Erlernen der französischen Sprache und Kultur. Die Kavaliersreise der jungen Leute war ebenso sehr eine
Distinktions- wie eine Bildungs- und Sprachreise.

In Straßburg, dem Einfallstor für die Reisen nach Frankreich, artikuliert sich im privaten Sprachunterricht ein unmittelbares Nützlichkeitsdenken: Die Sprachschüler wollen das sprachliche und landeskundliche Rüstzeug für den *Grand Tour* erwerben, und
sie wollen sich bei ihrem Aufenthalt in Straßburg möglichst schnell zurechtfinden. Daher übernimmt das Sprachlernbuch zugleich die Funktion eines Gaststätten- und Hotel-
führers, wenn der Autor (in Kapitel 4) Restaurantempfehlungen ausspricht, die Wein-
karte kommentiert und kulinarische Kritik übt (vgl. Martin 1637, 28ff.). Das Lehrbuch
führt den jungen Edelmann in bester *marketplace*-Tradition auf den Straßburger Markt
(in Kapitel 3), wo er nicht nur sprachlich fit gemacht wird, sondern zugleich Tipps für
den Einkauf erhält (vgl. Martin 1637, 18ff.). Der studierende Edelmann gewinnt (in
Kapitel 8) nicht nur die sprachlichen Mittel, um sich einen Diener zu suchen und dem
Personal Anweisungen zu geben, der Autor vermittelt zugleich die standesgemäßen
Standards für die korrekte Ausführung der Dienstleistung (vgl. Martin 1637, 66ff.).
Darüber hinaus wird ein umfassendes Bild der Berufe und Gewerbetätigkeiten in der

freien Reichsstadt entworfen, das eine sprachvermittelnde und eine landeskundliche Dimension besitzt.

Wie wurde das Französische unterrichtet in dieser Stadt, in der die Ansprüche der zahlenden Schülerschaft aus Adel, reichem Bürgertum und Patriziat auf praktische Sprachkenntnisse mit den didaktischen und methodischen Vorbildern des humanistischen Gymnasiums, in der also die Lernanreizsysteme „Nützlichkeit", „Distinktion" und „Bildung" räumlich und didaktisch zusammengebracht wurden? Darüber gibt Daniel Martin im ersten Kapitel seines *Parlement Nouveau* Auskunft. Martin, so erfährt der Leser, führte selbst eine private französische Schule in der Münstergasse; es ist plausibel, dass er daher in seinem Gesprächsbuch über die eigene, aus Werbegründen vielleicht ein wenig geschönte Unterrichtspraxis berichtet. Seine Schüler konnten nach ihren Bedürfnissen eine oder (für den doppelten Preis) zwei Stunden Unterricht täglich buchen; der Sprachmeister stellte sich darüber hinaus flexibel auf den Stundenplan der Lateinschüler des nahen Gymnasiums ein, denen er neben den zahlreichen süddeutschen Edelleuten Sprachunterricht anbot. Martin hatte also eine gemischte Kundschaft unterschiedlicher Interessensausrichtung: die an die Methoden und Texte des humanistischen Lateinunterrichts gewöhnte urbane Schülerschaft des Gymnasiums und die jungen Edelleute mit ihren ausgesprochen praktischen und distinktiven Lernbedürfnissen.

Die zu erwerbenden Kompetenzen waren je nach Bildungsanspruch und Zahlungsbereitschaft frei wählbar: Wer wollte, lernte nur zu schreiben und zu übersetzen – ein eher traditionelles, methodisch auf klassisch-humanistische Bildung ausgerichtetes Minimalprogramm. Das volle Angebot umfasste Lesen, Schreiben und vor allem Reden und wurde von Martin ausdifferenziert zu einem umfangreichen, soliden Arbeitsplan: Zweimal wöchentlich gab er seinen Schülern einen deutschen Text, den diese ins Französische übersetzten (vgl. Martin 1637, 8ff.). Übersetzen hieß im Rahmen seines Unterrichts wohl zunächst, dass der deutsche Text im *Parlement Nouveau* mit der Hand abgedeckt und der französische Dialogtext aus dem Französischen ins Deutschen übersetzt wurde; wahrscheinlich ist zudem, dass dann der Schüler den deutschen Text aufdeckte und das eigene Übersetzungsresultat mit der gedruckten Musterübersetzung verglich, schließlich könnte wieder ins Französische zurückübersetzt worden sein. Diese Übersetzungsprozedur konnte sowohl schriftlich als auch mündlich durchgeführt werden. Die schriftlichen Ergebnisse wurden vom Sprachmeister korrigiert: „la correction desquels fait insensiblement apprendre la syntaxe Françoise, exerce et empesche d'oublier la declinaison des noms, & la conjuguaison des verbes" (Martin 1637, 10). Der französische Text seines Lehrbuches ist daher auf der linken Seite interlinear mit einer deutschen Wort-für-Wort-Übersetzung in Antigua-Schrift versehen, neben der auf der rechten Seite eine sinngemäße deutsche Übersetzung in Fraktur steht. Diese Gestaltung des Lehrmaterials hilft dem Fremdsprachenschüler zunächst ganz praktisch, den fremden Text (auch im Selbststudium) zu verstehen. Sie legt auch nahe, dass dem Sprachlehrer Martin der Unterschied zwischen beiden Qualitäten der Übersetzung wichtig war. So konnten die Schüler lernen, die Unterschiede zwischen dem deutschen und französischen Satzbau zu verstehen – ein didaktischer Schritt hin zur Einsicht in die Verschiedenartigkeit des *génie* der beiden Sprachen. Martin geht mit seiner idiomatisch korrek-

ten Übersetzung über eine syntaktisch und semantisch unangemessene wörtliche Übersetzung hinaus, und auch darin zeigt sich ein akademisch gebildeter Gebrauch der französischen und deutschen Sprache und ein klares Bewusstsein von der Alterität der beiden Sprachen.

Mit diesem Verfahren übernimmt Martin eine Übersetzungsprozedur aus dem humanistischen Lateinunterricht in das Erlernen der modernen Volkssprache. Gegen 1530
erscheint in den humanistischen Studien die Übersetzung in beide Richtungen als zentrale Übung mit deutlicher Akzentverschiebung zur Mündlichkeit, mit einem Lernen im
Wortverband, mit einer Schulung der Kontrastivität durch die Übersetzung ins Französische und wieder zurück in das Lateinische. Über das Lernen von einzelnen Wörtern
legt sich damit eine Übungsschicht, nach der bereits im Anfangsunterricht sog. *formulae*, vorgeformte, idiomatisch korrekte Wendungen auswendig gelernt werden. In Übersetzungsübungen wenden die Lernenden sie darauf hin vielfach an. Im fortgeschrittenen
Unterricht prägen sie sich Phrasen, Satzfragmente oder sogar ganze Sätze ein und gebrauchen sie sowohl mündlich als auch schriftlich. Dieses Lernen von Phrasen, Satz-
und Textzusammenhängen (und nicht nur von Wortäquivalenzen) führt zum sinngemä-
ßen Übersetzen (vgl. Bierbach 1997, 348). Und um dieses sinngemäße Übersetzen und
idiomatisch korrekte Sprechen des Französischen geht es Martin. Denn die Bewäh-
rungsprobe, die Kommunikation mit muttersprachlichen Franzosen in Frankreich, stand
ja für die jungen Bildungsreisenden unmittelbar bevor.

In der Hierarchie der angestrebten Kompetenzen in Martins Fremdsprachenunterricht folgen Lesen, Textauslegung, Schreiben und Sprechen:

> pour bien tost estre savant en la langue, il faut lire, exposer, cõposer & parler à toutes oc-
> casions, qui se presentent, sans estre honteux de faillir: car qui ne parle iamais mal, ne
> parlera iamais bien. wer in der sprach bald gelehrt will werden / muß lesen / außlegen /
> versetzen und auff allen fürfallenden gelegenheiten reden / ohne allen schew deß fehlens:
> denn wer nie übel redt / der wird nimmermehr recht reden (Martin 1637, 10).

„Parler à toutes occasions": das Sprechen „auff allen fürfallenden gelegenheiten" ist für
Martin die höchste Stufe des Fremdsprachenlernens, die nach den vorausgehenden Stufen des Übersetzens und Auslegens erreicht wird (und nicht wie heute am Beginn des
Sprachlernkurses steht). Durch seine stilistische und inhaltliche Nähe zum 2. Brief des
Apostels Paulus an Thimotheus[7] erhält diese didaktische Schwerpunktsetzung eine
religiöse Überhöhung. Das Sprechen in der Fremdsprache ist nicht in der Gosse ange-
siedelt, in Begleitung des Paulus-Wortes darf es sich nun aus dem behüteten Bereich der
akademischen lateinischen Bildung heraus bewegen. Man muss daher hohe Anforderungen an das Sprechenlernen stellen. Der Krieg und die Bildungsreisen der jungen
Leute nach Frankreich haben einen deutlichen Einfluss auf die Entwicklung der Mündlichkeit. Denn gerade im Krieg ist das Verstehen der fremdsprachigen Äußerungen der
feindlichen Truppen überlebenswichtig. So treten vermehrt Nützlichkeitserwägungen in
den bildungspolitischen und didaktischen Kontext. Der Bildungsbegriff, auf den sich

---

7   Deuxième lettre de saint Paul Apôtre à Timothée, 4,2: „prêche la parole, insiste en toute
     occasion, favorable ou non, reprends, censure, exhorte, avec toute douceur et en in-
     struisant."

der Französischunterricht und die adlige Bildungsreise beziehen, ist ein ausgeprägt praktischer: Der Edelmann lernt „grundsätzlich nicht aus dem Buch, sondern aus dem Buch der Welt" (Babel/Paravicini 2005, 662). Der Französischunterricht Martins dient der Berufsausbildung, der sprachlichen Bewältigung des Reisens, dem gesitteten Benehmen in höfischer Umgebung, dem Erwerb eines Distinktionsstatus in der Sozialhierarchie und dem Überleben in den Zeiten des Krieges.

Die Begegnung der adligen jungen Männer mit muttersprachlichen Franzosen trägt mittelbar zu der „fachdidaktischen" Überzeugung bei, dass eine möglichst perfekte Beherrschung der fremden Sprache zu einer Kernkompetenz des Fremdsprachenlehrers gehört. Auch dieser Einfluss auf das Fach wirkt langsam, gebremst durch einen Prozess der französischen Sprachentwicklung, in dessen Verlauf die Vorstellung einer quasi muttersprachlichen Performanz sich erst allmählich herausbildete. Denn parallel zum Aufkommen des modernen Französischunterrichts bildete sich mit der wachsenden Vormachtstellung des französischen Königs gegenüber den Landesfürsten erst so etwas wie die soziale Norm der zentralen Landessprache Französisch aus, die die übrigen Sprachen zu Dialekten veränderte und „überdachte". Schnell entdeckten die jungen Leute in Frankreich, dass sie Probleme mit der Aussprache hatten; sie kamen ja zunächst durch Lothringen und die Champagne, bevor sie nach Paris gelangten, und auch dort hatten nicht alle Gesprächspartner den „richtigen", den distinguierten Akzent von *la cour et la ville* („qui … les distingue du vulgaire", Du May 1665, 22). Landgraf Moritz von Hessen stellte fest, dass es nichts hilft, modische Kleidung zu tragen und sich wie ein Franzose zu benehmen, meist seien die Jugendlichen stumm wie Fische in französischer Gesellschaft – wohl aus Angst, ausgelacht zu werden (vgl. Jones 1999, 130). Generelle Ausspracheregelungen, um die sich die französischen Schulgrammatiken von Anfang an bemühen, konnten erst auf der Grundlage einer einheitlichen Rechtschreibung fixiert werden. Und sie wurden zunehmend wichtig, weil man an der „richtigen" Aussprache den Oberschichtensprecher des Französischen erkennt. Dahinter steht bis heute die attraktive Vorstellung vom erfolgreichen Lernenden, den man kaum vom geborenen Franzosen unterscheiden könne. Diese Vorstellung ist entstanden aus einem sozial distinguierenden Impetus. Die jungen Edelleute hatten zu lernen, den richtigen Akzent zu verwenden.

Von heute her gesehen ist ein weiterer Rat Martins bemerkenswert. Beim Reden kommt es vor allem auf den häufigen Gebrauch der mündlichen Ausdrucksmittel an, auch wenn dem Lernenden dabei Fehler unterlaufen: „ohne allen schew deß fehlens: denn wer nie übel redt / der wird nimmermehr recht reden" (Martin 1637, 10). Nicht hoch genug schätzen kann man diese Bereitschaft des Sprachlehrers, Fehler zu tolerieren, ja, in ihnen die Voraussetzung für Lernfortschritte zu sehen. Im Angebot des Straßburger Sprachmeisters erkennt man ein hohes Interesse an den Lernbedürfnissen des Adressatenkreises, ein ausgeprägtes Gefühl für werbewirksame Lernargumente, vor allem aber ein selbstverständliches Erfahrungswissen über fachdidaktische und methodische Grundsätze des Fremdsprachenlernens.

Die widersprüchlichen Anforderungen an den Straßburger Französischunterricht, hier ein an der lateinischen Grammatik und ein an den *formulae* der lateinischen Schuldialoge orientierter Übersetzungsunterricht akademischer deutscher Sprachlehrer, dort ein an den praktischen Bedürfnissen von Kriegsthematik und Bildungsreisen ausgerichteter Nützlichkeitsunterricht muttersprachlicher Franzosen, der den Wert von Mündlichkeit und Fehlertoleranz betont, werden von Martin zu einem individuell entfalteten Konzept entwickelt, das die unterschiedlichen Lebens- und Lernbedürfnisse seiner Schüler gleichzeitig berücksichtigt und das pragmatisches Dienstleistungsdenken mit einer ethischen Professionshaltung zu verbinden versucht. Es ist hoffentlich nachvollziehbar geworden, dass man das didaktische Konzept des Straßburger Sprachmeisters ohne die komplexe Darstellung der externen Faktoren und Kontexte kaum angemessen verstehen kann: dem Wandel in den Funktionen des Französischen zur distinguierenden Prestigesprache, der Kenntnis des sprachlich-sozialen Normierungsprozesses in Frankreich, den Sprachlerntheorien zwischen Grammatikorientierung und Routineanstrengungen, den Erziehungsvorstellungen zwischen humanistischen Konzeptionen der Persönlichkeitsbildung und Welterschließung und den adligen Erziehungsvorstellungen „aus dem Buch der Welt" sowie dem konkreten Angebot an Bildungsinstitutionen in Straßburg zwischen Protestantischem Gymnasium und privater Sprachschule. Auch die Ideen-, Bildungs-, Konfessions- und Migrationsgeschichte, die geolinguistische Favorisierung des Standortes zwischen den beiden Sprachräumen sowie die konkrete politische und soziale Geschichte der Freien Reichsstadt Straßburg gehören dazu. Der Französischunterricht, ob für die Schüler des Protestantischen Gymnasiums, für angehende Krieger, Handelsleute oder für die Edelleute auf Bildungs- und Distinktionsreise, ist in den einvernehmlichen Kontext sozialer Ungleichheit eingebettet, bei dem Gesichtspunkte sozialer Distinktion und des Erwerbs von kulturellem Kapital für die zukünftige Lebensgestaltung der Französischschüler mächtige Motivationen sind – auch wenn der Sprachlehrer Daniel Martin, der seinen Schülern die französische Sprache und die kulturellen Praktiken und Standards der hoch angesehenen Prestigesprache Französisch vermittelte, kaum selbst davon profitierte. Seine soziale Position als Französischlehrer bleibt ambivalent. Martin kannte und vermittelte die „signes de distinction" (Bourdieu 1982, 130), die „manières de langage", den richtigen Akzent, die Merkmale der Prestigesprache. Die Distinktion, die die Lernenden aus der Kenntnis dieses kulturellen Kapitals bezogen, besaß er jedoch als „Dienstleister" selbst nicht.

An diesen Einzelfallbefund zum Französischunterricht in Straßburg während des Dreißigjährigen Krieges ließen sich systemische Fragestellungen anschließen, etwa, welche Faktoren und Forschungsdisziplinen überhaupt für die Erforschung der Geschichte des Fremdsprachenunterrichts bedeutsam sind, wie didaktische Modelle innerer und äußerer Faktoren zur Erfassung und Beschreibung von historischen Phänomenen des fremdsprachlichen Unterrichts überprüft, differenziert und erweitert werden können, ob in sich systemisch geschlossene Modelle damit zugleich auch ein Blindwerden implizieren für weitere bedeutsame Phänomene. Diese Fragestellungen sind in der Forschungsgeschichte bislang eher wenig behandelt worden.[8]

---

8   Es gibt hierzu zwei grundlegende Ansätze systemischer Konstruktion des Forschungsfeldes (vgl. Minerva/Reinfried 2012, 14ff. und Frijhoff/Suso López/Swiggers 2012, 29ff.).

Literatur

Babel, Rainer; Paravicini, Werner (2005). *Deutschland und Frankreich im Zeichen der habsburgischen Universalmonarchie. 1500–1648.* Darmstadt: Wiss. Buchgesellschaft (WBG Deutsch-französische Geschichte, Bd. 3).

Bierbach, Mechtild (1997). *Grundzüge humanistischer Lexikographie in Frankreich. Ideengeschichtliche und rhetorische Rezeption der Antike als Didaktik.* Tübingen: Francke (Kultur und Erkenntnis, Bd. 18).

Bourdieu, Pierre (1982). *Ce que parler veut dire. L'économie des échanges linguistiques.* Paris: Fayard.

Brunot, Ferdinand (1966). *Le français hors de France au XVIIe siècle.* Paris: Colin.

Bruzzone, Barbara (2002). Fremdsprachen in der Adelserziehung des 17. Jahrhunderts: Die Sprachbücher von Juan Angel de Sumarán. In: Glück, Helmut (Hrsg.). *Die Volkssprachen als Lerngegenstand im Mittelalter und in der frühen Neuzeit.* Berlin: de Gruyter, 37–46.

Caravolas, Jean-Antoine (1994). *La didactique des langues.* Montréal (Québec): Presses de l'Université de Montréal [u.a.] (Éducation et formation).

Carolus, Johann (1636). *Relation: Aller Fürnemmen, und gedenckwürdigen historien.* Straßburg: Moritz Carolus. http://digi.ub.uni-heidelberg.de/diglit/relation1609 (letzter Zugriff: 30.10.2016).

Cave, Terence (2001). *Pré-Histoires II. Langues étrangères et troubles économiques au XVIe siècle.* Genève: Droz.

Du May, Louis; Lionne, Hugue de (1665). *L'Estat de l'Empire. Divisé en deux parties, & en douze discours.* Montbeliard: Claude Hyp.

Erasmus von Rotterdam, Desiderius (1518). *Familiarum colloquiorum formulae.* Basel: Froben.

Flurschütz da Cruz, Andrea (2014). Situationen des Sprachkontakts in Selbstzeugnissen aus der Zeit des Dreißigjährigen Krieges. In: Glück, Helmut; Häberlein, Mark (Hrsg.). *Militär und Mehrsprachigkeit im neuzeitlichen Europa.* Wiesbaden: Harrassowitz (Fremdsprachen in Geschichte und Gegenwart, Bd. 14), 47–64.

Frijhoff, Willem; Suso López, Javier; Swiggers, Pierre (2012). Contextes et disciplines de référence dans l'enseignement du français (langue étrangère/seconde). In: Kok Escalle, Marie-Christine; Minerva, Nadia; Reinfried, Marcus (Hrsg). *Histoire internationale de l'enseignement du français langue étrangère ou seconde: problèmes, bilans et perspectives.* Paris: Clé international (Recherches et application, Bd. 52), 29–48.

Glück, Helmut (2002). *Deutsch als Fremdsprache in Europa vom Mittelalter bis zur Barockzeit.* Berlin: de Gruyter.

Glück, Helmut (2014). Die Kavaliersreise als Lerngegenstand in Sprachbüchern der Frühen Neuzeit. In: Schulz, Matthias (Hrsg.). *Sprachliche Aspekte des Reisens in Mittelalter und Früher Neuzeit.* Wiesbaden: Harrassowitz (Fremdsprachen in Geschichte und Gegenwart, Bd. 13), 157–168.

Glück, Helmut; Häberlein, Mark (Hrsg.) (2014). *Militär und Mehrsprachigkeit im neuzeitlichen Europa.* Wiesbaden: Harrassowitz (Fremdsprachen in Geschichte und Gegenwart, Bd. 14).

Haßler, Gerda (2012). La description du génie de la langue dans les grammaires françaises et les grammaires d'autres langues. In: Bernard Colombat; Jean-Marie Fournier; Raby, Valérie (Hrsg.): *Vers une histoire générale de la grammaire française. Matériaux et perspectives: actes du colloque international de Paris (HTL-SHESL, 27–29 janvier 2011).* Paris: H. Champion (Linguistique historique, Bd. 4), 193–210.

Jones, William Jervis (1999). *Images of language. Six essays on German attitudes to European languages from 1500 to 1800.* Amsterdam: John Benjamins.

Kuhfuß, Walter (2014). *Eine Kulturgeschichte des Französischunterrichts in der Frühen Neuzeit. Französischlernen am Fürstenhof, auf dem Marktplatz und in der Schule in Deutschland.* Göttingen: V&R unipress.

Martin, Daniel (1626). *Colloques ou devis françois. Traictans du dormir, des habits ...; le tout composé pour l'usage de la jeunesse alemande.* Strasbourg: Findler.

Martin, Daniel (1627). *Les Colloques François & Allemands.* Strasbourg: Zetzner.

Martin, Daniel (1637). *Parlement Nouveau, ou, Centurie Interlinaire De Devis Facetieusement serieux et serieusement facetieux.* Strasbourg: Zetzner Her.

McArthur, Tom (1998). *Living words. Language, lexicography, and the knowledge revolution.* Exeter: Univ. of Exeter Press (Exeter language and lexicography).

Meurier, Gabriel (1637, [1]1564). *Conjugaisons flamen-francoises.* Online verfügbar unter http://books.google.de/books?id=N4dbAAAAQAAJ (letzter Zugriff: 29.10.2015).

Minerva, Nadia; Reinfried, Marcus (2012). Les domaines à explorer et l'évolution historique. In: Kok Escalle, Marie-Christine; Minerva, Nadia; Reinfried, Marcus (Hrsg). *Histoire internationale de l'enseignement du français langue étrangère ou seconde: problèmes, bilans et perspectives.* Paris: Clé international (Recherches et application, Bd. 52), 14–28.

Schmidt, Bernhard (1931). *Der französische Unterricht und seine Stellung in der Pädagogik des 17. Jahrhunderts.* Halle: Klinz (Hallische Pädagogische Studien, Bd. 13).

Schröder, Konrad (1987–2001). *Biographisches und bibliographisches Lexikon der Fremdsprachenlehrer des deutschsprachigen Raumes. 6 Bände.* Augsburg: Universität Augsburg.

Schröder, Konrad (2014). Der Iter litterarius als sprachliche und kulturelle Grenzüberschreitung. Zu den fremdsprachendidaktischen Aspekten der Auslandsreise. In: Schulz, Matthias (Hrsg.). *Sprachliche Aspekte des Reisens in Mittelalter und Früher Neuzeit.* Wiesbaden: Harrassowitz (Fremdsprachen in Geschichte und Gegenwart, Bd. 13), 169–184.

Schulz, Matthias (2014a). Sprache unterwegs. Verständigung auf Reisen 1500-1800. In: Schulz, Matthias (Hrsg.). *Sprachliche Aspekte des Reisens in Mittelalter und Früher Neuzeit.* Wiesbaden: Harrassowitz (Fremdsprachen in Geschichte und Gegenwart, Bd. 13), 9–25.

Schulz, Matthias (Hrsg.) (2014b). *Sprachliche Aspekte des Reisens in Mittelalter und Früher Neuzeit.* Wiesbaden: Harrassowitz (Fremdsprachen in Geschichte und Gegenwart, Bd. 13).

Stannek, Antje (2001). *Telemachs Brüder. Die höfische Bildungsreise des 17. Jahrhunderts.* Frankfurt am Main: Campus Verlag (Reihe Geschichte und Geschlechter, Bd. 33).

Stengel, Edmund; Niederehe, Hans-Josef (1976). *Chronologisches Verzeichnis französischer Grammatiken vom Ende des 14. bis zum Ausgange des 18. Jahrhunderts nebst Angabe der bisher ermittelten Fundorte derselben.* Amsterdam: Benjamins (Amsterdam Studies in the Theory and History of Linguistic Science, III, 8).

Sumarán, Juan Angel de (1626). *Thesaurus Fundamentalis Quinque Linguarum.* Ingolstadii: Eder.

Suso López, Javier (2005). Le rôle des "maîtres" dans la construction du français langue étrangère comme discipline scolaire. In: *Documents pour l'histoire du français langue étrangère ou seconde* 33/34, 94–109.

Vives, Juan Luis (1539). *Linguae latinae exercitatio.* Basel: Winter.

Zwilling, Carl (1888). Die französische Sprache in Straßburg bis zu ihrer Aufnahme in den Lehrplan des Protestantischen Gymnasiums. In: *Festschrift zur Feier des 350-jährigen Bestehens des Protestantischen Gymnasiums zu Straßburg.* Straßburg: Heitz & Mündel, 255–304.

Stefan Michael Newerkla

Institutionalisierter Fremdsprachenunterricht zwischen Aufklärung und Staatsräson

Fremdsprachenlernen im Wien der zweiten Hälfte des 18. Jahrhunderts

1 Einleitung

Wenn wir vom institutionalisierten Fremdsprachenunterricht auf dem Territorium von Wien und Umgebung in der zweiten Hälfte des 18. Jahrhunderts sprechen, so meinen wir die Zeitspanne von der Einrichtung der ersten tschechischen Lektorate und Lehrstellen an Akademien in Wien und Wiener Neustadt unter Maria Theresia um die Jahrhundertmitte bis zum Erlöschen des Heiligen Römischen Reiches Deutscher Nation mit der Niederlegung der Reichskrone durch Kaiser Franz II.[1] im Jahre 1806. Natürlich soll dabei die Geschichte einer Region und insbesondere die Geschichte des Fremdsprachenunterrichts nicht nur national oder territorial isoliert betrachtet werden, zumal das Erzherzogtum Österreich (ab 1783/84 nach der Spaltung in zwei Hälften noch dazu mit dem Zusatz ob bzw. unter der Enns) als Teil der Habsburgischen Erblande im Verband des Heiligen Römischen Reiches Deutscher Nation in einen größeren, auch bildungspolitischen Kommunikationsraum eingebunden war (vgl. auch Glück 2013; Schröder 1992 bzw. 1987–2001). Unsere gesonderte Darstellung der Entwicklung des institutionalisierten Fremdsprachenunterrichts im Einzugsgebiet von Wien erfolgt jedoch aus zwei Gründen: einerseits aufgrund der spezifischen Motivation für die Einführung eines solchen Unterrichts, andererseits wegen der für das Habsburgerreich bezeichnenden Auswahl jener Sprachen, für die dieser Unterricht vorgesehen wurde.

1.1 Historischer Abriss mit besonderer Berücksichtigung der Schulpolitik

Schon zu Beginn des 18. Jahrhunderts war Wien, diese Hauptstadt des Habsburgerreiches an der Peripherie des deutschen Sprachgebiets, ein „Zentrum der Erforschung der slavischen Geschichte im weiteren Sinne" (Schamschula 1973, 78). Die Stadt hatte damals bereits einen beträchtlichen tschechischen Bevölkerungsanteil, der sich im Laufe des 18. Jahrhunderts stetig vergrößerte. Davon zeugen alljährliche Feiern der tschechischen Gemeinde zu Ehren der Landespatrone ebenso wie die regelmäßige Abhaltung

---

1 Franz II. Joseph Karl aus dem Hause Habsburg-Lothringen war von 1792 bis 1806 letzter Kaiser des Heiligen Römischen Reiches Deutscher Nation sowie von 1804 bis 1835 als Franz I. erster Kaiser von Österreich.

tschechischer Gottesdienste (vgl. Koukolik 1971, 117ff.). All diese Gründe sollten jedoch nicht den Ausschlag für die Einrichtung von ersten Lehrstellen gerade für das
Tschechische als erste lebende Sprache neben dem Deutschen an den führenden schulischen Institutionen des Habsburgerstaats geben. Dahinter steckte vielmehr rationalistischer Pragmatismus und nüchterne Staatsräson.

Nach dem Tode Kaiser Karls VI. am 20. Oktober 1740 hatte seine älteste Tochter
Maria Theresia vermöge der Pragmatischen Sanktion[2] die Thronfolge angetreten. Trotz
des Ausbruchs eines jahrelangen Erbfolgekrieges und großer Schwierigkeiten zu Beginn
ihrer Regentschaft gelang es ihr, ihre Herrschaftsansprüche durchzusetzen, den Zusammenhalt des Reiches zu festigen und Wien zum wichtigsten politischen und kulturellen
Zentrum der Donauländer auszubauen (vgl. Hora-Hořejš 1995, 228). Als Hauptstadt zog
Wien viele bedeutende Gelehrte an; sie strahlte aber auch die neuen Ideen der Aufklärung nach allen Himmelsrichtungen aus und erweckte damit die schlummernden Kräfte
der einzelnen Völkerschaften der Donaumonarchie. In einer Art Wechselwirkung trafen
schlussendlich all jene Strömungen, die in den einzelnen Teilen des Reiches bestanden,
in Wien wieder aufeinander. Diese Entwicklung sollte sich unter den folgenden Regierungen von Joseph II. (1765–1790)[3], Leopold II. (1790–1792) und Franz II./I. (1792–
1835) noch verstärken, bis schließlich unter Ferdinand I. (1835–1848) die zunehmend
versuchte Unterdrückung dieser Strömungen unmittelbar zu den Aufständen des Jahres
1848 führte (vgl. Kann 1993, 150ff.).

Alle Regierungen standen dabei im Zeichen eines staatspolitischen Zentralismus.
Gezielt sollte durch die Einführung der deutschen Sprache in weiten Bereichen der
Verwaltungs-, Gerichts-, Militär- und Schulbehörden die Staatsverwaltung rationalisiert
und der Kontakt zwischen den einzelnen Behörden, aber auch zwischen den staatlichen
Organen und der Bevölkerung reibungslos gestaltet werden (vgl. Jelínek 1972, 13ff.).
Der österreichische Beamtenstand und das österreichische Heer waren als Keimzelle
eines großräumigen Staatsbewusstseins auserkoren. Dem Leitspruch Philipp Wilhelm
von Hörnigks und dem gleichnamigen Titel seines Buches *Österreich über alles, wann
es nur will* (1684) folgend, sollte das Habsburgische Reich zu einem in sich möglichst
geschlossenen, politisch, geographisch, wirtschaftlich wie auch kulturell einigen Raum
in Europa werden (vgl. Kann 1993, 174ff.). Im Regierungsprogramm von Joseph II.
hieß es: „Alle Kräfte des Volkes sollen auf ein Ziel, Österreichs Macht, gerichtet sein"
(Joseph II., zit. nach Pochlatko/Koweindl/Pongratz 1976, 148).

Viel stärker als die Unterschiedlichkeit der genannten Regierungen war eine allen
vier gemeinsam innewohnende sprachen- und schulpolitische Tendenz: Von den Ideen
der Aufklärung erfüllt, doch absolutistisch allen Sondergewalten im Staat abhold und
besonders der Kirche gegenüber auf Wahrung ihrer Rechte bedacht, waren sie nüchtern
utilitaristisch und sparsam. Der Unterschied zwischen ihnen lag lediglich darin, dass

---

2   Die Pragmatische Sanktion von Karl VI. legte die Unteilbarkeit und Untrennbarkeit aller
     Habsburgischen Erbkönigreiche und -länder fest und sah zu diesem Zweck eine einheitli-
     che Erbfolgeordnung vor.

3   Joseph II. blieb aber bis 1780 nur Mitregent in den Habsburgischen Ländern (vgl. Kann
     1993, 583).

unter Maria Theresia in maßvollem, unter Joseph II. in stürmischem Tempo reformiert wurde, und unter Leopold II., Franz II./I. und Ferdinand I. ein allmählicher Stillstand eintrat. Doch blieben all die Jahre hindurch Akademien und Universitäten vom Utilitätsprinzip bestimmt, demzufolge sie nicht die Wissenschaften zu pflegen, sondern dem Staat brauchbare Beamte, Richter, Lehrer, Ärzte und Geistliche heranzubilden hatten (vgl. Strakosch-Grassmann 1905, 83ff.).

1.2   Historischer Abriss mit besonderer Berücksichtigung der Sprachenpolitik

Vor einem solchen Hintergrund sind auch die vielen sprachpolitischen Verordnungen Josephs II. zu sehen. Deutschkenntnisse waren Voraussetzung jeglicher höherer Schulbildung, aber auch zur Erlernung eines Handwerks (vgl. Eder 2006). Im Jahre 1784 wurde Deutsch per Verordnung zur allgemeinen und ausschließlichen Amtssprache. Diese Verfügungen blieben im Wesentlichen bis in die Zeit eines Klemens Wenzel Lothar von Metternich aufrecht, obschon Umsetzungsprobleme schrittweise einige Abänderungen aus pragmatischen Gründen nötig machten, da man einsah, dass das Deutsche nicht von heute auf morgen in der Monarchie, die zu drei Vierteln slawische und darüber hinaus auch anderssprachige Bevölkerungsgruppen umfasste, zur alleinigen Staatssprache gemacht werden konnte. Die Mehrheit der Landbevölkerung war des Deutschen ebenso unkundig wie große Teile der Heeresmannschaften, die jedoch von deutschsprachigen Offizieren befehligt wurden. Darunter litt zu einem nicht unbeträchtlichen Ausmaß die Schlagkraft des Heeres (vgl. Deák 1995, 95ff.; Kann 1993, 181ff.; Strakosch-Grassmann 1905, 132ff.).

So berichtete der böhmische Historiker und Slawist Franz Martin Pelzel (auf Tschechisch František Martin Pelcl) anlässlich der Einrichtung einer Lehrstelle für die tschechische Sprache und Literatur an der Prager Karlsuniversität in seiner *Akademischen Antrittsrede über den Nutzen und Wichtigkeit der böhmischen Sprache* (1793), dass Joseph II. noch als Erzherzog bei einer seiner Ausfahrten eines jungen, an der Waffe übenden Soldaten gewahr geworden wäre, den zu instruieren ein Korporal sich unter Aufbieten seiner gesamten deutschen Sprachgewandtheit und trotz Zuredens, Schimpfens und Schlagens vergeblich abgemüht hätte. Der Erzherzog hätte sich hieraufhin dem Soldaten genähert, auf seine deutsch gestellte Frage jedoch von ebendiesem eine tschechische Antwort erhalten. Sofort hätte der Kronprinz einen tschechischen Korporal herbeirufen lassen, unter dessen Anleitung der Rekrut in einer Stunde mehr Fortschritte gemacht hätte als den ganzen Tag davor. Weiter behauptet Pelzel (1793, 5), dass mangelnde tschechische Sprachkenntnisse Josephs II. einmal sogar Bauernunruhen ausgelöst hätten. Der Kaiser hätte nämlich den sich an ihn mit der Bitte um Schutz wendenden Bauern „Jděte na pány!" (Geht auf die Herren los!) statt „Jděte k pánům!" (Geht zu den Herren!) geraten.

Auch wenn diese beiden Begebenheiten in ihrem vollen Wahrheitsgehalt bezweifelt werden müssen und eher dem Bereich der Anekdoten zuzuordnen sind, veranschaulichen sie dennoch die Diskrepanz zwischen der angestrebten sprachlichen Einheit und der tatsächlichen sprachlichen Realität, mit der sich Maria Theresia und Joseph II. tag-täglich konfrontiert sahen. Der tschechische Schriftsteller, Lexikograph und Übersetzer Karl Ignaz Tham (auf Tschechisch Karel Ignác Thám) beschreibt diese Realität so:

> Noch immer bleibt die böhmische Sprache, außer der deutschen, in den österreichischen Erblanden sowohl dem Begüterten, Vorsteher, Richter, Rechtsfreunde und Beamten, als auch dem Seelsorger, Kriegsmanne, auch dem in Böhmen, Mähren, Schlesien und in den meisten Kommitaten Ungarns, oder bey einem Regimente angestellte Leib- und Wundarz-te, Handelsmanne etc. die nothwendigste, ja oft die unentbehrlichste. (Tham 1814, Erster Teil, Vorrede zur ersten Ausgabe, unpaginiert).

So waren also auch hier rationale Überlegungen jene entscheidenden Gründe, die Maria Theresia und Joseph II. dazu bewogen, zunächst Lektorate und Lehrstellen für das Tschechische zu errichten und ihren Beamten gerade in den böhmischen Ländern Tschechischkenntnisse zu empfehlen (vgl. Jelínek 1972, 14). Der Erziehungsreformer Franz Joseph Graf Kinsky (auf Tschechisch František Josef Kinský) brachte aus der damaligen Sicht des Adels diese Beweggründe in seiner *Erinnerung über einen wichtigen Gegenstand von einem Böhmen* (1785) auf den Punkt:

> Daß ein Begüterter mit seinen Unterthanen sprechen könne, erfordert wohl sein eigener Vortheil, da es sich leicht einsehen läßt, daß wenn man sich auf einen Dolmetscher verlas-sen muß, man nicht nur oft der Betrogene seyn, sondern auch unwissend Irrthümer bege-hen könne. In der letzten Betrachtung wäre es so gar Pflicht die Sprache seiner Untertha-nen, so landsleute sind, zu wissen. Es ist auch in der Natur gegründet, daß Unterthanen einem Herrn mehr zugethan sind, wenn sie mit ihm reden können; welches in verschiede-nen Umständen kein kleiner Vortheil ist. Denen aber, welche sich dem Soldatenstande widmen, ist die Landessprache nicht nur nüzlich, sondern nothwendig. (Kinsky 1785, 57, § 79)[4]

Zur slawischen Lingua franca des Habsburgerreichs wurde das Tschechische deshalb auserkoren, weil es unter den in der Monarchie gesprochenen slawischen Sprachen als die am weitesten fortgeschrittene und am besten beschriebene galt, mit der man sich mit allen anderen im Habsburgerreich lebenden Slawen durchaus verständigen könne (vgl. Newerkla 2000, 73; Schamschula 1973, 147). Es ist daher gerade der Tschechischunter-richt, der bis zum Ende des 18. Jahrhunderts an nicht weniger als sechs Instituten in Wien und Wiener Neustadt nachzuweisen ist, und zwar am Wiener Theresianum (ab 1746), an der Wiener Neustädter Theresianischen Militärakademie (ab 1752), der Wie-ner Adeligen Militärakademie (ab 1755), der Universität Wien (ab 1775) und der Wie-ner Ingenieurakademie (ab 1785). An allen diesen Einrichtungen bzw. ihren Nachfolge-institutionen wird auch heute noch in der einen oder anderen Form Tschechisch unter-richtet (vgl. Newerkla 2007, 53). Tschechisch war aber nicht die einzige Sprache, die an diesen Anstalten gelehrt wurde, sie genoss nur bisweilen besondere Privilegien oder hatte das Primat.

---

4   Vgl. auch Johann Nepomuk Aloys Hanke von Hankenstein und seine Überlegungen zu Notwendigkeit, Nützlichkeit und Vorzügen eines Bohemistiklehrstuhles in Wien (Hanke 1782 und 1783). Diesbezüglich siehe Newerkla (2013 und 2015).

2 Die Anfänge des institutionalisierten Unterrichts in lebenden Sprachen – Vom Drill in Großgruppen hin zu ausdifferenzierten Unterrichtsmaterialien

2.1 Sprachunterricht am Collegium Theresianum (ab 1746)

Am 24. Februar 1746 wurde auf Initiative Maria Theresias das Collegium Theresianum gegründet, um die aufgenommenen Zöglinge, allesamt Söhne katholischer Edelleute des Adelsstandes im Mindestalter von acht Jahren, in den höheren Wissenschaften, in Sprachen (insbesondere jenen des Erzhauses und seiner Erbländer) und adeligen Übungen (Tanzen, Fechten, Reiten) zu unterweisen und sie auf den Staatsdienst vorzubereiten. Die Ausbildung sollte alle Zweige universeller Bildung beinhalten, um bestausgebildete Männer für die Leitung und Verwaltung des Staates zu gewinnen (vgl. Guglia 1912, 21f.; Schwarz 1890, 6f.). Im Verkehr untereinander durften die Zöglinge nur die lateinische Sprache gebrauchen, daher war die Anwendung der Muttersprache in allem, was die Schule betraf, untersagt. Dies funktionierte jedoch nicht lückenlos, und so griffen die Lehrer ab und an auf Deutsch als Instruktionssprache zurück (vgl. Newerkla 2007, 53; Schwarz 1903, 3).[5]

Was die Studien in den fremden Kultursprachen Französisch, Italienisch und Englisch sowie den Landessprachen Tschechisch und Ungarisch anging, so wurden diese an der Anstalt eifrig betrieben. Vorherrschend war dabei der Frontalunterricht in Großgruppen mittels Drill und der Grammatik-Übersetzungsmethode. Dass dies nicht immer den gewünschten Erfolg zeitigte bzw. für viele Zöglinge keine zielführende Art des Spracherwerbs darstellte, legt ein Erlass nahe, der abweichend von der allgemeinen Ordnung des Theresianums für Kinder hochrangiger Persönlichkeiten die Möglichkeit vorsah, neben anderen Vergünstigungen auch eigene Sprachmeister zu erhalten. Diese durften aber nur aus dem Jesuitenstande stammen. Außerdem behielt sich der Rektor das Recht vor, sie aufzunehmen und zu entlassen. Erst 1773 fielen mit der Auflösung des Jesuitenordens auch diese Zugeständnisse an den Hochadel (vgl. Cicalek 1872, 14; Gemmell-Flischbach 1880, 6ff.; Newerkla 2000, 75f.; Schwarz 1903, 3 bzw. 25).

2.2 Sprachunterricht an der Adeligen Militärakademie (ab 1755)

Die Adelige Militärakademie auf der Laimgrube in Wien VII. war 1754 ausschließlich für in- wie ausländische Kostgänger adeliger Abstammung gegründet worden und hatte eine möglichst umfassende Bildung nach Abschluss der lateinischen Schulen zu vermitteln. Die Stundeneinteilung sah für Sprachen wöchentlich dreimal zwei Unterrichtsstunden vor. Viel mehr ist über die konkrete Durchführung des Unterrichts auch nicht bekannt. Ungeachtet aller Bemühungen der Kaiserin, diese Akademie zu einer Dauereinrichtung zu machen, ging sie nämlich bereits 1769 wieder am Desinteresse des inländi-

---

5 Schwarz konnte sich noch auf Angaben in den Faszikeln XVII und XVIII des Theresianischen Archivs stützen, die jedoch seit dem Ende des Zweiten Weltkriegs verschollen sind.

schen Adels zugrunde. Die Ursachen dafür lagen wohl nicht so sehr am anspruchsvollen Lehrplan, der unter anderem das Studium von sechs Sprachen (Deutsch, Tschechisch, Ungarisch, Italienisch, Französisch, Englisch) vorsah, sondern an den hohen Kosten des Schulbesuchs (vgl. Gatti 1901, 81; Leitner von Leitentreu 1852, 73ff.).

2.3   Sprachunterricht an der Theresianischen Militärakademie (ab 1752)

Noch strenger als am Collegium Theresianum und der Adeligen Militärakademie ging es an der Theresianischen Militärakademie in Wiener Neustadt zu. Böhmisch, wie damals das Tschechische bezeichnet wurde, war hier seit Aufnahme des Unterrichts im Kadettenhaus am 1. November 1752 aus den bereits genannten utilitaristischen Gründen ebenfalls ein fixer Bestandteil im Fächerkanon, der als weitere Sprachen auch noch Latein, Französisch und Italienisch beinhaltete. Die spezifische Organisation des Instituts machte dabei all die Jahre hindurch jeweils zwei Sprachmeister, auch Professores genannt, notwendig. Zu unterrichten galt es also für die Lehrer stets zwei Kompanien zu je 100 Zöglingen im Mindestalter von 14 Jahren, getrennt nach adeligen Knaben des Herren- und Ritterstandes aus den Erbländern und Kindern von Armeeoffizieren (vgl. Leitner von Leitentreu 1852, 56ff.; Patera 1908, 131ff.; Svoboda 1894, XLIIff.).

Wichtiger als eine fundierte Sprachausbildung war anfänglich die Heranbildung zur militärischen Brauchbarkeit und Subordination, also zum Gehorsam gegenüber militärischen Vorgesetzten. Die Kadetten verblieben im Normalfall sechs bis acht Jahre am Institut, bis sie in die Regimenter eingereiht werden konnten. Die Stundeneinteilung gestaltete sich wie der gesamte Erziehungsplan möglichst einfach und überschaubar. Was das Tschechische angeht, so wurden in einem eigenen Unterrichtsraum, dem sogenannten böhmischen Sprachzimmer, Sommer wie Winter außer an Sonn- und Feiertagen täglich zwei Stunden Tschechischlektionen im Frontalunterricht erteilt, und zwar je eine Stunde für 50 Kadetten am Vormittag und für die andere Hälfte am Nachmittag. Hierbei beschränkten sich die Lehrer notgedrungen auf das bloße Vortragen grammatikalischer Regeln und militärischer Terminologie sowie Drillübungen. Der damalige Lokaldirektor der Akademie Johann Georg Carl Freiherr von Hannig war sich der geringen Effizienz dieser Methode bewusst und nützte die Gelegenheit der Erstellung eines neues Studienplans, um auch gleich erste Instruktionen für die böhmischen Sprachmeister zu erlassen. So sah er in seiner Einleitung zum Lehrplan für das Tschechische vor, dass der Unterricht künftig in tschechischer Sprache zu erfolgen habe und als Grundlage sowie als Hilfestellung bei Erklärungen das Lateinische heranzuziehen sei. Außerdem wurde nicht allein der Vortrag grammatikalischer Regeln in systematischer Ordnung anbefohlen. Die Zöglinge mussten vielmehr auch einen Vorrat von Wörtern und Sätzen auswendig lernen, um so alsbald zum Sprechen zu gelangen (vgl. Newerkla 2007, 63).

Einer der beiden damaligen Sprachmeister Wenzel Michael Wiedemann (auf Tschechisch Václav Michal Vídemann) beherzigte diese Anregung, indem er für das Kadettenkorps 1768 ein *Deutsch-böhmisches Wörterbuch, zum Gebrauch des kais. königl.*

Cadeten-Corps zu Neustadt herausgab, das im selben Jahr auch für die Öffentlichkeit unter dem Titel *Neu-verfaßtes deutsch-böhmisches Wörterbuch, In welchem nicht nur die verba perfecta samt ihren imperfectis, oder frequentativis verbis zu finden, sondern auch viele besondere tempora deren verborum, wie auch unterschiedliche Redens-Arten und Bohemismi mit eingeführet seynd* aufgelegt wurde. Der Aufbau des 320 Seiten starken Wörterbuchs zeugt von Wiedemanns sprachlichem Feingefühl, weshalb es auch nicht weiter überrascht, dass dieser Behelf an der Militärakademie zum Unterricht vorgeschrieben wurde. Wiedemanns alphabetisch geordnetes Wörterbuch mit rund 13 000 deutschen Lemmata und mehr als 15 000 tschechischen Äquivalenten besticht auch aus heutiger Sicht noch immer durch seine Brauchbarkeit. Die Modernität des Wörterbuchs beginnt bei der häufigen Nennung von gleich mehreren tschechischen Synonymen für ein deutsches Lemma und reicht bis zur oftmaligen Wiedergabe von deutschen Verben erstmals überhaupt sowohl durch die perfektive als auch die dazugehörige imperfektive tschechische Zeitwortform. Des Weiteren führt Wiedemann zahlreiche Redensarten und bei schwierigeren Verben auch einzelne Verbformen an (vgl. Newerkla 2004, 144ff.).

Dem Wunsch von Feldmarschallleutnant Hannig nach einem anschaulich angereicherten Unterricht sollte aber auch der damals neu bestellte Tschechischlehrer und Piarist Maximilian Wenzel Schimek (auf Tschechisch Maximilián Václav Šimek) nach seinem Antritt so schnell wie möglich Folge leisten, indem er ein neues Lehr- und Lesebuch für den Unterricht vorlegte. Das gerade rasch wachsende Interesse an naturgeschichtlichen Publikationen führte dazu, dass ein entsprechendes Lehrmittel entstand und schließlich 1778 beim Universitätsbuchhändler im Wiener Seitzerhof Hermann Joseph Krüchten in Wien erschien. Neben dem tschechischen Titel *Krátký vejtah všeobecné historie přirozených věcí …* trug es den deutschen Paralleltitel *Kurzer Auszug einer allgemeinen Geschichte der natürlichen Dinge nebst einem Anhange einiger merkwürdigen Begebenheiten zum gemeinnützigen Gebrauche der böhmischen Sprache in der kais. kön. theresianischen Militärakademie zu Neustadt entworfen von Maximilian Schimek aus dem Orden der frommen Schulen.* Damit verband Schimek seine Sprachlehre mit einer damals ganz neuen Thematik und schuf zugleich die älteste tschechisch verfasste Naturgeschichte dieses Umfangs (vgl. Newerkla 2014, 17f.).

Im Akademiereglement des Jahres 1775 war es schließlich auch zu einer weiteren Aufwertung der Tschechischlehrer gekommen, indem ihnen ein höheres Disziplinarrecht als anderen Lehrern zugestanden worden war: Wer nicht den entsprechenden Lernerfolg aufwies, wurde also streng bestraft. So konnten die Sprachmeister die Kadetten bei Nachlässigkeiten in Erlernung ihrer Aufgaben, aber auch wegen sonstigen üblen Verhaltens, öffentlich in der Schule knien lassen. Sie konnten des Weiteren den Entzug von ein oder zwei Speisen sowie der Rekreationszeit schriftlich anordnen. Half aber auch das nichts, drohte den jungen Kadetten sogar die öffentliche Verstoßung von der Akademie (Newerkla 2007, 63).

> Unbiegsame Jugend, die vielleicht an andern Orten sich keinem gesitteten Lebenswandel unterzogen hat, oder etwan schon ausschweifend erzogen worden, sowohl als jene, welche nach einer längern Zeit sich den Studien nicht widmen, oder wegen ihres wenigen Talents keinen Fortgang in den Wissenschaften machen, werden nach geschehener vorläufiger Er-

innerung in diesem Hause nicht geduldet, auch für jene Zöglinge, welche nach vorausgegangener anständiger Bestrafungs-Art sich nicht zum Guten lenken wollen, [wird] keine Zeit für ihren Aufenthalt in der Akademie ausgemessen, sondern die Ältern oder Verwandten müssen derley Knaben gleich auf geschehene Erinnerung zurücknehmen, wenn sie ihre Söhne oder Verwandte nicht öffentlich von der Akademie verstoßen sehen wollen, und in diesem Fall wird das vorhinein bezahlte Kostgeld von dem Tag des Austritts zurück bezahlt (Colland 1796, 167).

Eine substantielle Verbesserung des Sprachunterrichts brachten jedoch erst die Jahre unter der Ägide des Lokaldirektors und Reformers Franz Joseph Graf Kinsky von Wchynitz und Tettau. Dieser wollte die Akademie nach dem Vorbild der Stuttgarter Karlsschule und der Erziehungsanstalt von Johann Heinrich Pestalozzi mit Betonung der moralischen Erziehung umgestalten, aber auch den Sprachunterricht auf eine neue Grundlage stellen. Dies führte unter anderem zur Erstellung von Handbüchern mit Mehrsprachigkeitsbezug bzw. von Lehr- und Übungsbüchern, deren besonderes Kennzeichen ihr unmittelbarer Praxisbezug war. Selbst die sprachreinigenden bzw. -bewahrenden Tendenzen der zeitgenössischen tschechischen nationalen Erneuerungsbewegung obsiegten darin nicht gegen das Bemühen um Praxisnähe und Nützlichkeit (vgl. Newerkla 2007, 63f.).

So erstellte der Tschechischlehrer Athanasius Johannes Blasius Spurný[6] (auf Tschechisch Atanáš Jan Blažej Spurný) 1783 für die Kadetten der Akademie das Lese- und Übersetzungsbuch *Kniha k čtení a překládaní pro schovance cís. kral. akademie, pozůstávající v exercicium, službě a adjustyrování sprostného muže cís. král. pěchoty*, welches 1786 und 1793 erneut als Übungsbuch unter dem Titel *České cvičení pro schovance cís. kral. kadetního domu pozůstávající v exercicium službě a adjustyrování etc. sprostného muže* aufgelegt wurde. Es handelte sich dabei um den ersten Lehrbehelf an der Militärakademie, der speziell auf die fachsprachlichen Bedürfnisse der Kadetten hin ausgerichtet war. Spurný war sich seines innovativen Fachsprachenzugangs durchaus bewusst. So beschrieb er auf der ersten Seite des Vorworts, dass jede Person über ein eigenes Sprachregister und einen eigenen Sprachstil verfüge: „Jiná ovšem jest vejmluvnost u nejvyžšího soudu, jinak rozpraví voják, kupec, řemeslník, sedlák a. t. d. Každý dle stavu svého o tom nejvíce mluvit umí, s čím se obírá" (Spurný 1786, o. S.).[7] Aus diesem Grund sei es notwendig, Offiziere und Kadetten von Anfang an mit den ihrer Funktion entsprechenden Redemitteln auszustatten. Besonderes Gewicht sei dabei auf Übersetzungsübungen zu legen, damit eine gleich hohe Sprach- und Sprechkompetenz sowohl im Tschechischen als auch im Deutschen erreicht werde. Das bloße Erlernen grammatikalischer Regeln, noch dazu in der Muttersprache, hätte keinen Sinn und würde es den Schülern verunmöglichen, eine Sprache sprechen zu lernen. Ein Tschechischlehrer müsste deshalb den Unterricht unbedingt auf Tschechisch halten (vgl. Newerkla 2004, 152).

---

6   Ausführlich zu Leben und Wirken von Spurný vgl. Newerkla (2008, 195ff.).

7   Übersetzung: „Eine andere allerdings ist die Sprachgewandtheit beim höchsten Gericht, anders spricht der Soldat, der Kaufmann, der Handwerker, der Bauer usw. Jeder kann nach seinem Stand darüber am meisten reden, womit er sich beschäftigt."

Hier wurden also bereits Ende des 18. Jahrhunderts Forderungen erhoben, die an Wilhelm Viëtor und seine 1882 publizierte Streitschrift *Der Sprachunterricht muss umkehren!* erinnern, in der dieser die direkte Methode propagierte. Viëtor machte etwa auch die Fremdsprache zur Unterrichtssprache und lehrte Grammatik nicht mehr rein deduktiv. Die Lernenden sollten stattdessen grammatische Regeln aus einer Reihe von Beispielsätzen induktiv ableiten und damit selbst entdecken. Im Vordergrund stand jedenfalls auch bei Spurný der Praxisbezug; die von ihm verwendete Sprache war ein getreues Abbild des sprachlichen Usus im Militär der damaligen Zeit und ist für uns somit eine äußerst wertvolle Quelle, gerade auch, weil damals gar keine Anstalten getroffen wurden, die zahlreichen Lehnwörter unter den militärischen Fachtermini durch autochthon tschechische Ausdrücke zu ersetzen. Vielmehr wurden die Termini, Befehle und entlehnten Ausdrücke durch Erklärungen den Lernern verständlich gemacht, und zwar mit dem Ziel der Vereinheitlichung der Militärterminologie für die Heeresangehörigen der von den Habsburgern beherrschten Territorien. Die Wörterlisten enthielten als tschechische Stichwörter zwar die althergebrachten und teils puristisch neu gebildeten Ausdrücke, es folgten aber durch P. markiert die damals in Gebrauch stehenden Lehnwörter. Das P. war dabei die Abkürzung für das tschechische Wort *povojensku,* was „militärsprachlich" bedeutet und anzeigen sollte, dass der jeweils nachfolgende Begriff im sprachlichen Usus der Soldaten Verwendung fand. Es ging also um die stilistische und funktionale Differenzierung zwischen Literatursprache und militärischer Fachsprache bzw. militärischem Fachjargon. Die zwischen den Stichwörtern eingeflochtenen, illustrierenden Texte sollten schließlich dazu beitragen, dass sich die Soldaten die oft schwierig zu merkenden Ausdrücke besser einprägen konnten (vgl. Newerkla 2004, 153ff.).

Bei Spurnýs Publikation handelt es sich im Grunde nicht nur um ein Buch, sondern um drei zu einem Werk verbundene Bücher, und zwar das eigentliche Übungsbuch aus Spurnýs Feder, ein militärisches Wörterbuch samt Chrestomathie, bei dem nach den Angaben in der zeitgenössischen Korrespondenz die Mitarbeit von Donát Antonín Krbec, dem damaligen zweiten Tschechischlehrer an der Akademie, anzunehmen ist sowie eine abschließende Einführung in die tschechische Sprache. In dieser begegnet uns ein Mann, der die Reformbemühungen unter Lokaldirektor Freiherr von Hannig als Lehrer selbst miterlebt und mit seinen Kollegen diskutiert hatte. Nun sollte er selbst zum Reformer werden und sich als erster Universitätsprofessor des Tschechischen weltweit für immer in die Geschichte der Philologie einreihen: Josef Valentin Zlobický (vgl. dazu auch Newerkla 2012, 13ff.).

3 Josef Valentin Zlobickýs Methode der Sprachvermittlung des Tschechischen als Vorbild für den Unterricht lebender Sprachen

Am 7. Oktober 1775 wurde der Unterricht der tschechischen Sprache und Literatur und damit der ersten lebenden Sprache nach dem Deutschen an der Universität Wien eingeführt. Als erster Professor wurde an die Alma mater Rudolphina der aus Velehrad in

Mähren gebürtige Tschechischlehrer Josef Valentin Zlobický berufen, der bis dahin an der Theresianischen Militärakademie gewirkt hatte. Nach den Intentionen der Studienhofkommission an der Philosophischen Fakultät hatten damals der Rechtsanwalt und Professor für Geschichte an der Universität Wien Matthias (Ignaz Mathes) Hess sowie der Piarist und Pädagoge Gratian Marx im Rahmen einer neuen philosophischen Studienordnung angeregt, ein Begleitstudium mit lebenden Fremdsprachen zu installieren. Zlobický hatte mit Hess und Marx diese Pläne diskutiert und daraufhin auf der Grundlage des Tschechischen einen Plan für ein Studium der slawischen Sprachen erstellt, der im Übrigen in analoger Anwendung auch für den Unterricht anderer lebender Sprachen, so etwa bei der Einführung der romanischen Sprachen an der Universität Wien, als verbindliche Richtschnur gelten sollte:

> Laut dieser Nota sollen unter dem Namen der neuern europäischen Sprachen, die französische, wällische, spanische, und englische; und unter dem Namen der erbländischen Sprachen, die böhmische, pohlnische und ungarische Sprachen, nach einer nützlichen und weniger umschweifenden Lehrart, sammt der dazu gehörigen Litteratur, oder Kenntniß der besten Schriftsteller der Sprachgeschichte in der akademischen Hauptabsicht tradiret werden, daß solche nicht etwa bloß zum Reden, sondern vorzüglich die europäischen zur leichtern Pflege der fürtrefflichen Schriftsteller in allen Wissenschaften; die erbländischen aber zur bequemern Benutzung der Landsgesetze, Urkunden, Geschichte und Instituten gebrauchet werden können (Zlobický 1776, zitiert nach Reichel 2004b, 238).

Dies machte einen völlig neuen Typ von Sprachlehrer notwendig. Zlobický schwebten keine bloßen Sprachmeister wie an der Wiener Neustädter Akademie vor, sondern Personen, die neben der Unterrichtssprache auch Latein, Deutsch und allenfalls von den anderen Sprachen etwas verstehen sowie in Fächern wie Geschichte, Numismatik, Diplomatik, Genealogie, Heraldik, Geographie etc. und in den schönen Künsten und Wissenschaften des Vaterlandes gründliche Kenntnisse besaßen. Bei Lehrern von erbländischen Sprachen (wie etwa dem Tschechischen) wären abgesehen davon auch noch Kenntnisse in den vaterländischen Landesgesetzen, Urkunden und Instituten unabdingbar (vgl. Reichel 2004b, 239). Zlobickýs Methode der Sprachvermittlung war somit für die damalige Zeit bahnbrechend:

> Um nicht blos trockene sauere Sprachlehre zu treiben, sondern // diese durch solche Übungen der Litteratur – wovon ich Einer Hochlöbl. K. K. Studienhofkommission bereits in Februario das Prob- und Musterstück eingeliefert habe – angenehm und nutzbar zu machen, welche nebst den Wörtern auch Sachen lehren – also Sachen zur Übung –; so scheinet es am natürlichsten zu seyn, zu solchen Übungen die Litteratur zu adaptiren, um selbe mit der Sprache in Einem lehren und lernen zu können (Zlobický 1776, zitiert nach Reichel 2004b, 239).

Die Zuhörer sollten also parallel zu den Sprachkursen Vorlesungen aus Landeskunde, der Landes- sowie der Sprach- und Literaturgeschichte absolvieren, und zwar im Vergleich zu weiteren Sprachen. Die Grammatik wäre auf ein Kompendium der allernotwendigsten Regeln zu reduzieren. Vielmehr sollten sich die Studenten die Sprache spontan aufgrund von aktuellen Beispielen und im Kontext zu den Realien aneignen können, wobei die ausgewählten Texte „so geordnet werden müssen, daß sie so viel möglich entweder historisch oder moralisch aufeinander passen, lauter brauchbare nützliche Dinge enthalten, und besonders das Genie, das Eigene unserer Nation kennen lehren" (Zlobický 1776, zitiert nach Reichel 2004b, 242).

Zlobickýs Konzeption erinnert damit in kongenialer Entsprechung an die originelle Betrachtungsweise eines fruchtbringenden Fremdsprachenunterrichts durch Johann Gottfried Herder, die sich dieser schon 1769 in sein Reisetagebuch notiert hatte. Sie erinnert zudem auch an den Ansatz von Christoph Daniel Ebeling,[8] der zur gleichen Zeit als Professor am Hamburger Gymnasium sowie Mitvorsteher an der Hamburger Handelsakademie tätig war und ein Sprachbuch des Englischen veröffentlichte (Ebeling 1773, [4]1784), bei dem ebenfalls Sprach- und Sachlernen verknüpft war und auf das er ähnliche in italienischer, französischer, spanischer und holländischer Sprache folgen ließ (vgl. Klippel 1994, 123, 174–176). Während aber das Manuskript von Herders Journal erst 1810 in Auszügen veröffentlicht wurde und unmittelbar nie Wirkung entfalten konnte, gelang es Zlobický, die Obrigkeit bereits um ein Vierteljahrhundert früher für seine Methode zu interessieren (vgl. Gugler 1995, 132; Vintr 2004, 105).

Dieser von der Studienhofkommission approbierte Plan war bereits im Februar 1774, somit neun Monate vor der Ausschreibung der Sprachlehrerstellen für das Tschechische, Italienische, Spanische und Französische im *Wiener Diarium* vom 15. Oktober 1774, als Rohfassung vorlegt worden und schließlich auch für den einige Monate später eingeführten Sprachunterricht des Französischen, Spanischen und Italienischen als verbindlich erklärt worden. Zlobický hatte sich darin bei seiner Lehrmethode auch auf die klingenden Namen von ausländischen Professoren berufen, insbesondere um seinem Entwurf mehr Glaubhaftigkeit und Tiefe zu verleihen, und er hatte in der Abfassung großen Instinkt für den Bedarf des Staates nach sprachkundigen Beamten bewiesen. So ließ er Signalwörter geschickt einfließen, sprach über Lehrinhalte als „brauchbar" und „nützlich" und erwähnte auch die Notwendigkeit der Ausbildung polnischsprechender Beamter, deren Bedarf sich nach dem Erwerb von Galizien und Lodomerien zwei Jahre zuvor erhöht hatte (vgl. Reichel 2004a, 120ff.).

Zlobickýs Methode unterschied sich jedenfalls grundsätzlich von der an anderen Eliteschulen der Habsburgermonarchie bis dahin praktizierten Methode des Frontalunterrichts von Großgruppen sowie der verbreiteten Grammatik-Übersetzungsmethode, was sich auch im Interesse und am Erfolg der Studenten niederschlug. So mieden etwa die Wiener Theresianisten ab 1775 die Lektionen des dort nach althergebrachten Methoden tätigen Tschechischlehrers Johann Wenzel Pohl (auf Tschechisch Jan Václav Pól) und besuchten lieber Zlobickýs öffentliche Vorlesungen an der Universität (zumal am Theresianum 1773 ja auch das Recht auf eigene Sprachmeister weggefallen war). Nach einigem Hin und Her stellte es 1787 die Studienhofkommission den Theresianisten sogar offiziell frei, Pohls oder Zlobickýs Explikationen zu besuchen (vgl. Newerkla 2004, 140).

Zugleich zeigt sich die Vorbildwirkung des Tschechischunterrichts für jenen der romanischen Sprachen auch in dem Umstand, dass der Entwurf zur Errichtung eines

---

8   Für diesen wichtigen Hinweis danke ich ganz herzlich Frau Prof. Dr. Friederike Klippel vom Lehrstuhl für Didaktik der Englischen Sprache und Literatur des Departments für Anglistik und Amerikanistik an der Ludwig-Maximilians-Universität München.

slawischen Sprach- und Literaturinstituts zwar in den Beständen der Studienhofkommission im Allgemeinen Verwaltungsarchiv aufbewahrt wird, aber im Karton 74 der
Abteilung für die französische Sprache. Bei der etwas später erfolgten Ernennung des
Professors für französische Sprache und Literatur, Anton Descombe, war auch Zlobický
bereits involviert. Für das Auswahlverfahren hatte er einen Fragenkatalog ausgearbeitet
(vgl. Reichel 2004a, 122). Noch im Kommerzialschema der k. k. Residenzstadt Wien
von 1780 hieß es in der folgenden Reihenfolge: „Hr. Joseph Zlobitzky, lehret die böhmische, Hr. Ferdiuand [sic!] Navarro, die spanische, Hr. Anton Descombe, die französische, Hr. [Franz] Lanuti, die italiänische Sprache" (Kommerzialschema 1780, 44). Bald
nach dem alleinigen Regierungsantritt Josephs II. 1780 wurde aber aus Rentabilitäts-
gründen und als Sparmaßnahme an der Universität schon wieder jeglicher Unterricht in
fremden Kultursprachen eingestellt. Lediglich das Böhmische wurde als „nützlich und
in mancher Beziehung nothwendig" erachtet und fiel somit nicht dem Reformeifer des
Kaisers zum Opfer (Reichel 2004a, 124). Die erzwungene Pause sollte für die romanischen Sprachen aber nicht von Dauer sein. Alsbald gab es mit Franz Sarchi bzw.
Francesco Filippo Sarchi (vgl. Noe 2011, 106ff.) und Johann Remi (bzw. Remy) zumindest wieder einen Professor für die italienische und einen für die französische Sprache an der Universität Wien (vgl. Hof- und Staats-Schematismus 1796, o. S. [angeführt
unter „Bürgerl. Künstler in Wien, Sprachlehrer"]; Hof- und Staats-Schematismus 1797,
225).

4   Schluss

Die Kurzanalyse der Entstehungsgeschichte des institutionalisierten Unterrichts von
fremden Kultursprachen und in den Habsburgischen Erblanden gesprochenen Sprachen
im Wiener Raum in der zweiten Hälfte des 18. Jahrhunderts macht deutlich, dass hinter
der Einführung dieses Unterrichts weniger das Bemühen um sprachliche Gleichberechtigung im Zeitalter der Aufklärung stand, sondern rationalistischer Pragmatismus und
Utilitarismus von ganz im Zeichen eines staatspolitischen Zentralismus agierenden
Regierungen, die über ein Reich mit überwiegend slawischem Bevölkerungsanteil zu
herrschen hatten. Dennoch gelang es einigen Fremdsprachenlehrern auch hier bereits
vom rein deduktiven Frontalunterricht abzugehen und die bis dahin vorherrschenden
Drillübungen und die Grammatik-Übersetzungsmethode durch neue, stärker induktive
und auf die spezifischen Bedürfnisse der Lerner abgestimmte Methoden des Fremdsprachenunterrichts zu bereichern. Ziel war für sie nicht länger ein bloß passives Lesever-
ständnis oder der vornehmlich schriftliche Umgang mit gelehrten Sprachen, sondern
vielmehr die Vermittlung von aktiven Sprachkenntnissen adäquat zu den jeweiligen
Lebensumständen und Funktionen der Lernenden. Prägend waren dabei in dieser Anfangsphase gerade die Lehrer des Tschechischen, die wegen dessen Vorrangstellung
unter den übrigen Landessprachen nach dem Deutschen eine besondere Vorreiterrolle
übernehmen konnten und mit ihren aufgeklärten Lehrmethoden in diesen Jahren auch

den Unterricht in den übrigen in der Habsburgermonarchie gelehrten fremden Kultursprachen prägten.

Literatur

Cicalek, Theodor (1872). *Beiträge zur Geschichte des Theresianums.* Wien: Verlag der Theresianischen Akademie.

Colland, Friederich (1796). *Kurzer Inbegriff von dem Ursprunge der Wissenschaften, Schulen, Akademien, und Universitäten in ganz Europa, besonders aber der Akademien und hohen Schule zu Wien, ...* Wien: Johann Thomas Edlen von Trattnern.

Deák, István ([2]1995). *Der K. (u.) K. Offizier.* Wien: Böhlau.

Ebeling, Christoph Daniel (1773, [4]1784). *Vermischte Aufsätze in englischer Prose hauptsächlich zum Besten derer welche diese Sprache in Rücksicht auf bürgerliche Geschäfte lernen wollen. Vierte verbesserte Auflage.* Hamburg: C. Herolds Wittwe.

Eder, Ulrike (2006). *„Auf die mehrere Ausbreitung der teutschen Sprache soll fürgedacht werden". Deutsch als Fremd- und Zweitsprache im Unterrichtssystem der Donaumonarchie zur Regierungszeit Maria Theresias und Josephs II.* (Theorie und Praxis. Österreichische Beiträge zu Deutsch als Fremdsprache, Serie B, Bd. 9). Innsbruck u. a.: StudienVerlag.

Gatti, Friedrich (1901). *Geschichte der k. und k. Technischen Militär-Akademie. I. Band.* Wien: Wilhelm Braumüller.

Gemmell-Flischbach, Max (1880). *Album des Kaiserl. Königl. Theresianums (1746–1880). Verzeichniss sämmtlicher Angehörigen der k.k. Theresianischen Akademie ...* Wien: M. Perles.

Glück, Helmut (2013). *Die Fremdsprache Deutsch im Zeitalter der Aufklärung, der Klassik und der Romantik. Grundzüge der deutschen Sprachgeschichte in Europa.* Wiesbaden: Harrassowitz.

Guglia, Eugen (1912). *Das Theresianum in Wien. Vergangenheit und Gegenwart.* Wien: Anton Schroll & Co.

Gugler, Otto Michael (1995). *Zensur und Repression. Literatur und Gesellschaftsbild im Zeitalter des Spätjosephinismus.* Wien: Universität Wien (Dissertation).

Hanke, Johann Alois (1782). *Empfehlung der böhmischen Sprache, und Litteratur, nebst einem Versuch über die leichteste und nützlichste Lehrart der beiden Gegenstände. Gewidmet seinem Vaterlande dem Markgrafthum Mähren.* Wien: von Baumeister.

Hanke, Johann Alois (1783). *Empfehlung der böhmischen Sprache und Litteratur. Gewidmet seinem Vaterlande dem Markgrafthum Mähren.* Wien: von Baumeister.

Hof- und Staats-Schematismus (1796). *Hof- und Staats-Schematismus der röm. Kaiserl. auch kaiserl. königl. und erzherzoglichen Haupt- und Residenz-Stadt Wien, derer daselbst befindlichen ...* Wien: Joseph Gerold.

Hof- und Staats-Schematismus (1797). *Hof- und Staats-Schematismus der röm. Kaiserl. auch kaiserl. königl. und erzherzoglichen Haupt- und Residenz-Stadt Wien, derer daselbst befindlichen ...* Wien: Joseph Gerold.

Hora-Hořejš, Petr (1995). *Toulky českou minulostí. Čtvrtý díl: Od bitvy na Bílé hoře (1620) do nástupu Marie Terezie (1740)*. Praha: Baronet.

Jelínek, Jaroslav (1972). *Nástin dějin vyučování českému jazyku v letech 1774–1918*. Praha: Státní pedagogické nakladatelsví.

Kann, Robert Adolf (³1993). *Geschichte des Habsburgerreichs 1526–1918*. Wien: Böhlau.

Kinsky, Franz Josef (1785). *Des Grafen Franz Kinsky gesamlete* [sic!] *Schriften. Dritter Teil: welcher die Erinnerung über einen wichtigen Gegenstand von einem Böhmen, enthält*. Wien: Christian F. Wappler.

Klippel, Friederike (1994). *Englischlernen im 18. und 19. Jahrhundert. Die Geschichte der Lehrbücher und Unterrichtsmethoden*. Münster: Nodus.

Kommerzialschema (1780). *Der kaiser-königlichen Residenzstadt Wien Kommerzialschema, Nebst Beschreibung aller Merkwürdigkeiten derselben, insbesondere ihrer Schulen, Fabriken, Manufakturen, Kommerzialprofessionisten, dem Handelsstande, der akademischen Bürger, Künstler, u. s. w.* Wien: Joseph Gerold.

Koukolik, Sylvia Erna (1971). *Studien zur Geschichte der Wiener aus den Ländern der böhmischen Krone in der ersten Hälfte des 19. Jahrhunderts*. Wien: Universität Wien (Dissertation).

Leitner von Leitentreu, Thomas Ignaz (1852). *Ausführliche Geschichte der Wiener-Neustädter Militärakademie*. Hermannstadt: Theodor Steinhaußen.

Newerkla, Stefan Michael (2000). Tschechischunterricht in Wien und Wiener Neustadt bis 1775. In: *Wiener Slavistisches Jahrbuch* 46, 73–84.

Newerkla, Stefan Michael (2004). Josef Valentin Zlobický im Kreise seiner Vorgänger und Zeitgenossen. In: Vintr/Pleskalová, 137–158.

Newerkla, Stefan Michael (2007). Der Tschechischunterricht (und der Slowakischunterricht) in Österreich von seinen Anfängen bis in die Gegenwart. In: *Zeitschrift für Slawistik* 52, 52–75.

Newerkla, Stefan Michael (2008). Atanáš Jan Blažej Spurný (1744–1816). In: Čornejová, Michaela; Kosek, Pavel (Hrsg.). *Jazyk a jeho proměny. Prof. Janě Pleskalové k životnímu jubileu*. Brno: Host, 195–204.

Newerkla, Stefan Michael (2012). 235 Jahre Bohemistik an der Universität Wien (in Erinnerung an den 200. Todestag von Josef Valentin Zlobický). In: Newerkla, Stefan Michael; Sodeyfi, Hana; Villnow Komárková, Jana (Hrsg.). *Miscellanea Vindobonensia Bohemica. In Erinnerung an den 200. Todestag von Josef Valentin Zlobický*. Wien: Holzhausen (Bohemoslavica abscondita 1), 13–24.

Newerkla, Stefan Michael (2013): Johann Nepomuk Aloys Hanke von Hankenstein und seine Überlegungen zu Notwendigkeit, Nützlichkeit und Vorzügen eines Bohemistiklehrstuhles in Wien. In: Symanzik, Bernhard (Hrsg.). *Miscellanea Slavica Monasteriensia. Gedenkschrift für Gerhard Birkfellner. Gewidmet von Freunden, Kollegen und Schülern*. Berlin u.a.: LIT Verlag (Münstersche Texte zur Slavistik 6), 363–376.

Newerkla, Stefan Michael (2014). Maximilian Wenzel Schimek. In: Newerkla, Stefan Michael; Petrbok, Václav; Vykypělová, Taťána. *Vorläufer der wissenschaftlichen Slawistik: Leben, Werk, Editionen* (= Bohemoslavica abscondita 2). Wien: Holzhausen, 11–47.

Newerkla, Stefan Michael (2015). Jan Nepomuk Alois Hanke z Hankenštejna a jeho úvahy o nutnosti, užitečnosti a přednostech bohemistické katedry ve Vídni. In: Förster, Josef et al. (Hrsg.): *Historia litteraria v českých zemích od 17. do počátku 19. století.* Praha: Filosofia, 251–263.

Noe, Alfred (2011). *Geschichte der italienischen Literatur in Österreich. Teil I: Von den Anfängen bis 1797.* Wien: Böhlau.

Patera, Adolf (Hrsg.) (1908). *Korrespondence Josefa Dobrovského. Díl III. Vzájemné listy Josefa Dobrovského a Josefa Valentina Zlobického z let 1781 – 1807.* Praha: Česká akademie císaře Františka Josefa pro vědy, slovesnost a umění (Sbírka pramenův ku poznání literárního života v Čechách, na Moravě a v Slezsku. Skup. II, čísl. 9).

Pelzel, Franz Martin (1793). *Akademische Antrittsrede über den Nutzen und Wichtigkeit der böhmischen Sprache.* Prag: Rohoš.

Pochlatko, Herbert; Koweindl, Karl; Pongratz, Josef (1976). *Einführung in die Literatur des deutschen Sprachraumes von ihren Anfängen bis zur Gegenwart. II. Teil (1775–1848).* Wien: Wilhelm Braumüller.

Reichel, Walter (2004a). Josef Valentin Zlobický – erster Professor für böhmische Sprache und Literatur: Leben, Wirken und Verdienste vor dem Hintergrund der Aufklärung. In: Vintr/Pleskalová, 115–136.

Reichel Walter (2004b). Návrh Slovanské ústavu – Entwurf eines Slawischen Instituts. In: Vintr/Pleskalová, 238–242.

Schamschula, Walter (1973). *Die Anfänge der tschechischen Erneuerung und das deutsche Geistesleben (1740–1800).* München: Willhelm Fink.

Schröder, Konrad (Hrsg.) (1987–2001). *Biographisches und bibliographisches Lexikon der Fremdsprachenlehrer des deutschsprachigen Raumes, Spätmittelalter bis 1800.* 6 Bde. + Registerband. Augsburg: Universität Augsburg.

Schröder, Konrad (Hrsg.) (1992). *Fremdsprachenunterricht 1500–1800.* Wiesbaden: Harrassowitz (Wolfenbütteler Forschungen, Bd. 52).

Schwarz, Johann (1890). Geschichte der k. k. Theresianischen Akademie von ihrer Gründung bis zum Kuratorium Sr. Exzellenz Anton Ritter von Schmerling 1746–1865. In: *Jahresbericht des Gymnasiums der k. k. Theresianischen Akademie in Wien für das Schuljahr* 1890. Wien: Theresianische Akademie, 1–109.

Schwarz, Johann (1903). Die niederen und höheren Studien an der k. k. Theresianischen Akademie in Wien: I. Theresianische Organisation. In: *Jahresbericht des Gymnasiums der k. k. Theresianischen Akademie in Wien am Schlusse des Schuljahres* 1903. Wien: Theresianische Akademie, 1–38.

Spurný, Atanáš Jan Blažej (1783). *Kniha k čtení a překládaní pro schovance cis. kral. akademie, pozůstávající v exercicium, službě a adjustyrování sprostného muže cís. král. pěchoty.* Nové Město Vídeňské: Jan Fritsch.

Spurný, Atanáš Jan Blažej (1786, Nachdruck 1793). *České cvičení pro schovance cis. kral. kadetního domu pozůstávající v exercicium službě a adjustyrování etc. sprostného muže.* Nové Město Vídeňské: Josef Fritsch.

Strakosch-Grassmann, Gustav (1905). *Geschichte des österreichischen Unterrichtswesens.* Wien: A. Pichlers Witwe & Sohn.

Svoboda, Johann (1894). *Die Theresianische Militär-Akademie zu Wiener-Neustadt und ihre Zöglinge von der Gründung der Anstalt bis auf unsere Tage.* 3 Bde. Wien: k. k. Hof- u. Staatsdruckerei.

Tham, Karl Ignaz (1814). *Neuestes ausführliches und vollständiges deutsch-böhmisches synonymisch-phraseologisches Nationallexikon oder Wörterbuch nebst ... in 2 Teilen.* Dritte, sehr vermehrte und verbesserte Auflage. Prag: Neureitter.

Viëtor, Michael (1882). *Der Sprachunterricht muss umkehren! Ein Beitrag zur Überbürdungsfrage von Quousque Tandem.* Heilbronn: Gebrüder Henninger.

Vintr, Josef (2004). Josef Valentin Zlobický – ein vergessener tschechischer Patriot aus dem Wien der Aufklärung. In: Vintr/Pleskalová, 101–114.

Vintr, Josef; Pleskalová, Jana (Hrsg.) (2004). *Vídeňský podíl na počátcích českého národního obrození. J. V. Zlobický (1743–1810) a současníci: život, dílo korespondence. Wiener Anteil an den Anfängen der tschechischen nationalen Erneuerung. J. V. Zlobický (1743–1810) und Zeitgenossen: Leben, Werk, Korrespondenz.* Praha: Academia.

Wiedemann, Václav Michael (1768a). *Deutsch-böhmisches Wörterbuch, zum Gebrauch des kais. königl. Cadeten-Corps zu Neustadt.* Neustadt: Joseph Adam Fritsch.

Wiedemann, Václav Michael (1768b). *Neu-verfaßtes deutsch-böhmisches Wörterbuch, In welchem nicht nur die verba perfecta samt ihren imperfectis, oder frequentativis verbis zu finden, sondern auch viele besondere tempora deren verborum, wie auch unterschiedliche Redens-Arten und Bohemismi mit eingeführet seynd. Alles geflissentlich zu leichterer Erlernung der böhmischen Sprache zusammen getragen von einem eben derselben Sprache Lehrern.* Neustadt: Joseph Adam Fritsch.

Ulrike Eder

Deutsch als Zweitsprache im elementaren und sekundären Bildungsbereich Böhmens unter der Herrschaft Maria Theresias und Josephs II.

1   War Deutsch damals in Böhmen eine Zweitsprache?

Seit 1974 beginnt sich die grundlegende Differenzierung der beiden Begriffe „Deutsch als Fremdsprache" und „Deutsch als Zweitsprache" in der wissenschaftlichen Diskussion des Faches durchzusetzen (vgl. Baur 2001, 618). Ein Unterscheidungskriterium ist hierbei die jeweilige Spracherwerbssituation:

> Ein überwiegend schulförmiger Erwerb, eine meist instrumentelle Motivation, ein „mittleres Lernalter und eine deutliche Distanz zu Erstsprachgebrauch und Erstsprachkompetenz kennzeichnen das fremdsprachliche, starke Anteile „natürlichen" Erwerbs, sozialer Druck, breite Streuung des Lernalters und lebensweltliche Zweitsprachigkeit das zweitsprachliche Lernen. (Reich 2001, 56)

In Böhmen gab es zum von mir untersuchten Zeitraum bereits seit Jahrhunderten eine Koexistenz der Sprachen Tschechisch und Deutsch. Die Einwanderung deutschsprachiger Kaufleute, Bauern und Handwerker nach Böhmen begann bereits im 11. Jahrhundert und erreichte im 13. Jahrhundert ihren Höhepunkt. Damit sprachen in Böhmen und seinen Nebenländern (Schlesien, Mähren und der Lausitz) schon vor der Habsburgischen Herrschaft ab 1526) viele Einwohner Deutsch. Nach der Schlacht am Weißen Berg im Jahr 1620 wurden Böhmen und seine Nebenländer nicht länger als eigener Staat innerhalb des Habsburgerreichs behandelt und der tschechischsprachige böhmische Adel verlor seine Privilegien. Gleichzeitig wurde Deutsch als Sprache der Verwaltung und des Unterrichts immer wichtiger. Tschechisch trat als Sprache der Wirtschaft, des Gerichtswesens und der öffentlichen Verwaltung sowie allgemein als Schrift- und Bildungssprache deutlich in den Hintergrund (vgl. dazu im Detail Eder 2006, 75). So waren zum Beispiel in den Prager Bibliotheken im 18. Jahrhundert die meisten Bücher deutschsprachig. An zweiter Stelle folgte Latein, vor Italienisch und Französisch und – erst an 5. Stelle – Tschechisch (vgl. Svatoš 2000, 40). Als Maria Theresia die Herrschaft übernahm, war die Verwendung des Tschechischen als Schriftsprache, als Sprache der gehobenen Bildungsschicht und des Adels im Vergleich zum Deutschen also bereits stark marginalisiert (vgl. dazu auch Spáčilová 2002, 87).

Dennoch sprachen zur Zeit der Regierung Maria Theresias noch zwei Drittel der Bevölkerung Tschechisch als Erstsprache – vor allem die Landbevölkerung. Deutsch kann in diesem Kontext also hier durchwegs als Zweitsprache bezeichnet werden. Im

Folgenden werde ich zeigen, wie unter diesen Voraussetzungen die unterrichtssprachenpolitischen Vorgaben Maria Theresias und Josephs II. für Böhmen konkret aussahen. Ich beziehe mich dabei auf die Forschungsergebnisse aus meiner Dissertation zum Thema (Eder 2006).

2   Deutsch als Zweitsprache im elementaren Bildungswesen Böhmens

Der Schwerpunkt der Bildungsreformen zur Zeit Maria Theresias und Josephs II. lag im Bereich der elementaren Bildung. 1774 berief Maria Theresia den aus Schlesien stammenden Augustinerabt Johann Ignaz von Felbiger nach Wien und gab ihm den Auftrag, in ihren Ländern eine allgemeine Schulreform durchzuführen (vgl. dazu etwa Engelbrecht 1984, 102ff.). Felbiger nahm protestantische preußische Einrichtungen als Modell für diese Bildungsreformen. Er entwarf die „Allgemeine Schulordnung für die deutschen Normal-, Haupt- und Trivialschulen in sämmtlichen kaiserl. königl. Erblanden", eine Schulordnung von „gesamteuropäische(r) kulturgeschichtliche(r) Bedeutung" (Gönner 1979, 211).[1] In Böhmen konnten die Bildungsreformen Felbigers – nicht zuletzt aufgrund des Engagements böhmischer Schulreformatoren wie Ferdinand Kindermann – besonders gut greifen (vgl. dazu im Detail Eder 2006, 83ff.).

Die in der „Allgemeinen Schulordnung" für das Primarschulwesen vorgeschriebenen Lehrwerke mussten in nichtdeutschsprachigen Gebieten zweisprachig ausgegeben werden. Der Bedarf an zweisprachigen Lehrbüchern wirkte in einigen Ländern als Anregung für die Normierung, Kodifizierung und Entwicklung der eigenen Sprachen. Die Kosten für den Druck und die Übersetzung der Schulbücher trug der Staat. Um die Druck- und Transportkosten gering zu halten und so eine großräumige Verbreitung der Bücher zu ermöglichen, waren die Lehrwerke nicht sehr umfangreich und ausgesprochen handlich. Sie enthielten nur die wesentlichen Lehrinhalte (vgl. Eder 2006, 57f.). Helfert weist in seiner Darstellung der Entwicklungen des elementaren Bildungssystems unter Maria Theresia explizit darauf hin, dass Böhmen zu den wenigen Regionen innerhalb der Habsburgermonarchie gehörte, in denen „sich eine eigene auf der Wiener Normalmethode fußende nationale Schulliteratur" entwickelte (Helfert 1860, 550). Seit dem Jahr 1775 gab es in Prag einen eigenen Schulbuchverlag für Böhmen. Den für die Elementarschulen in den böhmischen Ländern geltenden sprachenpolitischen Richtlinien entsprechend wurde auch bei den Schulbüchern nicht nur auf die Verbreitung deutschsprachiger Lehrwerke geachtet, sondern zugleich auch die Erstsprachenförderung forciert (vgl. Eder 2006, 91ff.). Die Berücksichtigung der tschechischen Sprache im elementaren Unterricht setzte, wie etwa Newerkla betont, wichtige Impulse für die

---

1   Diese Bedeutung erklärt sich zunächst durch die damalige Ausdehnung der Habsburger Monarchie und den damit sehr großen unmittelbaren Geltungsbereich dieser Schulordnung. Aber auch außerhalb der Monarchie hatte diese Bildungsvorgabe eine große Wirkung. Der österreichische Bildungshistoriker Helmut Engelbrecht weist sogar Einflüsse des österreichischen Schulreformmodells bis nach Russland nach (vgl. Engelbrecht 1984, 129ff.).

Verbreitung der tschechischen Hochsprache in Böhmen (vgl. Newerkla 1999, 108f.). Der Schulbuchverlag initiierte auch eigenständige Initiativen zur Deutsch-als-Zweitsprache-Förderung. In ihrer teilkommentierten Bibliographie deutscher Sprachbücher in Böhmen und Mähren vom 15. Jahrhundert bis 1918 erwähnen Glück u.a. etwa das „ABC, oder Sylben= und Namenbuch, daraus die Kinder die Buchstaben kennen, buchstabiren, und lesen lernen", ein Lehrwerk für den elementaren Deutschunterricht in zweisprachigen Gebieten. Es erschien im Jahr 1777 im Prager Verlag der k. k. Normalschulbuchdruckerei. Das Werk enthält Ausspracheregeln für das Deutsche, Hinweise zur Orthographie, einen alphabetischen Wörterbuchteil (tschechisch und deutsch) sowie Übungstexte zum Lesen, wobei die Themenauswahl dem Alter der Schüler entspricht. Außer den Beschreibungen zur Orthographie und zur Phonologie (teilweise mit tschechischen Erklärungen) gibt es keine Erklärungen zur Grammatik. Methodisch werden die Schüler von einfachen Leseübungen zu anspruchsvolleren Texten geführt (vgl. Glück u.a. 2002, 48f.).

Mit der „Allgemeinen Schulordnung" wurde die allgemeine Unterrichtspflicht für sechs- bis zwölfjährige Kinder eingeführt. Das machte methodische Neuerungen notwendig, wie etwa das sogenannte „Zusammenunterrichten", also den gemeinsamen Unterricht der Kinder einer Klasse.[2] 1775 erschien deshalb Felbigers „Methodenbuch". Es verband das damals gültige Schulorganisations- und Schulunterrichtsgesetz mit zeitgenössischen pädagogischen Erkenntnissen zur Unterrichtsgestaltung und wurde in viele Sprachen übersetzt (vgl. Engelbrecht 1979, 15). Alle Primarschullehrer des Habsburger Reiches mussten die im Methodenbuch abgedruckten Anweisungen befolgen. Dies galt selbstverständlich auch für Böhmen, wo Felbigers Methodenbuch 1777 in einer zweisprachigen Ausgabe gedruckt wurde. Gemäß den Verordnungen vom 20. und 23. November 1781 sollte jeder Lehrer ein eigenes Methodenbuch besitzen und dieses bei der Schulvisitation vorzeigen können (vgl. Vollst. Sammlung, 1. Theil 1788, 440f.).

Felbigers Methodenbuch beinhaltet ein Kapitel darüber, „Wie die Jugend an Orten, wo man nicht deutsch spricht, die deutsche Sprache beyzubringen ist" ([Felbiger] 1775, 371ff.). Johann Felbiger betont darin, dass in nichtdeutschsprachigen Gemeinden nur Lehrer angestellt werden sollten, welche die jeweilige Erstsprache der Kinder *und* die deutsche Sprache gut beherrschten ([Felbiger] 1775, 371). Er weist damit auf die grundlegende Bedeutung der Erstsprachenförderung hin, zugleich aber auch darauf, dass schon in den ersten Bildungsjahren auch die Zweitsprache Deutsch unterrichtet werden solle.

Beim Unterricht der deutschen Sprache sollte der Lehrer die Aufmerksamkeit der Kinder zuerst auf die deutschen Buchstaben und deren richtige Aussprache lenken. Für die weitere Arbeit unterscheidet Felbiger drei Phasen, die er nach dem wichtigsten Verfahren benennt, das in der jeweiligen Phase zum Tragen kommt: *Lesen, Übersetzen* und

---

2   Bis 1774 befanden sich hier zwar ebenfalls viele Schülerinnen und Schüler im gleichen Klassenraum, sie wurden dort aber dennoch durchwegs einzeln unterrichtet, während die übrigen, im Klassenraum anwesenden Kinder sich anderwärtig die Zeit vertrieben. Dies veranschaulichen auch die wenigen in Bildern festgehaltenen Unterrichtsszenen aus jener Zeit (vgl. Engelbrecht 1995, 220ff.).

Anleitung zum Reden: Einzelne Texte aus den zweisprachigen Schulbüchern sollten zuerst in der Erstsprache gelesen und der Inhalt gemeinsam mit dem Lehrer im Detail besprochen werden. Danach wurden die wichtigsten deutschen Verben und Substantive des jeweiligen Absatzes mit der Übersetzung an die Tafel geschrieben und diese Vokabeln wiederholt. Schließlich sollten die Kinder den Text in deutscher Sprache lesen und die Lehrkraft hatte die Aufgabe, die Aussprache der Kinder zu korrigieren (vgl. Eder 2006, 51f.). In der darauf aufbauenden Unterrichtsphase des Übersetzens sollten die Schüler den Text in deutscher Sprache lesen und danach erst satzweise und dann im Ganzen übersetzen (vgl. Eder 2006, 52f.). Auch in der Phase, die Felbiger „Anleitung zum Reden" nennt, wurde weiter das Übersetzen der Texte in beide Sprachen geübt. Dazu kam nun aber eine Art Frage- und Antwortspiel: Damit die Kinder sich an das Sprechen in deutscher Sprache gewöhnten, stellte der Lehrer Fragen zum Textinhalt. Er stellte diese Fragen abwechselnd in deutscher Sprache und in der Erstsprache der Kinder, die sie dann in der entsprechenden Sprache beantworten sollten (vgl. Eder 2006, 53ff.).

Die anonym erschienene Publikation „Einige Hilfsmittel durch deren Gebrauch und Anwendung die Erlernung der deutschen Sprache sowohl in ursprünglich böhmischen Schulen als auch beim Privatunterrichte erleichtert und befördert wird" (1779) greift Felbigers Anweisungen zur Deutsch-als-Zweitsprache-Förderung mit Blick auf Böhmen auf. Sie wurde von den Vorstehern der Prager Normalschule gemeinsam entwickelt, als Reaktion auf die im Jahr 1776 ergangene Verordnung, dass die deutsche Sprache nun auch in Gemeinden, wo ausschließlich tschechisch gesprochen wurde, unterrichtet werden sollte. „Dieß wurde bei Hofe sowohl aufgenommen, dass nach demselben im J. 1777. Den 25ten May durch ein Hofdekret, die Vorsorge geschah, auf welche Art die deutsche Sprache in Boehmen weiter zu verbreiten waere" (Pelzel 1791, 306; vgl. Auszug a 1788, 32). Pelzel, der ab 1793 die Lehrkanzel der tschechischen Sprache und Literatur an der Prager Universität leitete, schildert in seiner „Geschichte der deutschen und ihrer Sprache in Boehmen" sehr detailgetreu, wie an den böhmischen Normal- und Hauptschulen der Deutschunterricht für Kinder, „die kein Wort deutsch koennen", in Anlehnung an die „Hilfsmittel" in etwa aussehen sollte:

> Der Lehrer geht, wie folgt, zu Werke: Nachdem er seinen Schuelern die Sprache, welche sie nun zu lernen haben, beßtens empfohlen, ihren Nutzen, die Schoenheit und Nothwendigkeit gewiesen hat, zeiget er ihnen z.B. den Hut, und sagt auf boehmisch: Dieß hier heißt der Hut. Die ganze Schule wiederhollt das Wort, und ruft: der Hut. Eben so wird mit den Woertern der Kopf, die Hand, das Auge [...] verfahren. Nun kommen die Kinder nach Hause, erzaehlen mit Entzuecken ihren Eltern, was der Kopf, die Hand, das Auge in deutscher Sprache bedeute. Man lobt und bewundert sie. Die Kinder sehnen sich nach der deutschen Stunde. [...] Haben die Kinder einigen Vorrath von Hauptwoertern, so geht man zu den Beiwoertern ueber, und verbindet sie mit den schon erlernten Hauptwoertern z.B. der schwarze Hut, der kleine Hut, das blaue Aug [...] Hierauf schreitet man zu den Zeitwoertern, z.B. der Kopf lernt, die Augen sehen, die Haende arbeiten; bisweilen wird ein Nebenwort mitgenommen z.B. die Haende arbeiten fleißig. (Pelzel 1791, 306f.)

Auf Anschauung basierend lernten die Schüler also die unterschiedlichen Wortarten in der Zweitsprache. Die Lehrenden sollten dabei auch darauf achten, dass die Schüler „in

Bewegung gebracht" werden, um ihnen so „das Lernen angenehmer zu machen": Während die Kinder die entsprechenden Vokabeln lernen, fordert die Lehrkraft sie auf, zu sitzen, zu stehen, zu kommen, das Fenster aufzumachen usw. (vgl. Pelzel 1791, 307). Wie in Felbigers „Anleitung zum Reden" sollten die Lehrenden auch hier gezielt Fragen stellen, um den Lernenden unterschiedliche Fälle und Tempora im Deutschen zu vermitteln:

> Der Lehrer fragt weiter: was macht ihr? sie muessen antworten, wir schreiben, wir lesen! Er fraegt ferne: was machst du? ich schreibe, was macht Franz Kowař? Er schreibt. Was habt ihr gemacht? Ant. wir haben geschrieben, u.s.w. (Pelzel 1791, 307)

Auf diese Weise sollten die Schüler nach einem Jahr bereits Gespräche, kleine Fabeln und Erzählungen übersetzen können. Nach zwei Jahren sollten sie schließlich die deutsche Sprache so gut beherrschen, dass der Unterricht nun ganz in deutscher Sprache erfolgen konnte: Religion, Haushaltungskunst, Gesundheitsregeln, Rechnen und Sittenlehre sollten dann in deutscher Sprache vorgetragen und gelehrt werden (vgl. Pelzel 1791, 308f.).

Die hier geschilderte Praxis war nach Pelzel zwar an böhmischen Haupt- und Normalschulen verbreitet, nicht aber an den einfachen Trivialschulen Böhmens. Zeil zeigt auf, dass die Verteilung der „Hülfsmittel" in rein tschechischsprachigen Elementarschulen zum Teil durchwegs nicht den erwünschten Erfolg einer Verbreitung des Deutschen als Unterrichtssprache hatten, „da die meisten Lehrer der tschechischen Trivialschulen selbst der deutschen Sprache unkundig oder nur wenig kundig waren und die diesbezüglichen Verordnungen der Regierung in der Schulpraxis gar nicht durchführen konnten" (Zeil 1965, 141).

Auch Pelzel selbst verfasste ein Lehrbuch, das unter anderem zum Unterricht der deutschen Sprache gedacht war: Bereits im Jahr 1775 erschien in Prag sein „Handbuch zum Gebrauch der Jugend bey Erlernung der deutsch- französisch- und böhmischen Sprache" in erster Auflage (vgl. Wurzbach, 21. Bd. 1870, 446). Drews weist dieses Werk dezidiert als Lehrbuch aus, mit dessen „Hilfe tschechische Schüler auf den Besuch eines deutschsprachigen Gymnasiums vorbereitet werden konnten" (Drews 1996, 18). Denn das Erlernen der deutschen Sprache wurde mit der Etablierung des Deutschen als Hauptunterrichtssprache ab der Sekundarstufe zumindest für die Kinder, die eine höhere Bildung anstrebten, unerlässlich.

Der Tod Maria Theresias bedeutete keine Zäsur in der Entwicklung des elementaren Bildungswesens. Auch die bildungspolitischen Maßnahmen zur Regierungszeit Josephs II. galten vor allem dem Primarbereich, dessen Förderung und Vereinheitlichung der Kaiser besondere Aufmerksamkeit schenkte, da er die Elementarschulen als „Hauptmittel der Aufklärung der Nation" betrachtete (Vörös 1976, 237).

Der unter Joseph II. eingeführte Unterrichtszwang führte auch in den böhmischen Ländern zu einem starken Anstieg der Schulbesuchszahlen. Während der zehnjährigen Regierungszeit Josephs II. wurden in Böhmen unzählige neue Elementarschulen errichtet: Während es hier 1780 nur 16 Hauptschulen und 1817 Trivialschulen gab, stieg die Zahl der Ersteren bis 1790 auf 21 und die der Letzteren auf 2264 an. Alle neu errichteten Schulen waren der Schulordnung von 1774 entsprechend eingerichtet (vgl. Zeil 1965, 77ff.).

Es gab zur Zeit der Regierung Josephs II. in Böhmen sowohl Trivialschulen mit deutscher als auch solche mit tschechischer Unterrichtssprache. Aus den Schulakten geht hervor, dass zu Beginn der achtziger Jahre in ungefähr 45% der Trivialschulen der Unterricht in tschechischer Sprache gehalten wurde, 20% der Trivialschulen waren gemischtsprachig und 35% hatten Deutsch als Unterrichtssprache (vgl. Zeil 1965, 139f.).

Im mittleren und höheren Schulwesen bemühte sich Joseph II. sehr, die deutsche Sprache als Unterrichtssprache durchzusetzen (vgl. Abschnitt 4). Aber auch im elementaren Schulwesen strebte er danach, die Stellung der deutschen Sprache zu verbessern und ihre Verbreitung zu fördern. So erinnert er beispielsweise in einer am 12. Februar 1783 für Böhmen erlassenen Verordnung an die bereits am 23. November 1770 von seiner Mutter, der Kaiserin Maria Theresia veröffentlichte Verfügung, der zufolge Elementarschullehrer in böhmischen Ortschaften neben der tschechischen auch die deutsche Sprache beherrschen sollten:

> Endlich haben auch die obrigkeitlichen Beamten, da auf deren Gutachten die Patrone gemeiniglich die Schulleute präsentieren, und dekretieren, vermöge der höchsten Verordnungen, besonders auf die Sitten der Schulkandidaten und in böhmischen Ortschaften zufolge der Verordnung vom 23. November 1770 darauf zu sehen, ob der Kandidat der böhmischen und deutschen Sprache wohl kundig sey. (Auszug b, 9. Theil 1818, 64)

Ferdinand Kindermann, der sich sehr für die Errichtung von Industrieschulen einsetzte, unterbreitete der Normalschulkommission zudem einen Plan zur allgemeinen Einführung des Arbeitsunterrichts in Elementarschulen, der genehmigt und durch eine Gubernialverordnung vom 28. Dezember 1780 in ganz Böhmen bekannt gemacht wurde (vgl. Vollst. Sammlung, 1. Theil 1788, 11). Durch die Verbindung der üblichen Unterrichtsfächer mit dem Arbeitsunterricht in den so genannten Industrieklassen sollten die Lernenden von Beginn an zur Arbeit angeleitet werden. Kindermann wollte auf diese Weise erreichen, dass die Schülerinnen und Schüler nach einem Jahr bereits in der Lage waren, Gespräche, kleine Fabeln und Erzählungen zu übersetzen und nach zwei Jahren schließlich so gut Deutsch konnten, dass der Unterricht ganz in deutscher Sprache erfolgen konnte: Religion, Haushaltungskunst, Gesundheitsregeln, Rechnen und Sittenlehre sollten nun in deutscher Sprache gelehrt werden (vgl. Pelzel 1791, 308f.).

> Um das Industrieschulsystem noch mehr zu verbreiten und zur Gründung neuer Schulen anzuregen, wurden verschiedene lehrbücher in deutscher und tschechischer Sprache herausgegeben, die lehrer und Schüler in den Industrialfächern anleiten sollten. Bereits 1781 erschien das „Industrialbüchel" (=Kurze Anweisung zur Wartung der Maulbeerbäume und Seidenwürmer; zur Besorgung der Obstbäume, des Flachses und der Bienen, Prag 1781), das auf Veranlassung Kindermanns von Franz Scholz verfasst und von Amort in einem Auszug ins Tschechische übersetzt wurde. Kindermann ließ dieses Lehrbuch „zur mehreren Verbreitung der Industrie" auf eigene Kosten an arme und bedürftige Lehrer verteilen. (Zeil 1965, 98)

Während hier neben dem Deutschen auch noch die Bedeutung der tschechischen Sprache im elementaren Bildungswesen betont wird, legte Joseph II. in den letzten Jahren seiner Regierung sein Hauptaugenmerk auch in den böhmischen Ländern nur noch auf die Verbreitung der deutschen Sprache. Bei der Durchführung der diesbezüglichen, in Wien erlassenen Verordnungen wollte Ferdinand Kindermann offenbar nicht zu überstürzt vorgehen, was ihm eine Rüge der Wiener Regierung einbrachte. In einem Hofdekret vom 29. Mai 1784 wird er ermahnt, die Fortschritte der Kenntnis der deutschen Sprache in Mähren, Krain und Görz zum Beispiel zu nehmen (AVA, Schulen in Böhmen, 230 ex 1784, Fol 173).[3] Kindermann, selbst von der Nützlichkeit der Erlernung des Deutschen für die tschechischsprachigen Schulkinder überzeugt, versuchte daraufhin durch Hinweise auf eine Belohnung die Förderung der deutschen Sprache an den tschechischen Schulen anzuregen.

Obwohl die josephinische Staatsführung sehr daran interessiert war, die deutsche Sprache auch in tschechischsprachigen Regionen zu verbreiten, ging die sprachliche Vereinheitlichung doch sehr langsam vor sich. So geht etwa noch aus einer Regierungsverordnung vom 14. September 1786 hervor, dass es damals in ganz Böhmen noch keinen einzigen Bezirk gab, in dem ausschließlich deutschsprachige Schulen bestanden. Aus diesem Grund wird in dieser Verordnung darauf hingewiesen, dass Bewerber um ein Lehramt auch eine Prüfung in tschechischer Sprache ablegen müssen, da die Kenntnis beider Landessprachen für die Oberaufseher, Direktoren und Lehrer der Trivial-, Stadt und Hauptschulen Böhmens noch immer unerlässlich sei (vgl. Handbuch, 10. Bd. 1788, 570f.).

Mit Hofdekret vom 5. Februar 1787 machte Joseph II. Deutschkenntnisse zu einer notwendigen Voraussetzung, um ein Stipendium zu erhalten (vgl. Abschnitt 4). Der Besuch von Trivialschulen war zwar für die ärmeren Kinder bereits seit 1785 unentgeltlich, wollten sie aber eine Normalschule besuchen, so waren sie nach wie vor oft auf ein „Normalstipendium" angewiesen. Männliche Schüler, die erst in der Elementarschule die deutsche Sprache erlernt hatten, sollten in der Folge bei der Vergabe der Stipendien deutlich bevorzugt werden. Der Kaiser äußerte seinen diesbezüglichen Wunsch mit Hofdekret vom 11. und 23. Dezember 1788 sowie vom 2. Dezember 1789:

> Uibrigens sollen die Kreisschulkommissäre aus den Trivialschulen auf dem Lande wohlgesittete Knaben, die Fähigkeit und Lust sich ferner auszubilden zeigen, und besonders solche, welche die Kenntnis der deutschen Sprache erst durch den Schulunterricht erworben haben (auswählen). [...] Welches die Magistrate, und obrigkeitlichen Aemter, den in ihren Territorien befindlichen Schullehrern mit dem Auftrage zu bedeuten hatten, dass sie derlei Knaben in einer Tabelle durch ihre obrigkeitlichen Aemter mit der Unterschrift des im Orte befindlichen geistlichen Schulaufsehers anzeigen, wo so nach der k. Kreisschulkommissär mit selben eine eigene Prüfung vornehmen, aus solchen die verdientesten, und würdigsten wählen, und in Vorschlag bringen würde. (Vollst. Sammlung, 7. Theil 1789, 464)

Außerdem wurde mit Hofdekret vom 27. August 1787 für die k. k. Erbländer und mit 3. September 1787 für Böhmen festgelegt, dass nur noch diejenigen Lernenden zu ei-

---

3   Die Quelle hierfür findet sich nicht in der Sekundärliteratur, sondern in den Akten des österreichischen Staatsarchivs, Abteilung „Allgemeines Verwaltungsarchiv" (AVA) bei den Akten der Studienhofkommission bis 1791 im Karton 77, Signatur 17: Schulen in Böhmen.

nem Handwerk zugelassen werden sollten, die mittels eines Zeugnisses nachweisen konnten, dass sie mindestens zwei Jahre lang die Normalschule besucht, und sich somit zugleich auch elementare Deutschkenntnisse angeeignet hatten (vgl. Vollst. Sammlung, 7. Theil 1789, 464). Ein weiteres Hofdekret wiederholte diese Forderung und erläuterte, dass sie ab sofort und für „alle Knaben, welche das zwoelfte Lebensjahr nicht erreicht haben", gültig sei (Handbuch, 13. Bd. 1789, 492f.). In einem Hofdekret für Böhmen vom 4. August 1788 betont Joseph II. ausdrücklich, dass nun auch in böhmischen Ortschaften der Unterricht wenn möglich in der deutschen Sprache gehalten werden solle (vgl. Fischel 1901, 34).

Gleichzeitig muss allerdings auch betont werden, dass Joseph II. ebenfalls im Jahr 1788 durch eine Gubernialverordnung in Böhmen vom 6. März festlegte, dass die in den böhmischen Ländern angestellten Kreisschulkommissäre neben der deutschen Sprache auch das Tschechische beherrschen mussten, um so der lebensweltlichen Mehrsprachigkeit Böhmens zumindest ein Stück weit gerecht zu werden:

> Da bisher in keinem Kreise durchgehends deutsche Schulen bestehen, sondern ieder auch, wenigstens zum Theil, boehmische Schulen hat, mithin die bei der Anstellung der Kreisschulkommissaere abgesehene Aufnahme des Schulwesens im Ganzen, und in seinen Theilen es unumgaenglich erfordert, dass ieder Kreisschulkommissaer nebst der deutschen, auch der boehmischen Sprache kuendig sei, so haben die k. Kreisaemter die Schulkommissaere anzuweisen, daß sie sich die Kenntniß der boehmischen Sprache, insofern solche nicht etwa schon besitzen, nach Erforderniß der Umstaende zu verschaffen befliessen sein sollen. (Handbuch, 16. Bd. 1789, 1212f.)

Im Jahre 1781 traf der Kaiser außerdem, entsprechend seinen die Priesterausbildung betreffenden Verordnungen, die Verfügung, dass die tschechischen Katecheten die Vorlesungen an der Normalschule auch in tschechischer Sprache hören sollten (vgl. Eder 2006, 173). Auch die Methodenbücher, die den Verordnungen vom 20. und vom 23. November 1781 entsprechend jeder Trivialschullehrer besitzen und bei einer Schulvisitation vorweisen musste, wurden nicht nur in deutscher, sondern zugleich auch in tschechischer Sprache veröffentlicht (vgl. Hammer 1904, 98).

Die Umsetzung der von Joseph II. geforderten Maßnahmen zur Verbreitung der deutschen Sprache im elementaren Bildungswesen dürfte auf größere Schwierigkeiten gestoßen sein, als dies der Kaiser vorerst erwartet hatte, vor allem in den kleineren Schulen der tschechischsprachigen Orte. So musste der Kaiser in einem in Böhmen mit Gubernialverordnung vom 20. Oktober 1788 kundgemachten Hofdekret vom 22. September 1788 erneut die bereits 18 Jahre davor von seiner Mutter Maria Theresia gestellte und 1783 durch ihn selbst bekräftigte Forderung wiederholen, dass in Böhmen neu angestellte Elementarschullehrer ausreichende Deutschkenntnisse mitbringen sollten. Das Hofdekret besagt: „Es ist Sorge zu tragen, dass auch in böhmischen Oertern, wo es immer thunlich ist, der deutschen Sprache kundige Lehrer angestellt werden" (Vollst. Sammlung, 8. Theil 1790, 701).

Daneben wurden die Kreisschulkommissäre mit Hofdekret vom 2. Oktober 1788 beauftragt, Elementarschullehrer, die nur der tschechischen Sprache mächtig waren, in speziellen Verzeichnissen aufzulisten (vgl. Auszug a 1788, 119).

Außerdem schritt man an die Übersetzung deutscher Belletristik, und zwar auch mit dem Hintergedanken, diese Übersetzungen als Grundlage für den Unterricht der deutschen Sprache zu benützen. Viele der übersetzten Werke waren für Kinder und Jugendliche gedacht:

> (Der) Schwerpunkt liegt auf Fabeln und Kurzerzählungen mit allgemein moralisierender Tendenz für das Vorschul- und Grundschulalter (Braun, Dörrien, Kazner, Lessing, Rochow, Salzmann) durchwegs protestantischer Provenienz und oft aus dem Umkreis des damals als äußerst fortschrittlich geltenden Dessauer Philanthropismus stammend, wobei gerade F. J. Tomsa diese auch als Grundlage für das Erlernen des Deutschen und damit als Vorbereitung für den Besuch des Gymnasiums präsentierte. (Drews 1998, 95f.)

Hierzu soll exemplarisch Franz Johann Tomsas „Elementarwerk der böhmisch-deutschen und lateinischen Sprache" erwähnt werden, das vor allem für Elementarschüler bestimmt war und das Redensarten, kurze Dialoge, zwei Erzählungen Salzmanns sowie kurze, deutschsprachige Auszüge aus vier Briefen Ciceros enthält. Die Dialoge wurden von Salzmann, Weiße sowie von verschiedenen lateinischen Autoren übernommen. Sie werden jeweils in deutscher, tschechischer und lateinischer Sprache wiedergegeben, wobei die Reihenfolge der Sprachen in den einzelnen Abschnitten wechselt. Die lateinische Sprache wurde berücksichtigt, weil die Schüler auf der Grundlage dieses Buches auf den Eintritt in ein Gymnasium vorbereitet werden sollten (vgl. Drews 1996, 18). Aus demselben Grund findet in diesem, zur schulischen Ausbildung tschechischsprachiger Lernender vorgesehenen Buch auch die deutsche Sprache Berücksichtigung, deren Beherrschung ja bereits seit 1780 als Voraussetzung für die Aufnahme in ein Gymnasium galt. Tomsas „Elementarwerk der böhmisch-deutschen und lateinischen Sprache" erschien im Prager Normalschulverlag, dessen „privilegium impressorium privativum", das ihn zur Herausgabe von Büchern in tschechischer Sprache berechtigte, durch Kaiser Joseph II. mit Hofdekret vom 4. Jänner 1782 bestätigt worden war (vgl. Vollst. Sammlung, 2. Theil 1788, 28).

3   Deutsch als Unterrichtssprache an böhmischen Gymnasien

In der ersten Hälfte des 18. Jahrhunderts war Tschechisch in gemischtsprachigen Orten zunächst bisweilen noch Unterrichtssprache und Unterrichtsfach (vgl. Drabek 1996, 330ff.; Newerkla 1999, 44). Drabek berichtet sogar, dass Graf Kolovrat im Jahr 1714 in Reichenau ein Piaristengymnasium mit der ausdrücklichen Auflage errichten ließ, dass an dieser Schule „auch die tschechische Sprache gepflegt werden sollte" (Drabek 1996, 336).

Maria Theresia betonte in einem Dekret vom 25. Juni 1752, das „an die Gymnasien der deutsch=slavischen Erbländer" erging, dass man bei der Anstellung von Gymnasiallehrern nicht nur auf „(g)ründliches Wissen im Latein", sondern auch auf den „Fehlerlose(n) Gebrauch der deutschen Sprache" achten solle (Arneth 1870, 114 und Gumplowicz 1879, 22). Bereits in einem kaiserlichen Patent an die königliche Statthalterei zu Prag vom 16. Oktober 1747 machte Maria Theresia auf eine im Jahr 1744 von den Jesuiten im schlesischen Breslau herausgebrachte Anleitung zum Unterricht der deutschen Sprache aufmerksam und befahl die Einführung derselben in allen Schulen, allerdings mit dem Beisatz, dass „Hierbey auf die eigene böhmische Landessprach nicht vergessen werden solle" (vgl. Drabek 1996, 337; Eder 2006, 102).

Die Regentin setzte sich also nicht nur im elementaren Schulwesen, sondern zunächst auch noch im sekundären Bildungsbereich für die Landessprachen ein. So legte sie etwa auch in einem Reskript vom 27. November 1747 dem Piaristenorden nahe, in seinem Lehrplan für die Gymnasien „der deutschen, aber auch böhmischen Muttersprache eine größere Berücksichtigung [...] angedeihen zu lassen" (Fischel 1901, XXIX; vgl. auch Eder 2006, 102). Die Gymnasialreform von 1752 sah ebenfalls vor, dass die Landessprachen Berücksichtigung finden sollten. So erteilte die Herrscherin 1752 den böhmischen Jesuiten sogar gegen den Widerstand des Ordensoberen den Auftrag, das damals in ihren Gymnasien allgemein verwendete deutsche Lehrbuch der lateinischen Grammatik von M. Alvarez, das der Jesuit Franz Wagner im Jahre 1735 ins Deutsche übertragen hatte, für die tschechischen Schüler ins Tschechische übersetzen zu lassen (vgl. Drabek 1996, 337). Erst die Niederlage Österreichs gegen Preußen im Siebenjährigen Krieg (1756–1763) und der Verlust großer Teile Schlesiens führte hier allmählich zu einem Umdenken. Nun förderte Maria Theresia im Bereich der mittleren und höheren Bildung in erster Linie die deutsche Sprache.

Entsprechend dem 1752 erlassenen Studiendekret, demzufolge die Schüler sich „in der Schreibart deutscher Briefe" üben sollten (vgl. Wotke 1905b, 7ff.), schreibt der Lektionsplan für die böhmischen Provinzen bereits 1753 für die Rhetorik ein Buch „Von der Red-Kunst insgemein/und insonderheit in Schul- und Staats-Sachen/in und ausser der Cantzel" sowie ein Lehrbuch für die Poesie vor. Eigene Lehrbehelfe wurden auch für Syntax und Grammatik verfasst (vgl. Eder 2006, 103f.).

Unterrichtssprache war zu dieser Zeit an den Gymnasien aber noch meist das Lateinische. Erst 1775 wurde durch Gratian Marx ein neuer Studienplan für die Gymnasien entworfen. Dieser legte fest, dass in den ersten beiden Klassen und in den Nebenfächern in deutscher Sprache unterrichtet werden sollte. Ab der 3. Klasse war die Hauptunterrichtssprache dann allerdings weiterhin Latein (vgl. Engelbrecht 1984, 154ff.).

Im Wiener Staatsrat gab es 1770 durchwegs noch Befürworter des Tschechischunterrichts an böhmischen Gymnasien, wie etwa den Freiherrn Anton Maria Stupan, der in diesem Zusammenhang betonte, dass die tschechische Sprache in vielen Provinzen der Monarchie, aber auch im Ausland (etwa in Russland, Polen und in den damals noch nicht zur Habsburgermonarchie gehörenden südslawischen Regionen) zur Verständigung dienen könne (vgl. Drabek 1996, 338), schließlich setzten sich aber die einseitig auf die Verbreitung der deutschen Sprache ausgerichteten Stimmen durch. Bei einer Beratung des Staatsrates sprach sich Freiherr von Gebler etwa sehr deutlich für die konsequente Einführung der deutschen Unterrichtssprache im Rahmen der mittleren Schulbildung in den böhmischen Ländern aus. Gebler war Mitglied im Staatsrat und vehementer Vertreter des Zentralisationsgedankens. Er meinte:

> Darinnen falle ich noch dermalen Grafen v. Khevenhüller bei, dass die lateinische Sprache auf deutsch zu tradieren, folglich jene, welche studieren wollen, indirecte zur Erler-

nung der deutschen Sprache, welche die Sprache ihres Souverains, der Dikasterien und der Armee ist, zu verhalten seien. Ein Subjectum, das nur böhmisch und lateinisch kann, wird ein schlechter Gelehrter und für den Staat ganz unbrauchbar werden, und es ist besser, dass solches bei dem Pflug oder einem gemeinen Handwerk bleibe. (Fischel 1901, XXXI)

Daraufhin erging an den böhmischen Kanzler und Grafen Rudolf Chotek das kaiserliche Hofdekret vom 9. November 1770, das dazu ermahnte, noch besser als bisher auf die Verbreitung der deutschen Sprache zu achten. Maria Theresia bekräftigte darin ihren Entschluss, die Kenntnis der deutschen Sprache als Voraussetzung für die Neuanstellung von Lehrkräften zu fordern. Außerdem sollte Latein nun nicht mehr in tschechischer Sprache, sondern auf Deutsch unterrichtet werden:

[...] also wird ihme Landesgubernio diese maßgebige höchste Anordnung zur genauesten Befolgung hierdurch bedeutet und anbei weiters die a.h. Willensmeinung dahin eröffnet, dass auf die Ausbreitung der deutschen Sprache in Ihrer Majestät böhmischen Erbländern mit mehrerem Ernst als bishero fürgedacht werden solle, zu welchem Ende Ihro Maj. in vim generalis hiemit festsetzen dass nach Verlauf von 3 Jahren die lateinische Sprache nicht mehr in der böhmischen (mährischen) sondern deutschen Sprache dozieret, auch von nun an überhaupt kein Schulmeister aufgenommen werden solle, der nicht der deutschen Sprache kundig ist und die Kinder zugleich darin instruieren kann, dahero denn auch hierüber das Gehörige da, wo es nötig, zur Wissenschaft und Nachachtung kundzumachen, auch über den Befolg die schuldigste Oberaufsicht zu tragen ist. (Fischel 1901, 24)

Dieses Dekret war schulsprachenpolitisch von großer Bedeutung. Drabek meint sogar, dass es „deutlich den Wendepunkt in der Schulpolitik Maria Theresias markiert" (Drabek 1996, 339). Bei der Umsetzung der im Hofdekret vom 9. November 1770 festgelegten Bestimmung, die lateinische Sprache nur auf Deutsch zu unterrichten, dürfte es jedoch einige Schwierigkeiten gegeben haben, denn sie wurde bereits nach einem halben Jahr mit einem weiteren Hofdekret vom 6. Juli 1771, das in Böhmen mit 23. Juli 1771 kundgemacht wurde, vorerst wieder zurückgenommen. Es besagt: „Die böhmische Sprache soll fürohin zwar so wie bisher bei Lehrung der lateinischen Sprache beibehalten, nebst derselben aber auch die Emporbringung der deutschen Sprache zum Augenmerk genommen werden" (Fischel 1901, 24).

Die Förderung der elementaren Bildung ging insgesamt – und so auch in Böhmen – mit einer Kürzung der Mittel für die mittlere Bildung einher. Die Zahl der Gymnasien nahm beträchtlich ab. So wurde die Zahl der Gymnasien etwa in Böhmen zwischen 1773 und 1777 von bisher 44 auf 15 reduziert (vgl. Eder 2006, 106; Wotke 1905a, 215). Die Gymnasien wurden entweder aufgelassen, oder – wie etwa das tschechische Gymnasium in Deutsch-Brod – einem Hofdekret vom 25. Mai 1777 entsprechend in „deutsche Hauptschulen" umgewandelt (vgl. Auszug a 1788, 32f.). Der Mehrheit der tschechischen Kinder wurde damit der Zugang zu höherer Bildung unmöglich gemacht oder zumindest sehr erschwert.

Gleichzeitig erging im Rahmen der neuen Gymnasialordnung die Verordnung, dass die deutsche Sprache auch in den Gymnasien der böhmischen Länder die Unterrichtssprache sein sollte. Damit galt die deutsche Sprache ab 1774 als Hauptunterrichtssprache ab der Sekundarstufe (vgl. Drews 1998, 94).

Es wurde jedoch zugleich noch am 10. Mai 1776 durch die böhmische Normalschulkommission die Übersetzung eines Lehrwerks angeordnet, dessen Einsatz im zweiten Semester der ersten Klasse der böhmischen Gymnasien vorgeschlagen war. Hierbei
handelte es sich um eine deutsche Übersetzung von Komenskys „Orbis pictus" ins
Tschechische. Die Schulkommission begründete diese Anordnung damit, dass „hier
Landes aber sowohl in (der) böhmischen, als deutschen Sprache der Unterricht gegeben
würde, also wäre unumgänglich erforderlich, diese Schul Bücher hier Landes auch in
böhmischer Sprache zu haben" (Protokoll in Sachen der lateinischen Gymnasien vom
10. Mai 1776, Zeil 1965, 150).

Und Seibt schreibt noch in einem „Bericht über den Zustand der königl. Gymnasien
in Böhmen" aus dem Jahre 1777, dass in den unteren Klassen nicht nur die deutsche,
sondern auch die tschechische Sprache als Unterrichtssprache Verwendung fand:

> In den drey untern Klassen ist zwar der Unterricht in deutscher und respective böhmischer
> Sprache gegeben worden; dem ungeacht hat man die Schüler auch, so viel möglich, im
> Latein-Sprechen geübt, und hierzu alle Tage eine Viertelstunde von dem nachmittäglichen
> Unterricht gewidmet. [...] In den drey höhern Klassen ist der Unterricht lediglich in latei-
> nischer Sprache gegeben worden, der Unterricht der Religion und der Sittenlehre ausge-
> nommen, welcher verschiedener Vortheile wegen in der Muttersprache gegeben wird.
> (Pflichtmässiger 1777, 202f.)

Gemäß einem Dekret an das Böhmische Gubernium vom 25. März 1776 wurde die
tschechische Unterrichtssprache jedoch nur in den vier Gymnasien zu Königgrätz,
Gitschin, Neuhaus und Klattau zugelassen (vgl. Wotke 1905a, 196). Aber auch an diesen Gymnasien wurde neben dem Tschechischen die deutsche Sprache geübt. So vermerkt etwa Seibt 1777 in seinem Bericht über den Zustand der königl. Gymnasien in
Böhmen, dass die Schüler des Gymnasiums in Gitschin dazu angehalten wurden, Gedichte nicht nur in lateinischer, sondern auch in deutscher Sprache auszuarbeiten (vgl.
Pflichtmässiger 1777, 207).

Maria Theresia leitete schließlich auf der Grundlage eines 1775 durch den Piaristen-
pater Gratian Marx ausgearbeiteten neuen Studienplans innerhalb der österreichischen
Erbländer eine Reorganisation des Gymnasialschulwesens ein. Die Regentin erließ mit
10. August 1776 eine entsprechende Gymnasialverordnung, die mit Patent vom 9. Oktober 1777 auch für Böhmen und Mähren veröffentlicht wurde (vgl. Kaiserl. Koenigl.
Theresianisches Gesetzbuch, 7. Bd., 1787, 541ff.). Durch diese Verordnung konnte sich
Deutsch im höheren Schulwesen Böhmens endgültig durchsetzen. Schüler, die in ein
Gymnasium aufgenommen werden wollten, mussten nun durch Vorlage eines Normal-
oder Hauptschulzeugnisses die ausreichende Beherrschung der deutschen Sprache
nachweisen. Deutsch war zugleich die einzige lebende Sprache, die an den Gymnasien
unterrichtet werden durfte. Es wurde „das Aufsetzen von deutschen Briefen und Dialo-
gen geübt und eine Einführung in die deutsche Rhetorik und Dichtkunst geboten"
(Drabek 1996, 339). Dies war wohl auch im Sinne Seibts. Seibt, der bereits seit 1763 an
der Prager Karlsuniversität unter anderem „Deutsche Beredsamkeit" und Pädagogik
unterrichtete, in denen er entsprechende Deutschkenntnisse forderte, wurde im Jahr
1775 gleichzeitig mit seiner Ernennung zum Direktor der Philosophischen Fakultät an

der Universität Prag im Rahmen der Prager Normalschulkommission auch die Oberaufsicht über sämtliche Gymnasien Böhmens übertragen (vgl. u.a. Grimm 1998, 11). Mit der Veröffentlichung der neuen Gymnasialordnung wurde der Einflussbereich Seibts jedoch massiv eingeengt. Ihm waren nun nicht mehr länger alle böhmischen Gymnasien, sondern nur noch die Gymnasien in Prag unterstellt (vgl. Wotke 1905a, 196ff.).

Seibt war aber nicht nur an der Verbesserung der deutschen Sprachkenntnisse, sondern auch an der Ausbildung in der tschechischen Erstsprache im Rahmen des sekundären Unterrichts interessiert. Dementsprechend hatte er noch vor der Veröffentlichung des Patents vom 9. Oktober 1777 von der Regierung verlangt, dass die vier oben genannten tschechischen Gymnasien weiterhin als Latein- und Tschechischschulen bestehen blieben, weil es seiner Ansicht nach für das Wohlergehen des Staates wichtig war, dass die böhmischen Beamten die Sprache der Bevölkerungsmehrheit einwandfrei beherrschten. Seine diesbezüglichen Bemühungen blieben jedoch ohne Erfolg (vgl. Drabek 1996, 339f.). Die Studienhofkommission schrieb in Erledigung des durch Seibt vorgelegten Berichts über die Gymnasien in Böhmen im Schuljahr 1778 die Aufhebung der vier tschechischen Gymnasien vor. Auch die lateinische Sprache sollte den Verordnungen der Regierung entsprechend nun nicht mehr in tschechischer, sondern ausschließlich in deutscher Sprache unterrichtet werden.

> Des Directoris Humaniorum Seibt Bericht gereicht zum hierortigen Wohlgefallen und sind demselben durch das Gubernium nur folgende [...] Erinnerungen zu machen: [...] daß er besorget sey, damit zu seiner Zeit nach Maßgab der sonst erlassenen allerhöchsten Verodnungen in allen Gymnasiis des Königreichs die lateinische Sprache mittels der teutschen allein der Jugend beygebracht, und folglich der Unterschied von teutschen und böhmischen Gymnasiis sobald möglich aufgehoben werde. (Erlass der Studienhofkommission vom 9. Jänner 1779, Wotke 1905a, 222f.)

An den vier tschechischsprachigen Lehranstalten in Böhmen wurde nur noch für die Dauer von drei Jahren gestattet, in böhmischer Sprache zu lehren, „solange es nicht genügend deutsche Trivialschulen gab, um die tschechischen Kinder sprachlich auf den Besuch der deutschen Gymnasien vorzubereiten" (Drabek 1996, 340).

Insgesamt kann man sagen, dass die unterrichtssprachlichen Vorgaben der österreichischen Regierung für die Gymnasien zwar nicht von Anfang an ausschließlich auf die Förderung der deutschen Sprache gerichtet waren, dass die tschechische Sprache aber gegen Ende der Regierung Maria Theresias immer mehr aus dem sekundären Bildungsbereich verdrängt wurde. Diese Tendenz schlug sich auch im Rahmen der Schulbuchproduktion nieder. So hatte Marx bereits am 3. Jänner 1777 auf eine diesbezügliche Anfrage der böhmischen Studienkommission geantwortet, „man möge das Ansuchen, den Comenius und die Grammatik in böhmischer Sprache aufzulegen, so lange auf sich beruhen lassen, bis die Bestimmung der eigentlichen Anzahl der Gymnasien in Böhmen ausgemacht worden sei und es sich zeige, ob es noch nötig sei, ganz böhmische Gymnasien zu belassen" (Wotke 1905a, 197). Hier wird bereits die weitere Unterrichtssprachenpolitik der österreichischen Regierung in Bezug auf Böhmen, die mit dem Erlass der Studienhofkommission vom 9. Jänner 1779 auf den Punkt gebracht wurde, im Ansatz vorweggenommen. Das Tschechische wurde in der Folge binnen kürzester Zeit als

Unterrichtssprache völlig vom Deutschen verdrängt. Um das Deutsche als alleinige Unterrichtssprache der böhmischen Länder zu etablieren, zog man dem Hofdekret vom 9. November 1770 entsprechend wiederholt tschechischsprachige Lateinlehrbücher aus dem Verkehr. Newerkla erinnert in diesem Zusammenhang an ein Hofdekret vom 24. Juni 1779, in dem Maria Theresia dem damaligen Präfekten der Gymnasien verbot, weiterhin eine tschechisch-lateinische Grammatik zu verwenden (vgl. Newerkla 1999, 37).

Einen wesentlichen Schritt zur Förderung der deutschen Sprache stellte auch die bereits oben beschriebene Verpflichtung der Schüler dar, schon vor ihrer Aufnahme in ein Gymnasium mittels eines Zeugnisses der Haupt- oder Normalschule entsprechende Kenntnisse der deutschen Sprache nachzuweisen.

Exemplarisch zeigt Newerkla in einer typologischen Untersuchung der sprachlichen Entwicklung an den Schulen in Pilsen, einer gemischtsprachigen Stadt in Böhmen, die weitgehende Verdrängung des „sozial dominierten Tschechischen" durch „das sozial dominante Deutsche im Einklang mit den gesetzlichen Bestimmungen". Besonders auffallend ist dabei seiner Ansicht nach die „rasche Kongruenz zwischen jeweils neuer Rechtslage und sprachlicher Wirklichkeit an den Schulen". Die Verdrängung des Tschechischen aus den mittleren Schulen erreichte in den Jahren 1779 bis 1816 mit der „fast völligen Substitution des Tschechischen durch das Deutsche ihren Höhepunkt" (Newerkla 1999, 79).

Im Laufe der 70er-Jahre des 18. Jahrhunderts wurde die tschechische Sprache als Unterrichtssprache also vollständig vom Deutschen verdrängt. Als Unterrichtsfach konnte sich Tschechisch aber in den bilingualen Städten vorerst noch halten. So berichtet Newerkla von einem mit allerhöchster Entschließung vom 25. Oktober 1776 durch die Regierung errichteten „Deutschen Gymnasium" in Pilsen, an dem in Bezug auf die tschechischsprachigen Schüler zwar von Anfang an der Sprachtransfer von der tschechischen L1 zur deutschen Unterrichtssprache vorgesehen war, daneben sollte aber durch alle vier Klassen Tschechisch als Unterrichtsfach erhalten bleiben. Bereits 1779 musste die Pilsener Bevölkerung dann aber auch hier die Verdrängung des Tschechischen als Unterrichtsfach aus dem Gymnasium hinnehmen (Newerkla 1999, 47 und 78f.).

Mit dem Erlass der Studienhofkommission vom 9. Jänner 1779 wurden schließlich auch „die letzten Gymnasien mit Tschechischunterricht in deutsche Gymnasien umgewandelt und das Tschechische verschwand als Unterrichtssprache bis zum Jahr 1816 weitgehend aus den Gymnasien (vgl. AVA, Schulen in Böhmen, 142 ex 1779, Fol. 85ff. und Wotke 1905a, 222f.).

Wirft man allerdings einen Blick in die zeitgenössischen Lehrbuchlisten, so wird deutlich, dass trotz der strikten Vorgaben der Regierung zur Einführung des Deutschen als alleiniger Unterrichtssprache in Böhmen auch die tschechische Sprache bis zum Ende der Regierung Maria Theresias aus dem Unterricht nicht ganz verdrängt werden konnte. So findet sich etwa in einer von Jaklin zusammengestellten Liste der Schulbuchproduktion Trattners eine zweibändige „Anleitung zur lateinischen Sprache" in Tschechisch aus dem Jahr 1780 (Anleitung 1780a und Anleitung 1780b, vgl. Jaklin 2003, 230 und 256).

Mit der Etablierung der deutschen Sprache als alleiniger Unterrichtssprache an den böhmischen Gymnasien war auch eine verstärkte Akzeptanz und Verbreitung deutschsprachiger Literatur verbunden. Strakosch-Graßmann berichtet in diesem Zusammenhang vom Gymnasium der nordböhmischen Stadt Leitmeritz folgendes:

> In dieser Stadt von damals (1778) etwa 2000 Einwohnern war deutsche, zumal auf Jugendbildung abzweckende Literatur unbekannt. Der neue Präfekt Schirmer erwarb sich das Verdienst, dem Gymnasium durch mäßige Beiträge der Schüler eine Büchersammlung zu schaffen, die unendlich mehr Gutes gestiftet hat, als diejenigen eingestehen werden, denen Lateinischreden der Anfang und das Ende des Gymnasialunterrichts ist. Weisses Kinderfreund, Campes und Salzmanns Jugendschriften bildeten in den Nebenstunden Kopf und Herz der Leitmeritzer Studierenden, als noch auf gewissen anderen Gymnasien jedes in Leipzig gedruckte Buch verrufen war und mancher wissbegierige Jüngling gezüchtigt wurde, weil man ihn mit seinem Gellert in der Hand überrascht hatte. (Strakosch-Graßmann 1905, 117)

Unter Joseph II. galt die deutsche Sprache in Böhmen schließlich noch uneingeschränkter als Schlüssel und Voraussetzung für eine höhere Bildung und den damit verbundenen beruflichen Aufstieg. Joseph II. forderte bereits in einer Verordnung vom 31. Dezember 1780: „Die deutsche Sprache soll die Jugend, welche Lust und Fähigkeit hat, in lateinische Schulen ueberzutreten, kennen, ohne welche sie nicht aufgenommen werden kann" (Auszug b, 9. Theil 1818, 29). Damit wurde die Kenntnis der deutschen Sprache ausnahmslos zur Bedingung für die Aufnahme an ein Gymnasium. Für tschechischsprachige Kinder wurde es damit geradezu unmöglich, an einer höheren Bildung teilzuhaben, ohne zuvor Deutsch zu lernen.

Mit einer weiteren Verordnung vom 21. Dezember 1780 forderte Joseph II. tschechischsprachige Eltern, die beabsichtigten, ihren Nachwuchs später in einem Gymnasium unterrichten zu lassen, dazu auf, ihre Kinder in vorwiegend deutschsprachige Orte zu schicken, damit sie dort die deutsche Sprache erlernten:

> Pur böhmische Aeltern sollen ihre Kinder, wenn sie Lust und Fähigkeit besitzen, in die lateinischen Schulen überzugehen, in deutsche Orte schicken, um die deutsche Sprache zu erlernen; ohne welche sie, so wie ohne erlangten Normalschulunterricht, auf Gymnasien nicht angenommen werden. (Auszug b, 9. Theil 1818, 54)

An dieser Stelle sei an die damals übliche Praxis des Kinderwechsels erinnert, auf die Joseph II. hier offenbar anspielt (vgl. dazu Eder 2006, 76ff.), wobei in seiner Verordnung die in der Bezeichnung „Kinderwechsel" zum Tragen kommende grundlegende Doppelseitigkeit hier allerdings offenbar keine Rolle spielt.

Einem Hofdekret vom 5. Juli 1782 folgend sollten die Lernenden an den Gymnasien nun nicht mehr nur die lateinische, sondern auch die deutsche Rechtschreibung kontinuierlich üben:

> Die Schueler sollen nicht nur ihre gewöhnlichen Pensa ueber Sonn= Feyer= und Rekreazionstage deutsch und lateinisch rein und fleissig abgeschrieben in die Schule zu liefern, sondern auch monatlich einmal mit der ordentlichen Aufgabe an den Direktor eine deutsche und lateinische Vorschrift von einigen Zeilen abzugeben verbunden seyn, wo alsdenn der vorzuegliche und anhaltenden Fleiß und Eifer mit dem Ehrenbuche belohnt werden kann. (Vollst. Sammlung, 2. Theil 1788, 225f.)

Von Seiten der Bevölkerung war zur Zeit der Regierung Josephs II. gleichzeitig aber durchaus der Wunsch vorhanden, die tschechische Sprache im mittleren Schulwesen als Unterrichtssprache zu fördern. So bemühte sich etwa in der böhmischen Stadt Pilsen die Gemeinde anlässlich der Neugründung einer mittleren Schule um die Errichtung eines tschechischen Gymnasiums. Diesem Ansuchen wurde aber durch Joseph II. erwartungsgemäß nicht Rechnung getragen (vgl. Newerkla 1999, 62). In konsequenter Weiterführung der bereits unter der Regentschaft Maria Theresias in die Wege geleiteten Gymnasialreform kam somit in den Regierungsjahren Josephs II. – in den Worten Drabeks – „Die Eindeutschung des gesamten höheren Schulwesens voll zum Tragen" (Drabek 1996, 341).

Mit November des Jahres 1784 führte Joseph II. an den mittleren und höheren Schulen Schulgeld ein (vgl. Handbuch, 6. Bd. 1786, 370ff.). Und am 26. April 1784 dekretierte er, dass auch in Böhmen ab dem Jahr 1785 auf sämtlichen Gymnasien, aber auch an Lyzeen und Universitäten, Schulgeld gezahlt werden musste (vgl. Auszug b, 11. Theil 1819, 222). Dieses Schulgeld sollte die Stipendien für die „besseren Talente der unvermögenden Klasse" finanzieren (Engelbrecht 1984, 164). Auch für die Zuerkennung eines Stipendiums wurde mit 5. Februar 1787 die Kenntnis der deutschen Sprache als Bedingung festgesetzt (Vollst. Sammlung, 7. Theil 1789, 250).

Dass die Forderungen des Kaisers zur Durchsetzung der deutschen Sprache als Unterrichtssprache an den Gymnasien Böhmens allerdings auch noch unter Joseph II. nicht immer mit der Schulrealität übereinstimmten, beweist ein im Jahr 1781 veröffentlichtes Lehrbuch für den Lateinunterricht: Die metasprachlichen Beschreibungen in diesen von Johannes Rhenius verfassten „Compendium latinae grammaticae pro discentibus nationis germanicae, hungaricae, atque bohemicae scriptum" sind nicht nur in lateinischer Sprache, sondern zum Teil auch in den drei Referenzsprachen Deutsch, Tschechisch und Ungarisch abgedruckt (vgl. Glück u.a. 2002, 49). Dies lässt vermuten, dass auch zur Regierung Josephs II. die tschechische Sprache noch nicht ganz aus dem Schulalltag der Gymnasien verschwand – trotz der einseitigen, vor allem auf den höheren Bildungsebenen das Deutsche klar als Hauptbildungssprache etablierenden sprachpolitischen Richtlinien des Kaisers.

Literatur

ABC, oder Sylben= und Namenbuch (1777) = *ABC, oder Sylben= und Namenbuch, daraus die Kinder die Buchstaben kennen, buchstabiren, und lesen lernen. Zum Gebrauche der Schulen in den kaiserlich=königlichen Staaten.* Prag: Normalschulbuchdruckerey.

Anleitung 1780a = *Anleitung zur lateinischen Sprache zum Gebrauche der studierenden Jugend in den kaiserl. koenigl. Staaten.* 1ster Theil, böhmisch. Wien: Trattner.

Anleitung 1780b = *Anleitung zur lateinischen Sprache zum Gebrauche der studierenden Jugend in den kaiserl. koenigl. Staaten.* 2ter Theil, böhmisch. Wien: Trattner.

Arneth, Alfred Ritter von (1870). *Maria Theresia nach dem Erbfolgekriege.* Wien: Braumüller (Geschichte Maria Theresia's, Bd. IV).

Auszug a (1788) = *Auszug der hoechsten Gesetze und hohen Verordnungen, welche fuer das Normalschulwesen oder fuer die Nationalschulen im Koenigreiche Boehmen vom Jahre 1770 bis Ende Sept. 1788 ergangen sind.* Prag: Normalschulbuchdruckerey.

Auszug b (1817-1819) = *Auszug aller im Koenigreiche Boehmen bestehenden Verordnungen und Gesetze nach Johann Roths unter buchstäblich gereihten Aufschriften der Gegenstände nach der Zeitfolge verfaßten Sammlung, neu aufgelegt, verbessert und vermehrt durch Johann Blasek.* Prag: Scholl.

Baur, Rupprecht S. (2001). Deutsch als Fremdsprache – Deutsch als Zweitsprache. In: *Deutsch als Fremdsprache*, 617–627.

Comenius, Johann Amos (1787). *Orbis pictus. Die Welt in Bildern, in zwey und achtzig Abschnitte zum Gebrauche der kleinsten studirenden Jugend in den kaiserl. koenigl. Staaten zusammengezogen.* Wien: Trattner.

Drabek, Anna M. (1996). Die Frage der Unterrichtssprache im Konigreich Böhmen im Zeitalter der Aufklärung. In: *Österreichische Osthefte* 38 (3), 329–355.

Drews, Peter (1996). *Deutsch-slavische Literaturbeziehungen im 18. Jahrhundert.* München: Sagner.

Drews, Peter (1998). Tschechische Übersetzungen deutscher Belletristik in der Zeit der nationalen Wiedergeburt. In: *Germanoslavica* V(X), 93–108.

Eder, Ulrike (2006). *„Auf die mehrere Ausbreitung der teutschen Sprache soll fürgedacht werden". Deutsch als Fremd- und Zweitsprache im Unterrichtssystem der Donaumonarchie zur Regierungszeit Maria Theresias und Josephs II.* Innsbruck u.a.: StudienVerlag.

Einige Hilfsmittel (1779) = *Einige Hilfsmittel durch deren Gebrauch und Anwendung die Erlernung der deutschen Sprache sowohl in ursprünglich böhmischen Schulen als auch beim Privatunterrichte erleichtert und befördert wird.* Prag: Normalschulbuchdruckerey.

Engelbrecht, Helmut (1979). *J.I. Felbiger und die Vereinheitlichung des Primarschulwesens in Österreich. Beilage zum Nachdruck „Kern des Methodenbuches (1777)".* Wien: Österr. Bundesverlag.

Engelbrecht, Helmut (1984). *Geschichte des österreichischen Bildungswesens. Erziehung und Unterricht auf dem Boden Österreichs. Bd. 3–4.* Wien: Österr. Bundesverlag.

Engelbrecht, Helmut (1995). *Erziehung und Unterricht im Bild. Zur Geschichte des österreichischen Bildungswesens.* Wien: Österr. Bundesverlag.

[Felbiger, Johann Ignaz von] (1774). *Allgemeine Schulordnung fuer die deutschen Normal=, Haupt= und Trivialschulen in sämmtlichen Kaiserl. Königl. Erblaendern.* Wien: Trattner.

[Felbiger, Johann Ignaz von] (1775). *Methodenbuch fuer Lehrer der deutschen Schulen in den kaiserlich=koeniglichen Erblanden, darinn ausfuehrlich gewiesen wird, wie die in der Schulordnung bestimmte Lehrart nicht allein ueberhaupt, sondern auch ins besondere, bey jedem Gegenstande, der zu lehren befohlen ist, soll beschaffen seyn.* Wien: Dt. Schulanstalt.

[Felbiger, Johann Ignaz von] (1777). *Kern des Methodenbuches: besonders für die Landschulmeister in den kaiserlich-königlichen Staaten.* Wien: Dt. Schulanstalt.

Fischel, Alfred (1901). *Das Österreichische Sprachenrecht. Eine Quellensammlung.* Brünn: Irrgang.

Glück, Helmut; Klatte, Holger; Spáčil, Vladimír; Spáčilová, Libuše (2002): *Deutsche Sprachbücher in Böhmen und Mähren vom 15. Jahrhundert bis 1918. Eine teilkommentierte Bibliographie.* Berlin/New York: de Gruyter (Die Geschichte des Deutschen als Fremdsprache, Bd. 2).

Gönner, Rudolf (1979). Bildungsreform als Staatspolitik. In: Koschatzky, Walter (Hrsg.). *Maria Theresia und ihre Zeit.* Salzburg/Wien: Residenz, 209–212.

Grimm, Gerald (1998). *Von der (Bildungs-)Philosophie zur „Erziehungskunst". Karl Heinrich Seibt und die Anfänge der Pädagogik als akademischer Disziplin in Österreich im Zeitalter der Aufklärung.* Klagenfurt: Abt. für Historische und Vergleichende Pädagogik – Universität Klagenfurt (Retrospektiven in Sachen Bildung, R. 2 (Studien) Nr. 23).

Gumplowicz, Ludwig (1879). *Das Recht der Nationalitäten und Sprachen in Österreich-Ungarn.* Innsbruck: Wagner.

Hammer, Wenzel (1904). *Geschichte der Volksschule Böhmens von der ältesten Zeit bis zum Jahre 1870.* Warndorf: Opitz.

Handbuch (1785ff.) = *Handbuch aller unter der Regierung des Kaisers Joseph des II. für die K. K. Erbländer ergangenen Verordnungen und Gesetze.* 2., verb. und verm. Aufl. Wien: Moesle.

Helfert, Joseph Alexander Freiherr von (1860). *Die Gründung der österreichischen Volksschule durch Maria Theresia.* Prag: Tempsky (Die österreichische Volksschule – Geschichte, System, Statistik, Bd. 1).

Jaklin, Ingeborg (2003). *Das österreichische Schulbuch im 18. Jahrhundert. Aus dem Wiener Verlag Trattner und dem Schulbuchverlag.* Wien: Edition Praesens.

Kaiserl. Koenigl. Theresianisches Gesetzbuch (1787) = *Kaiserl. Koenigl. Theresianisches Gesetzbuch, enthaltend die Gesetze von den Jahren 1740 bis 1780, welche unter der Regierung des Kaisers Joseph des II. theils noch ganz bestehen, theils zum Theile abgeändert sind. zweite Aufl.* Wien: Moesle.

Newerkla, Stefan Michael (1999). *Intendierte und tatsächliche Sprachwirklichkeit in Böhmen. Diglossie im Schulwesen der böhmischen Kronländer 1740–1918.* Wien: WUV (Dissertationen der Universität Wien, Bd. 61).

Pelzel, Franz Martin (1775). *Handbuch zum Gebrauch der Jugend bey Erlernung der deutsch-französisch- und böhmischen Sprachen.* Mit Bewilligung der k. k. Censur. Prag.

Pelzel, Franz Martin (1791). Geschichte der Deutschen und ihrer Sprachen in Boehmen, von 1341 bis 1789. In: *Neuere Abhandlungen der k. Boehmischen Gesellschaft der Wissenschaften.* Erster Band. Mit Kupfern. Wien/Prag: Degen, 281–310.

Rhenius, Johannes M. (1781). *Compendium latinae grammaticae pro discentibus nationis germanicae, hungaricae, atque bohemicae scriptum: Et nunc post accuratas multorum censuras postremo recognitum, atque sublatis mendis typographicis recusum.* Joannis Michael Landerer Cassoviae.

[Seibt, Karl Heinrich] (1777). Pflichtmässiger Bericht über den Zustand der königl. Gymnasien in Böhmen. In: *Beiträge zur Österreichischen Erziehungs- und Schulgeschichte* VI (1905), 197–211.

Spáčilová, Libuše (2002). Deutsch-tschechische Lehrbuchtraditionen in den böhmischen Ländern von 1740 bis 1918. In: Glück, Helmut (Hrsg.). *Die Volkssprachen als Lerngegenstand im Mittelalter und in der frühen Neuzeit.* Berlin/New York: de Gruyter (Die Geschichte des Deutschen als Fremdsprache, Bd. 3), 87–101.

Strakosch-Graßmann, Gustav (1905). *Geschichte des österreichischen Unterrichtswesens.* Wien: Pichler.

Svatoš. Martin (2000). Zur Mehrsprachigkeit der Literatur in den böhmischen Ländern des 17. und 18. Jahrhunderts. In: *Wiener Slavistisches Jahrbuch* 46, 33–42.

Tomsa, Franz Johann (1784). *Elementarwerk der böhmisch-deutschen und lateinischen Sprache.* Prag: Normalschulbuchverlag.

Vollstaendige Sammlung (1788-1791) = *Vollstaendige Sammlung aller seit dem glorreichen Regierungsantritt Joseph des Zweyten fuer die k. k. Erblaender ergangenen hoechsten Verordnungen und Gesetze.* Wien: Trattner.

Vörös, Károly (1976). A két Ratio Educationis és nepoktatás magyarországon 1774–1868/Die zwei Ratio Educationis-Verordnungen und das Volksschulwesen in Ungarn zwischen 1774 und 1868. In: *Schul- und Bildungswesen im pannonischen Raum bis 1918 mit besonderer Berücksichtigung des niederen Schulwesens.* Eisenstadt: Amt der Burgenländischen Landesregierung – Landesarchiv (Internationales Kulturhistorisches Symposion Mogersdorf, Bd. 7), 219–258.

Wotke, Karl (1905a). Karl Heinrich Ritter von Seibt als Direktor der Gymnasien Böhmens. In: *Beiträge zur Österr. Erziehungs- und Schulgeschichte* VI, 193–240.

Wotke, Karl (1905b). *Das Oesterreichische Gymnasium im Zeitalter Maria Theresias.* Berlin: Hofmann & Comp (Monumenta Germaniae Paedagogica Schulordnungen, Schulbücher und pädagogische Miscellaneen aus den Landen deutscher Zunge, Bd. XXX).

Wurzbach, Constant von (1836–1891). *Biographisches Lexikon des Kaiserthums Oesterreich enthaltend die Lebensskizzen der denkwürdigen Personen, welche seit 1750 in den österreichischen Kronländern geboren wurden oder darin gelebt und gewirkt haben.* Wien: K.-k. Hof- und Staatsdruckerei.

Zeil, Liane (1965). *Die Volksbildungsbestrebungen der josefinischen Aufklärung in Böhmen 1774–1805.* Berlin: Humboldt-Universität (Dissertation).

Marina Andrazashvili

Deutschunterricht in Georgien – eine Retrospektive
(von den Anfängen bis zur Sowjetzeit)

1 Einleitung

1.1 Voraussetzungen

In Anbetracht der reichen Traditionen des Unterrichts in Deutsch und anderen Fremdsprachen in Georgien ist die Forschungsliteratur zum diachronischen Aspekt erstaunlich gering. Die meisten Abhandlungen betrachten dieses Thema lediglich punktuell und fokussieren sich außerdem ausschließlich auf das Schulsystem der Sowjetzeit,[1] während die Situation in der Antike bzw. im Mittelalter sowie in der postsowjetischen Zeit[2] gänzlich unbeachtet bleibt. Ein ebenso einseitiger Eindruck entsteht, wenn man die diachronische Analyse des Fremdsprachenunterrichts im Hochschulbereich betrachtet, in dem die Akzente eindeutig zugunsten der Fachsprachen-, nicht aber der Fremdsprachendidaktik gesetzt werden. Zweifelsohne hat diese Erscheinung ihre Gründe, deren Analyse die Aufgaben des vorliegenden Beitrags überschreitet, was aber nicht besagt, dass sie nicht zum Gegenstand einer selbständigen/speziellen Forschung werden könnten und bestimmt auch aufschlussreiche Ergebnisse brächten.

---

1   Die zahlreichen Forschungen über den Fremdsprachenunterricht in der Sowjetunion zeichnen sich durch ihre tendenziöse/eingleisige Herangehensweise aus, vermutlich wegen der in der damaligen gesellschaftlichen Ordnung herrschenden Ideologie sowie des zentralistischen, unifizierten Formats des Bildungssystems in Russland und in den peripheren nationalen Sowjetrepubliken. Die wissenschaftlich fundierte Analyse dieser Zeitspanne aus heutiger Perspektive ist und bleibt, ca. 25 Jahre nach dem Zerfall der Sowjetunion, immer noch ein Desiderat.

2   Die Zeitspanne nach dem Zerfall der Sowjetunion verdient ohnehin eine gesonderte Analyse. Zu beachten ist dabei, dass in Georgiens Bildungssystem zunächst ein längeres Vakuum bestand, an dessen Stelle dann ein chaotisches Durcheinander getreten ist, in dem z.B. jede private Bildungseinrichtung ein eigenes Fremdsprachencurriculum – meist in Kooperation mit dem Ausland – anzubieten versuchte, während sich das Bildungsministerium bemüht, für die Schulen und sogar für Hochschulen normierte und unifizierte Fremdsprachencurricula zu erstellen.

1.2   Chronologische Einteilung

Chronologisch betrachtet, werden in der Geschichte des Fremdsprachenunterrichts in Georgien vier Hauptperioden unterschieden:
- der Zeitraum von den Anfängen bis zum späten Mittelalter;
- die Zeit unter dem zaristischen Regime (1783–1921) bis zur Sowjetisierung des Landes;
- die Sowjetzeit 1921–1991;
- die Zeitspanne nach dem Zerfall der Sowjetunion von 1991 bis in die Gegenwart.

Diese Einteilung richtet sich nach den gesellschaftlich-politischen Ereignissen, nicht aber nach den schulischen Curricula, was für unseren Zweck freilich wohl auch nicht informativer wäre. Jede dieser Hauptperioden ließe sich zudem wiederum in mehrere Abschnitte unterteilen. Und auch die Grenzen zwischen den Perioden sind wegen der längeren Übergangsphasen nicht deutlich zu ziehen.

1.3   Ziel

Unter den oben erwähnten Gegebenheiten setzt sich mein Beitrag als Ziel, ein umfassendes kontinuierliches Bild der Entwicklung des Deutschunterrichts von den Anfängen bis zur Sowjetzeit in Georgien im Gesamtkontext des Fremdsprachenunterrichts, vor allem aber der Fremdsprachenpolitik des Landes zu skizzieren und dadurch auch den Anteil des Deutschen den anderen Fremdsprachen gegenüber ersichtlich zu machen. Bei der Analyse werden die folgenden Faktoren in Betracht gezogen: die geographische bzw. geopolitische Lage des Landes an der Grenze zwischen Orient und Okzident;[3] das Christentum als die einzige offiziell anerkannte Staatsreligion;[4] und nicht zuletzt die multinationale und multikulturelle Bevölkerung,[5] die gleichermaßen auch die multilinguale Atmosphäre des Landes prägte.

---

3   Durch das Land verlief früher die berühmte Handels- bzw. Karawanenstraße, die so genannte Seidenstraße, die die Mittelmeerregion über Vorderasien mit China und Japan verband und daher eine strategische Bedeutung hatte.

4   In den alten Chroniken wird Georgien wegen seines muslimischen Umfelds als „die letzte Bastion des Christentums im Nahen Osten" (Fähnrich 1993, 17) bezeichnet. Die unmittelbaren Nachbarn im Norden sind die Länder Tschetschenien, Dagestan, Inguschetien und Nordossetien, im Osten Aserbaidschan und im Süden die Türkei sowie Armenien als das einzige christliche Land, dessen Kirche gregorianisch geprägt ist.

5   Zu Ureinwohnern des Landes gehörten neben Georgiern ebenso Armenier, Aserbaidschaner, Osseten, Abchasier, Griechen, Kurden, Türken, Araber, Ukrainer, Russen, Deutsche sowie andere nationale Minderheiten. In Tbilissi/Tiflis sowie in den Grenzregionen gab es bereits im 19. Jahrhundert neben den georgischen Schulen ebenso nationale Schulen für die armenische, aserbaidschanische und russische Bevölkerung.

1.4 Ausgangspostulate

Für die Untersuchung erscheint es vorrangig, zunächst auf die traditionellen Grundbegriffe wie *Fremdsprache* bzw. *Fremdsprachenkenntnisse* einzugehen, die aber in der Realität Georgiens allem Anschein nach mit einer speziellen Konnotation verknüpft und etwas unkonventionell interpretiert werden. Offensichtlich hatte man sich schon ursprünglich von den Gegebenheiten leiten lassen, die die geographische Lage des Landes – verborgen hinter dem Gebirgszug des Kaukasus und dem Schwarzen Meer – diktierte. Man hatte in Georgien, wenn auch unterschwellig, zwischen dem *nahen* und dem *fernen* Ausland sowie zwischen den *bekannten* Fremdsprachen der unmittelbaren Nachbarn im Nahen Osten (deren Vertreter man auch im eigenen Land als Mitbürger hatte) und den *unbekannten* Fremdsprachen des fernen Westens/jenseits des Meeres unterschieden. Das prägte auch den Verwendungszweck der jeweiligen Fremdsprache in der jeweiligen Epoche. Während man historisch die Beherrschung der Sprachen der unmittelbaren südlichen bzw. östlichen Nachbarn (wie Armenisch, Türkisch, Persisch, Aserbaidschanisch) als etwas Gewöhnliches/Alltägliches, dem praktischen Kommunikationszweck Dienliches betrachtete, wurde den Sprachen des fernen Abendlands (wie Französisch, Italienisch, Deutsch) eher eine kulturelle Signifikanz zugeschrieben. Dementsprechend wurde die Beherrschung der westeuropäischen Sprachen als etwas Außergewöhnliches/Aufsehenerregendes betrachtet. Dieses Charakteristikum sowie die ihm zugrunde liegende Konstellation blieben aber im Laufe von Jahrhunderten keinesfalls konstant, sondern sie änderten sich nach dem Diktat einer Epoche im Rahmen des erlaubten bzw. zugelassenen kulturpolitischen Horizonts. Im vorliegenden Beitrag soll versucht werden, bei der Analyse der einzelnen Perioden auch auf dieses Phänomen einzugehen.

2 Die Zeitspanne von den Anfängen bis zum späten Mittelalter

2.1 Geschichtlicher Überblick

Der Zeitraum vom vierten Jahrhundert bis zum späten Mittelalter ist durch für Georgien wichtige Ereignisse gekennzeichnet, die logischerweise auch auf die Sprachenpolitik des Landes Einfluss hatten.

Zum Ersten waren die Christianisierung des Landes im vierten Jahrhundert und die Erklärung des Christentums zur Staatsreligion prägend. Sie zog vor allem die Errichtung zahlreicher Kirchen bzw. Klöster sowie ihre Verwandlung in Bildungszentren nach sich. Unter den Unterrichtsfächern an den geistlichen Schulen/Seminaren genoss berechtigterweise das Griechische als die erste Fremdsprache die bevorzugte Position, weil man es vor allem als Übertragungsmedium der altchristlichen Schriften sowie der philosophischen Traktate aus dem Georgischen ins Griechische und umgekehrt betrachtete. Bereits Ende des vierten Jahrhunderts existierte in Westgeorgien eine zweisprachige georgisch-griechische Schule, an der zusammen mit den georgischen Lehrern auch

Muttersprachler aus Griechenland unterrichteten (vgl. Tschodrishvili 1984, 45). Griechisch war ebenso ein obligatorisches Fach an der Gelati-Akademie am Gelati-Kloster[6]
in Westgeorgien wie an der Ikalto-Akademie am Ikalto-Kloster[7] in Ostgeorgien, den
beiden christlichen Ausbildungszentren, die im zwölften Jahrhundert von König David IV.[8] ins Leben gerufen worden waren. Begabte Absolventen dieser Akademien
wurden zur Zusatzausbildung nach Griechenland geschickt. Sie traten „nach der Rückkehr als Übersetzer, Kommentatoren und Autoren der alttheologischen, historiographi-
schen, philosophischen sowie der literarischen Texte in Erscheinung" (Tamarashvili
1902, 289).

Zum zweiten wichtigen Ereignis werden die zahllosen Eroberungskriege gezählt,
mit denen die östlichen und südlichen muslimischen Völker – Araber, Osmanen, Türken, Mongolen und Iraner – im Laufe von elf Jahrhunderten (7.–18. Jahrhundert) die
Georgier überzogen und das Land zugrunde richteten. Als ein Mittel der Kommunikation mit dem Feind, andererseits aber auch zur Pflege neu entstandener Handelsbeziehungen und politisch-wirtschaftlicher Kontakte mit den wohlgesinnten Nachbarn wurde
im achten Jahrhundert in den geistlichen Seminaren Georgiens auch der Unterricht in
orientalischen Sprachen[9] wie Türkisch, Persisch, Syrisch, Arabisch, Aserbaidschanisch
und Armenisch eingeführt.

---

6   Die Klosteranlage Gelati wurde nahe Kutaissi, der damaligen zeitweisen Hauptstadt des
      Georgischen Königsreichs (die eigentliche Hauptstadt Tiflis/Tbilissi war 654–1122 in der
      Hand der seldschukischen Türken) erbaut. Der Gründer und Leiter der Gelati-Akademie
      war Ioane Petrizi, Philosoph und Theologe, der seine Ausbildung an der Akademie in
      Konstantinopel erhalten hatte (vgl. Georgische Sowjetische Enzyklopädie, Band 3, 1978,
      36f.; weiterhin überall GSE).
7   Die Klosteranlage Ikalto wurde von Zenon, einem der Dreizehn Syrischen Väter (als Syri-
      sche Väter wurden georgische Mönche bezeichnet, die nach einem längeren Aufenthalt in
      syrischen Klöstern zwecks Missionsarbeit in ihre Heimat zurückkehrten) gegründet. Die
      Akademie am Kloster wurde von dem Philosophen und Theologen Arsen Ikaltoeli aufge-
      baut, der seine Ausbildung an der Mangana-Akademie in Konstantinopel erhalten und an-
      schließend ziemlich lange am Kloster Kalipos auf dem Berg Sinai in Syrien gewirkt hatte
      (vgl. GSE, Band 5, 1980, 289f.).
8   König David IV., genannt David der Erbauer, regierte 1089–1125. In der Geschichte Ge-
      orgiens wurde er dadurch bekannt, dass er das Land von den seldschukischen Türken be-
      freite, sein Territorium bis an die ursprünglichen Grenzen erweiterte, das Land politisch
      zentralisierte und die Hauptstadt aus Kutaissi wieder nach Tiflis zurückverlegte. Er starb
      1125, ist in Gelati beigesetzt und von der Georgischen Orthodoxen Kirche heiliggespro-
      chen (vgl. GSE, Band 3, 1978, 334f.).
9   Die Einführung der orientalischen Sprachen in den Schulen Georgiens weckte gleichzeitig
      auch das Interesse für orientalische Literatur, sodass in dieser Zeit die ersten Übersetzun-
      gen vor allem aus dem Arabischen und dem Persischen ins Georgische entstanden. Das In-
      teresse für orientalische Sprachen als ein kulturhistorisches Phänomen entwickelte sich je-
      doch erst in den 20er-Jahren des vergangenen Jahrhunderts, nachdem an der Staatlichen
      Universität zu Tiflis die Fakultät für Orientalistik mit ihren drei Forschungszentren für
      Sprache, Literatur und Geschichte samt Kulturgeographie aufgebaut worden war.

2.2 Westeuropäische Sprachen im Schulsystem Georgiens bis zur Mitte des 18. Jahrhunderts

Trotz der vielen Verluste, die die Eroberungskriege der einheimischen Bevölkerung in menschlicher, materieller und moralischer Hinsicht zufügten, blieb das Land seinen ästhetisch-kulturellen Idealen treu und betrachtete Bildung als eine seiner Prioritäten. In sprachenpolitischer Hinsicht orientierte es sich vorwiegend am Westen, wovon auch folgende Tatsachen zeugen:

- In der Regierungszeit Königs Vachtangs V.[10] existierte in Georgien eine Katholische Schule, in der Latein nebst Griechisch zu den führenden Unterrichtsfächern zählte. 1672 durften 40 georgische Schüler dieser Schule, unterrichtet von italienischen Kapuzinern, verstärkt Latein lernen (vgl. Tamarashvili 1902, 289);

- 1714 wurde in Tbilissi von dem georgischen Schriftsteller, Gelehrten und Politiker Sulkhan-Saba Orbeliani[11] ein französischsprachiges Kolleg gegründet, in dem Latein als eine der klassischen Sprachen sowie Französisch und Italienisch als Kultursprachen angeboten wurden. Unterrichtet wurde hier vorwiegend von den ersten westeuropäischen Missionaren in Georgien (vgl. Tabagua 1978, 192f.);

- 1807 wurde Deutsch als eine der Kultursprachen erstmals in der Schule der „hochwohlgeborenen" Frauen, der sogenannten Tbilisser Eliteschule, angeboten. Unterrichtet wurde Deutsch von Samuel Martini, einem Deutschen ungarischer Herkunft; 1830 wurde diese Schule zum Gymnasium umgestaltet. Deutsch blieb auf dem Stundenplan, allerdings neben Französisch, beide Sprachen mit jeweils vier Wochenstunden (vgl. Romanovsky 1902, 2);

- an allen sonstigen Gymnasien des Landes galten die Richtlinien der klassischen Ausbildung: Latein und Griechisch zählten zu den obligatorischen Disziplinen; für die Absolventen mit Interesse am Weiterstudium geisteswissenschaftlicher Fächer an einer Universität war Französisch obligatorisch, während Deutsch für diejenigen erforderlich war, die Medizin studieren wollten (vgl. Tavsishvili 1948, 151f.);

- 1820 wurde an einem anderen gehobenen Institut, der sogenannten Achwerdowa-Frauenpension, ein verstärkter Französischunterricht angeboten. Von dieser Ausbildungseinrichtung berichtete August von Haksthausen, ein deutschstämmiger russischer Reisender, in seinen Tagebüchern und Erinnerungen: „In Tiflis gibt es schon jetzt eine große Pension, in der die georgischen Fräulein auf Französisch miteinander reden und Romane von Honoré de

---

10 Vachtang der V., genannt Schah Navaz, war 1648–1675 König der Region Kartli in Ostgeorgien (vgl. GSE, Band 4, 1979, 336).
11 Sulkhan-Saba Orbeliani (*1658 in Tandzia/Georgien; †1725 bei Moskau), eine markante Figur in der Geschichte Georgiens, der als Botschafter am Hof Ludwig des XIV. tätig war, beherrschte selbst mehrere orientalische sowie westeuropäische Sprachen und verkörperte europäische Ideen (vgl. GSE, Band 7, 1984, 558f.).

Balzac in der Sprache des Originals lesen" (Haksthausen 1857, 77). 1840 wurde das Gymnasium zum „Transkaukasischen Fraueninstitut" umgestaltet (vgl. Gomarteli 1967, 15).

Anhand der oben angeführten, einigermaßen kaleidoskopischen Aufzählung, in der man vielleicht das Englische vermisst, ist es bestimmt nicht verkehrt, an dieser Stelle die chronologische Reihenfolge zu durchbrechen und einen kurzen Blick auch auf die Traditionen des Englischen in Georgien zu werfen. Im Laufe von Jahrhunderten war das Englische als Unterrichtsfach im Bewusstsein der georgischen Öffentlichkeit sozusagen nicht existent. Zum ersten Mal wurde es nach dem Zweiten Weltkrieg in das georgische Schulsystem eingeführt. Aber auch dann konnte es sich nicht sofort etablieren, sondern musste sich jahrzehntelang im Schatten der anderen westeuropäischen Kultursprachen wie Deutsch, Französisch und Italienisch mit der vierten Position zufriedengeben. Erst seit den neunziger Jahren des vergangenen Jahrhunderts begann das Englische mit dem Deutschen gleichzuziehen, und dies auch nur in der Hauptstadt, während in den peripheren Regionen Georgiens immer noch Deutsch an erster Stelle stand.[12] Französisch musste inzwischen schon etwas kürzer treten, es behielt aber seine führende Position an der Ballettschule zu Tiflis[13]. Italienisch hatte nach wie vor Vorrang am Konservatorium sowie an den übrigen musikalischen Ausbildungseinrichtungen. Außerdem hatte sich die Notwendigkeit gezeigt, auch noch Spanisch in das Unterrichtsprogramm aufzunehmen, das aus bestimmten Gründen schnell an Aktualität gewann.[14]

---

12   Ich stütze mich auf die Ergebnisse der aufwändigen Recherche, die ich 1993 im Auftrag des Goethe-Instituts (Bezugsperson Herr Dr. Horst Breitung; München) im schulischen sowie im universitären Bereich Georgiens durchführte. Der Auftrag gehörte zu den Vorbereitungsmaßnahmen zwecks der Gründung der geplanten Filiale des Goethe-Instituts 1994 in Tiflis für die gesamte Kaukasusregion.

13   Die erste choreographische Schule in Tiflis, die sogenannte Perini-Tanzklasse, wurde 1922 von der italienischen Balletttänzerin Maria Perini gegründet, die selbst 1897–1907 als Primaballerina am Operntheater zu Tiflis mit viel Erfolg auftrat (vgl. GSE, Band 8, 1984, 26).

14   Die Einführung des Spanischen in Georgien hängt mit dem militärisch-technischen Einsatz der Sowjetunion im Spanischen Bürgerkrieg (1936–1939) und der vom Roten Kreuz organisierten sogenannten Exodus-Aktion zusammen, laut welcher Tausende spanischer Kinder – angeblich nur vorübergehend – in verschiedenen Ländern der Welt in Sicherheit gebracht werden sollten. Unter anderem wurden 3.500 Kinder und Jugendliche auch in die Sowjetunion geschickt, von denen 1.000 nach Georgien weitergeleitet wurden. In Tiflis wurden sie vorwiegend privat in Familien untergebracht. An einigen georgischen Schulen richtete man für sie spezielle Klassen ein. Die meisten dieser Kinder fanden in Tiflis für immer ihr Zuhause, und wenige Jahre später schon durften sie als nunmehr Erwachsene selbst Spanisch unterrichten. Zu ihnen gehörten die Sprachlektorinnen Martina Bilbao und Adelaida Martinez, die jahrelang an der Staatlichen Universität zu Tiflis den Spanischkurs betreut haben (vgl. GSE, Band 4, 1979, 221).

3 Die Zeit unter dem zaristischen Regime – Ende des 18. Jahrhunderts bis zur Sowjetisierung (1805–1921)

3.1 Geschichtlicher Überblick

Zur Formierung der sprachlichen Orientierung Georgiens in dieser Zeitspanne haben mehrere politisch-gesellschaftliche Ereignisse beigetragen. Die wichtigsten sind:

- der Anschluss Georgiens an Russland 1783,[15] der dem Land zwar die physische Existenz sicherte, als Folgen jedoch zuerst die Unterdrückung der örtlichen Bevölkerung unter dem zaristischen Regime und danach die Sowjetisierung des Landes und die in jeder Hinsicht starke Abhängigkeit von zentralistischen Mächten mit sich brachte;
- die Übersiedlung deutscher Kolonisten bzw. radikaler Pietisten (in der Fachliteratur auch Separatisten genannt, da sie sich von der Landeskirche abspalteten) vorwiegend aus Schwaben, Württemberg, Bayern sowie der Schweiz nach Georgien in den Jahren 1817–1819, die angeblich nach den Vorstellungen von Zarin Katharina II. in Südkaukasien eine Stütze für das zaristische Russland sein sollten, die in Wahrheit aber freundschaftliche Beziehungen zu der einheimischen Bevölkerung pflegten und viel zur Verbreitung der eigenen Sprache sowie der eigenen Kultur in Transkaukasien beitrugen;[16]
- die Rückkehr einer ganzen Generation von in Westeuropa sowie in St. Petersburg ausgebildeten und mit neuen Ideen ausgerüsteten jungen georgischen Adligen Ende des 19. Jahrhunderts in die Heimat und deren aufklärerische Tätigkeit unter der Leitung des Schriftstellers und Publizisten Ilia Chavchavadze,[17]

---

15 Durch blutige Kriege gegen muslimische Nachbarn geschwächt, suchte Georgien nach einem starken militärisch-politischen Verbündeten, der das Land vor den iranisch-osmanischen Überfällen schützen würde. Solch eine Allianz kam in der damaligen Situation nur mit Russland in Frage, auch auf Grund der gemeinsamen Glaubensrichtung. Der Vertrag wurde am 24. Juli 1783 auf der Festung Georgjewsk im Nordkaukasus geschlossen, hinterher aber von dem georgischen König Erekle II. und von Zarin Katharina II. von Russland unterschrieben (vgl. GSE, Band 3, 1978, 86f.).

16 Die deutschen Aussiedler pflegten vorwiegend untereinander zu heiraten und assimilierten sich ungern. Zur Kommunikation mit der örtlichen Bevölkerung benutzen sie ausschließlich Russisch, auch wenn sie z.B. mit einem Georgier/einer Georgierin verheiratet waren. Vermutlich war das teils durch ihre Verpflichtungen gegenüber den zaristischen Mächten bedingt, teils aber auch aus praktischen Überlegungen hinsichtlich der Kommunikation in einer derart multilingualen Region, wie das damalige Georgien es war (vgl. Songulashvili 2014). Für sie wäre vom Phonetischen her das Georgische relativ einfacher zu bewältigen gewesen, und zwar aufgrund einer gewissen Ähnlichkeit der Konsonantensysteme in beiden Sprachen sowie der der phonotaktischen Regeln.

17 Ilia Tschawtschawadse/Chvchavadze (*1837 in Kvareli/Georgien; †1907 in Zizamuri/Georgien) gründete 1863 die politische Zeitschrift *Sakartvelos Moambe* (Georgisches Blatt) sowie 1877 die Zeitschrift *Iveria*. 1906 setzte er sich in der russischen *Staatsduma* für die Abschaffung der Todesstrafe ein und wurde eine Leitfigur der Nationalbewegung in Georgien. Als Schriftsteller begründete er den *realistischen Sittenroman* in Georgien.

die in erster Linie der Umstrukturierung des Schulsystems diente und unter anderem auch die Reformen in Bezug auf die Muttersprache und auf die Fremdsprache voranbrachte;

– der Zusammenbruch des Russischen Kaiserreichs in der Februarrevolution 1917 und die Gründung der *Ersten Unabhängigen Demokratischen Republik Georgiens* am 26. Mai 1918, die aber unglücklicherweise nur zweieinhalb Jahre, von 1918 bis 1921, existieren durfte.

3.2   Sprachenpolitik unter dem zaristischen Regime und in der vorsowjetischen Zeit (1805–1921)

Die Periode des zaristischen Regimes ist in sprachenpolitischer Hinsicht durch die Hegemonie des Russischen gekennzeichnet. Die georgischen Gymnasien sahen ihre Aufgabe darin, Russisch sprechende Angestellte auszubilden, die auch ideologisch dem zaristischen Regime ergeben sein sollten. Russisch, das anfangs als erste obligatorische Fremdsprache in das georgische Schulsystem eingeführt worden war, erlangte zuerst den Status einer zweiten Muttersprache, bald darauf aber den der führenden Unterrichtssprache, sodass es die Muttersprache völlig aus dem Schulbereich tilgte und die westeuropäischen Sprachen langsam und systematisch in den Hintergrund drängte.

Eine willkommene Alternative bildeten in dieser Situation die deutschen Schulen, die dank den Bemühungen der deutschen Aussiedler fast gleichzeitig in Tiflis sowie in anderen Regionen Georgiens entstanden waren. Obwohl anfangs nur für die Kinder der Kolonisten gedacht, lenkten sie bald die Aufmerksamkeit der georgischen Öffentlichkeit auf sich, sodass Adelige wie Angehörige des Bürgertums gleichermaßen den elitären Wunsch hegten, ihre Kinder in diesen Schulen ausbilden zu lassen. Sie unterstützten diese Schulen auch finanziell, soweit sie konnten. Ihre Blütezeit erlebten Schulen dieser Art in den Jahren der Unabhängigkeit Georgiens 1918–1921, ihre Zahl stieg auf elf. Ein großer Vorteil dieser Schulen war, dass ihre Absolventen zum Studium nach Deutschland gehen und nach der Rückkehr als gut ausgebildete Fachleute in verschiedenen führenden Positionen tätig sein durften.[18] Mit der Stärkung der Sowjetunion wurden die deutschen Schulen langsam abgeschafft oder in russischsprachige Schulen umgewandelt. Die letzte deutsche Schule in Tiflis wurde während des Großen Vaterländischen Krieges geschlossen.

Fast gleichzeitig mit den deutschen Schulen war in Tiflis eine für damalige Verhältnisse außergewöhnliche private deutschsprachige Ausbildungseinrichtung entstanden, eine Vorschule, in der kultivierte und niveauvolle deutsche Aussiedlerinnen (sie wurden

---

Seine Romane „Otahars Witwe", „Ist der Mensch ein Mensch?" und „Mutter und Sohn" gelten als Beispiele für diese Gattung (vgl. GSE, Band 11, 1987, 378f.).

18   Es sollen hier, um ihre Namen zu ehren, nur die Personen mit germanistischer Ausbildung erwähnt werden, die an der Staatlichen Universität zu Tiflis gewirkt und viel zur Grundlegung der Traditionen des Deutschen in Georgien beigetragen haben: Luzi Nolde-Kurdiani, Willi Pavlovna Bachtadze, Tamara Davidovna Hoffmann, Lene Kreuz, Lene Mayer, Isolda Gregorjevna Dandurova und Lena Jakovlevna Siradze.

Tante Linda, Tante Nina etc. genannt) den einheimischen Kindern nicht nur die deutsche Sprache, Gesang und Tanz beibrachten und sie auf die Schule vorbereiteten, sondern sich auch um deren Manieren kümmerten. Es handelte sich zwar nicht um eine Ganztagseinrichtung, aber dafür konnten die Kinder sie etwas länger besuchen, noch einige weitere Jahre nach ihrer Einschulung. Diese privaten Kindergärten bzw. Vorschulen waren nicht immer billig, aber auch nicht allzu teuer. Wer das unbedingt wollte, konnte also seinen Kindern den Besuch ermöglichen. Diese Schulen existierten bis in die 60er/70er Jahre des 20. Jahrhunderts, solange diesen Damen bzw. ihren Nachfolgerinnen ihr fortgeschrittenes Alter noch erlaubte, mit Kindern umzugehen. Dann wurden diese Einrichtungen aus unterschiedlichen Gründen allmählich, eine nach der anderen, abgebaut, ohne dass jemals ein offizielles Verbot ergangen wäre.

Auch das Russische hatte – wenn auch als Sprache der Kolonisatoren – seine Traditionen in Georgien. Die höhere soziale Schicht, die Intellektuellen und unter dem Sowjetregime übrigens ebenso die Parteifunktionäre, deren Vertreter alle das Russische in Wort und Schrift beherrschten, legten durchaus Wert darauf, ihre Kinder zweisprachig zu erziehen. Gleichzeitig wollten sie ihnen aber auch das Erlernen einer weiteren westeuropäischen Sprache bzw. einiger westeuropäischen Sprachen ermöglichen. Favorisiert wurde dabei eindeutig Deutsch, während das Interesse für das Französische zu dem Zeitpunkt allmählich nachließ.

Ein Wendepunkt, beziehungsweise ein neuer Faktor, im umstrukturierten Ausbildungssystem war die Gründung der nationalen Schulen, deren Grundidee darin bestand, es den Schülern zu ermöglichen, die Ausbildung in ihrer Muttersprache Georgisch zu erhalten und dadurch auch ihr nationales Bewusstsein zu wecken bzw. zu stärken. Nichtsdestoweniger war andererseits auch das Interesse vorhanden, für die nachkommenden Generationen das Georgische als eine alte, traditionsreiche Schriftsprache mit eigenem Nationalalphabet zu erhalten.[19] In der reformierten Schule stand Russisch erwartungsgemäß als erste obligatorische Fremdsprache mit sechs Unterrichtsstunden pro Woche an der Spitze; ihm folgte eine zweite, ebenso obligatorische westeuropäische Fremdsprache – die Wahl dieser Sprache blieb der Schule überlassen; hingegen wurden

---

19 Die georgische Sprache (auf Georgisch *Kartuli*) gehört mit anderen drei Sprachen – *Megrelisch-Tschanisch, Lasisch* und *Svanisch* – zusammen zur *Kartvelischen Sprachfamilie*. Sie werden alle nur in Südkaukasien gesprochen. Über ihre Herkunft gibt es Meinungsunterschiede in der Kartwelologie/der Kaukasiologie. Unumstritten ist jedoch, dass das Georgische die einzige Literatursprache mit der Alphabetschrift *Mchedruli* aus dieser Sprachfamilie ist, die anderen drei Sprachen bedienen sich des georgischen Alphabets. Die Schrift entwickelte sich vermutlich im dritten bis vierten Jahrhundert, den materiellen Beweis dafür geben die ins vierte Jahrhundert datierten Inschriften in der Sioni-Kirche in Bolnisi, die sich durch ihre Vollkommenheit von anderen Zeugnissen unterscheiden. Das georgische Alphabet zählt zu den vierzehn ältesten der Welt, die heute noch offiziell benutzt werden. Es besteht aus 33 Zeichen. Die Zahl der Grapheme stimmt mit der der Phoneme überein (d.h. es wird gelesen, wie geschrieben wird). Das Georgische unterscheidet sich durch seine komplizierte grammatische Struktur, vor allem aber als stark geprägte flexivische Sprache durch seine Deklinations- und Konjugationsparadigmen, die ebenso zahlreiche Ausnahmen oder Abweichungen zulassen (vgl. Tschikobava 1965).

die alten Sprachen Griechisch und Latein bedauerlicherweise aus dem Curriculum herausgenommen.[20]

3.3   Lehrkräfte, Unterrichtsmethoden, Lehrbücher

In diesem Kapitel wird, soweit die Überlieferung es zulässt, von den unmittelbar mit
dem Deutschunterricht zusammenhängenden Momenten – nämlich Lehrkräften, Unterrichtsmethoden, Lehrmaterialien – berichtet, und zwar von der Einführung des Deutschen in das georgische Schulsystem bis zur Gründung der sowjetischen Schule.

In den allgemeinbildenden Schulen (z.B. in den Gymnasien) Georgiens wurde
Deutsch meist, da es zu damaligen Zeiten noch keine einheimischen Fremdsprachenlehrer gab, von Personen unterrichtet, die zufälligerweise zur Hand waren und die Sprache zum Teil auch nur halbwegs beherrschten, während die deutschen Schulen ausschließlich von deutschen Lehrkräften betreut wurden. Aber auch unter diesen gab es
nur wenige mit einer pädagogischen bzw. philologischen Fachausbildung, und ihr
Deutsch war nicht immer tadellos oder frei von mundartlicher Färbung. Immerhin zählten sie jedoch zu den Sprachträgern und kannten sich logischerweise in den deutschen
Realien besser aus als die schlecht oder gar nicht ausgebildeten Kräfte. Andererseits gab
es als erfreuliche Ausnahmen durchaus Personen mit vortrefflichen Deutschkenntnissen
und einer entsprechend soliden Allgemeinbildung, die sich aus persönlichen oder auch
beruflichen Gründen in Georgien aufhielten und gleichzeitig gerne pädagogisch tätig
wurden. Zu solchen zählten, um nur einige zu nennen, Friedrich Martin von Bodenstedt,[21] der deutsche Schriftsteller, der 1843 an einem Knabengymnasium in Tiflis
Deutsch unterrichtete, und Artur Leist,[22] ebenfalls Schriftsteller und Publizist, der parallel zu seiner hauptberuflichen Tätigkeit als Chefredakteur der Zeitung *Kaukasische Post*
in Transkaukasien auf Einladung des Rektors der Staatlichen Universität zu Tiflis 1918–
1920 Vorlesungen über die deutsche Sprache für georgische Studierende halten sollte.
Die Fachrichtung für Deutsche Philologie bestand damals noch nicht, sie ist erst in den

---

20   Erst nach dem Zerfall der Sowjetunion durften die alten Sprachen in das schulische Curri-
      culum wieder zurückkehren, und dies auch nur in einigen wenigen Privatschulen.
21   Friedrich Martin von Bodenstedt (*1819 in Peine; †1892 in Wiesbaden) studierte Philoso-
      phie und Philologie an der Universität Göttingen. 1840 ging er nach Moskau, dann nach
      Südkaukasien. Dort wurde er durch den aserbaidschanischen Dichter Mirza-Schaffy in die
      Sprachen der Kaukasusregion eingeführt. Er hat „Die Lieder des Mirza-Schaffy mit einem
      PROLOG" ins Deutsche übertragen und 1901 in Wiesbaden herausgegeben (vgl. GSE,
      Band 2, 1977, 441).
22   Artur Leist (*1852 in Breslau; †1929 in Tiflis) war der erste Übersetzer klassischer georgi-
      scher und armenischer Literatur ins Deutsche sowie Verfasser der „Transkaukasischen
      Studien". 1887 gab er die erste Anthologie georgischer Lyrik in Deutschland heraus. 1889
      veröffentlichte er zusammen mit dem georgischen Schriftsteller und Aufklärer Ilia
      Tschawtschawadse die erste vollständige Ausgabe des georgischen Nationalepos „Der Re-
      cke im Tigerfell" von Schta Rustaveli in Westeuropa. Bis ans Ende seines Lebens 1929
      wohnte er in Tiflis und ist ebendort im Didube-Pantheon beigesetzt (vgl. GSE, Band 6,
      1983, 111).

30er Jahren dazugekommen, und zwar im Rahmen der von Prof. Shalva Nutzubidze[23] und Prof. Erekle Tatishvili[24] gegründeten Fakultät für Westeuropäische Sprachen und Literatur. Die deutsche Abteilung wurde anfangs von den Professoren Pavle Iashvili[25], dann von Niko Kadagidze[26] geleitet, die in Deutschland studiert hatten und dort auch promoviert worden waren.

Unterrichtet wurde Deutsch, ähnlich wie andere Fremdsprachen auch, nach der zur damaligen Zeit einzig praktizierten Grammatik-Übersetzungs-Methode. Auch literarische Texte wurden übersetzt und auswendig gelernt. Als gut in Deutsch galten diejenigen, die alle Deklinations- und Konjugations- bzw. Graduierungsparadigmen fehlerfrei bilden, dazu auch noch die Schultexte übersetzen und die Inhalte unverändert wiedergeben konnten.

Von einheitlichen Unterrichtsplänen bzw. Curricula konnte damals noch keine Rede sein, denn das Land war erst auf dem Weg zur Zentralisierung, und auch die damaligen Kommunikationsmittel hätten eine bessere Koordination kaum ermöglicht. Die Fachinhalte waren von Schule zu Schule unterschiedlich. Das betrifft gleichermaßen den Sprachunterricht, bei dem die Lehrer in der Wahl der Lehrmaterialien völlig und ganz dem eigenen Geschmack oder auch dem Zufall überlassen waren, sodass man als Ergebnis unter Lehrtexten für den Deutschunterricht alles Mögliche finden konnte, angefangen von *Rotkäppchen* und *Struwwelpeter* bis hin zu Auszügen aus Lessings, Schillers und Goethes Dramen.

Auf Grund derartiger Gegebenheiten scheint es umso wichtiger, im Folgenden kurz zwei Lehrbücher zu präsentieren, die fast gleichzeitig jeweils in Kutaissi/Georgien und in Berlin speziell für georgischsprachige Lernende erstellt wurden und inzwischen schon Raritäten sind. Das Format meines Beitrags lässt nicht zu, diese Lehrbücher ausführlich zu analysieren, was aber nicht besagt, dass sie nicht zum Gegenstand einer selbständigen Forschung werden könnten.

---

23   Shalva Nutzubidze (*1888 in Parzchanakhanevi/Georgien; †1969 in Tiflis) studierte Philosophie, Philologie und Geschichte (1907–1910 in St. Petersburg, 1911–1914 in Leipzig) und kehrte 1915 mit Doktortitel versehen zurück. Er übte seine Tätigkeit als Professor unterschiedlich an den Universitäten in Tiflis, St. Petersburg und Leipzig aus und übersetzte das Poem „Der Recke im Tigerfell" von Schta Rustaveli ins Russische (vgl. GSE, Band 7, 1984, 490).

24   Erekle Tatishvili (*1884 in Gori/Georgien; †1946 in Tiflis) studierte 1909–1911 Rechtswissenschaften in Leipzig, 1913 Sozialwissenschaften in Paris, unterrichtete seit 1923 Internationales Recht an der Staatlichen Universität Tiflis und leitete dort seit 1927 den Kurs für Westeuropäische Literatur (vgl. GSE, Band 9, 1985, 664).

25   Pavle Iashvili (*1894 in Somitzo/Georgien; †1989 in Tiflis) studierte 1914–1916 Rechtswissenschaft in Moskau sowie 1920–1926 Philosophie und Wirtschaftswissenschaften in Berlin. Nach der Rückkehr in die Heimat übersetzte er Marx' „Kapital" ins Georgische und gab es 1950 in Tiflis heraus (vgl. Kodua 2001).

26   Niko Kadagidze (*1895 in Zemo-Alvani/Georgien; †1973 in Tiflis) studierte 1914–1916 Geschichte und Philologie an der Moskauer Universität sowie 1920–1924 Wirtschaftswissenschaften in Erlangen, Göttingen und München. Er gab eine zweisprachige Grammatik des Deutschen für georgische Studierende heraus und erstellte ein Deutsch-Georgisches Wörterbuch (vgl. Katamadze 2013, 12f.).

Das von Svanidze und Shevardnadze gemeinsam verfasste *Lehrbuch der deutschen Sprache* (Svanidze/Shevardnadze 1909 und 1924) etwa zählt zu den ältesten regionalen Lehrwerken, ist in gotischer Schrift gedruckt und besteht aus acht traditionellen thematischen Einheiten (Schule, Mensch und Familie, Haus und Wohnung, Garten, Hof und Haustiere, Wilde Tiere, Zeit und Stadt), einem deutsch-georgischen Wörterverzeichnis sowie einem grammatischen Teil zu Substantiv, Pronomen und Verb. Das Original wird in der Nationalbibliothek Georgiens in Tiflis aufbewahrt. Über die Verfasser weiß man nichts Näheres, obwohl man dem Stil des Buches (klarer Gedankengang, kurze Sätze, im Rahmen gehaltene Lexik und korrekte aber etwas gekünstelte Texte) entnehmen kann, dass sie eventuell Schullehrer waren. Wahrhaft beeindruckend ist die Sorgfalt, mit der die grammatischen Regeln in Tabellen gefasst und die lexikalischen Themen mit ansprechenden Radierungen illustriert sind.[27]

Das Buch *Einführung in die deutsche Sprache für Georgier* (1922) von Richard Meckelein[28] ist aus heutiger Sicht das erste exemplarische Lehrbuch aus der DaF-Reihe, das von einem Sprachträger erstellt wurde und sich an einen bestimmten Adressatenkreis, nämlich junge georgische Kriegsgefangene, richtet, die das Buch nach der Rückkehr in die Heimat an ihren Deutschlandaufenthalt erinnern und ihnen behilflich sein soll, die erworbenen Sprachkenntnisse nicht zu vergessen. Es ist bemerkenswert, dass das Buch die Rolle der Muttersprache/des Georgischen in didaktischer Hinsicht mitberücksichtigt. Das Buch umfasst achtzehn Lektionen, die nach grammatischen Schwerpunkten zusammengesetzt sind. Die Texte sowie die Übungen sind den grammatischen Themen angepasst. Der Stil des Buches sowie die mitgelieferten Informationen lassen eindeutig die allgemein-sprachwissenschaftliche Ausbildung seines Verfassers erkennen, eines Dozenten am Seminar für Orientalische Sprachen an der Universität zu Berlin.

Dem physischen Zustand beider Bücher kann man entnehmen, welch eifriger Gebrauch von diesen gemacht worden ist.

4   Anstelle einer Zusammenfassung

Der vorliegende Beitrag ist der erste Versuch, die Traditionen des Deutschen in Georgien als einer Kultursprache im gesamthistorischen Kontext des Fremdsprachenunterrichts mit Rücksicht auf die politisch-gesellschaftliche Entwicklung des Landes in chronologischer Reihenfolge zu präsentieren. Er versucht, aus der Geschichte Georgiens die mit dem Fremdsprachenunterricht zusammenhängenden Momente zu exzerpieren, die als Postulate durch unterschiedliche historische Quellen zerstreut und bislang nur aus politischer Sicht von Bedeutung waren. Diese Momente verdienen zweifelsohne,

---

27   Über die dem Buch zugrunde liegende Grammatik-Übersetzungsmethode sowie die natürliche Methode vgl. den Beitrag von Ekaterine Schaverdashvili in diesem Band.

28   Richard Meckelein (*Arnstein 1880; †1948 in Berlin) hatte Philosophie und Theologie in Berlin studiert. Er hat ebenso ein *Georgisch-Megrelisches* und eine *Georgisch-Deutsches* Wörterbuch erstellt (beide herausgegeben 1928 bei Walter de Gruyter Berlin/Leipzig).

zum Gegenstand einer selbstständigen Analyse unter pädagogischem bzw. didaktischem sowie kulturhistorischem Aspekt zu werden. Der vorliegende Beitrag sollte als Gerüst dienen, diesbezüglich existierende Lücken auszufüllen und das rekonstruierte Bild des Deutschunterrichts in Georgien weitgehend zu vervollständigen.

Die nächste Möglichkeit, die Perspektiven auf das Forschungsobjekt zu erweitern, wäre, die betreffenden Phänomene unter soziolinguistischem sowie psycholinguistischem Gesichtspunkt zu untersuchen, um neben den innen- und außenpolitischen Faktoren auch die mit den ästhetischen Ansichten oder praktischen Überlegungen zusammenhängenden Interessenunterschiede innerhalb der divergenten sozialen Schichten der multinationalen Bevölkerung Georgiens am Fremdsprachenerwerb ersichtlich zu machen. Das würde auch die Gründe für die gegenwärtige Rückentwicklung des einst bevorzugten Deutschunterrichts in Georgien noch mehr verdeutlichen und eventuell auch dazu beitragen, neue Entwicklungsperspektiven für die alten Traditionen zu erschließen.

Literatur

Abashidze, Irakli (Hrsg.) (1975–1987). *Georgische Sowjetische Enzyklopädie. In elf Bänden.* Tbilissi: Enzyklopädie-Verlag (auf Georgisch). [ბაშიძე, ირაკლი (რედაქტ.) (1975–1987). *ქართული საბჭოთა ენციკლოპედია.* თერთმეტ ტომად. თბილისი: ენციკლოპედიის გამო-მცემლობის მთავარი სამეცნიერო რედაქცია].

Antshabadze, Surab; Gutshua, Viktor (Hrsg.) (1979). *Beiträge zur Geschichte Georgiens. In acht Bänden.* Band III. Tbilissi: Sabtshota Sakartvelo-Verlag (auf Georgisch). [ანჩაბა-ძე, ზურაბ; გუჩუა, ვიქტორ (რედაქტ.) (1979). *საქართველოს ისტორიის ნარ-კვევები.* ტომი III. თბილისი: საბჭოთა საქართველო].

Bock, Ulrich (1988). *Georgien und Armenien: zwei christliche Kulturlandschaften im Süden der Sowjetunion.* Köln: DuMont.

Fähnrich, Heinz (1993). *An der silbernen Stirn der Erde. Reisen in Georgien.* Aachen: Verlag Shaker.

Fähnrich, Heinz (2010). *Geschichte Georgiens.* Leiden, Boston: Brill.

Gomarteli, Meri (1967). *Fragen der Methodik des Fremdsprachenunterrichts.* Tbilissi: Ganatleba-Verlag (auf Georgisch). [გომართელი, მერი (1967). *უცხო ენათა სწავ-ლების საკითხები.* სერია: პედაგოგიკა და მეთოდიკა. თბილისი: განათლება].

Haksthausen, August von (1857). *Transkaukasien. Reiseeindrücke und Erinnerungen.* SPB, Teil 1. Sankt Petersburg: Militär-Buch-Verlag (auf Russisch). [Гакстгаузен, Август (1857). *Закавказский край. Путевые впечатления и воспоминания.* СПБ, частъ 1. Типография Главного Штаба Его Императорского Величества по Военно-Учебным заведениям].

Katamadze, Mzia (Hrsg.) (2013). Niko Kadagidze 1985–1973. In: *David Kadagidze – der echte Held Georgiens.* Tbilissi: Universali-Verlag (auf Georgisch). [ქათამაძე,

მზია (2013). ნიკო ქადაგიძე 1985–1973. წიგნიდან: *დავით ქადაგიძე – კავკასიის ჩემმარიტი რაინდი.* თბილისი: გამო-მცემლობა უნივერსალი].

Kodua, Eduard (Hrsg.) (2001). *Pavle Iashvili – 100.* Tbilissi: Universitätsverlag (auf Georgisch). [კოდუა, ედუარდ (1967). *პავლე იაშვილი – 100.* თბილისი: უნივერსიტეტის გამო-მცემლობა].

Meckelein, Richard (1922). *Einführung in die deutsche Sprache für Georgier.* Berlin: Kultur-Verlagsgesellschaft „Naher Osten".

Meskhia, Shota (Hrsg.) (1973). *Beiträge zur Geschichte Georgiens.* In acht Bänden. Band II. Tbilissi: Sabtshota Sakartvelo-Verlag (auf Georgisch). [მესხია, შოთა (რედაქტ.) (1973). *საქართველოს ისტორიის ნარკვევები. ტომი* II. თბილისი: გამო-მცემლობა საბჭოთა საქართველო].

Modzalevsky, Lev (1899). *Beiträge zu den Fragen der Erziehung und der Ausbildung von den Anfängen bis zur Gegenwart.* SPB, Teil 2. Samara: Aletejija-Verlag (auf Russisch). [Модзалевский, Левъ (1899). *Очерк истории воспитания и обучения с древнейших до наших вренмен.* СПБ, частъ 2. Самара: Алетейя].

Romanovsky, Wassiliji (1902). *Grundriss der Geschichte Georgiens. Die Entwicklungsgeschichte der Ausbildung im Kaukasus.* SPB, Teil 1. Tiflis: Koslovskiji-Verlag (auf Russisch). [Романовский, Вассилий (1902). *Очерки из истории Грузии. Развитие учебного дела на Кавказе.* СПБ, частъ 1. Тифлис: типография К.П. Козловского].

Svanidze, Giorgi; Shevardnadze, Micheil (1909 und 1924). *Lehrbuch der deutschen Sprache.* Kutaissi: Giwis Merani-Verlag.

Tabagua, Ilia (1978). *Georgisch-französische Beziehungen (18. Jh.).* Tbilissi: Ganatleba-Verlag (auf Georgisch). [ტაბაღუა, ილია (1978). *ქართულ-ფრანგული ურთიერთობები (XVIII).* თბილისი: განათლება].

Tamarashvili, Mihkeil (1902). *Geschichte der Katholiken unter den Georgiern.* Tbilissi: Ganatleba-Verlag (auf Georgisch). [თამარაშვილი, მიხეილ (1902). *კათოლიკეთა ისტორია ქართველებს შორის.* თბილისი: განათლება].

Tavzishvili, Giorgi (1948). *Geschichte der Volksbildung und der Pädagogik in Georgien 1801–1870.* Teil II. Tbilissi: Kalendari-Verlag (auf Georgisch). [თავზიშვილი, გიორგი (1948). *სახალხო განათლების და პედაგოგიური აზროვნების ისტორია საქართველოში.* თბილისი: მომცემლობა კალენდარი].

Tschikobava, Arnold (1965). *Geschichte der ibero-kaukasischen Sprachfamilie.* Tbilissi: Ganatleba-Verlag (auf Georgisch). [ჩიქობავა, არნოლდ (1965). *იბერიულ-კავკასიურ ენათა ოჯახის ისტორია.* თბილისი: განათლება].

Tschodrishvili, Erekle (1984). Georgisch-fremdsprachliche Wörterbücher bis in die 70er Jahre des 19. Jahrhunderts. In: *Fremdsprachen in der Schule,* Heft 1, Tbilissi: Verlag des ZK der KPdSU, 45–55 (auf Georgisch). [ჩოდრიშვილი, ერეკლე (1984). ქართულ-უცხოური თარგმნითი ლექსიკონები XIX საუკუნის 70-იან წლებამდე. ჟურნალში: უცხოური ენები სკოლაში, 1, 1984, თბილისი: საქ. ცენტრალური კომიტეტის კომ. პარტიის გამო-მცემლობა, გვ. 45–55].

Internetquellen

Adamia, Levan (Regie) (2013). *Deutsche in Georgien.* (Dokumentarfilm, auf Deutsch-Russisch-Georgisch) [ადამია, ლევან (2014). *გერმანელები საქართველოში.*] https://www.youtube.com/watch?v=PBwhz9lrFts (23.11.2016).

Goethe-Institut Tbilissi (2016). *Geschichte deutscher Siedler im Kaukasus.* http://www.goethe.de/ins/ge/prj/dig/his/deindex.htm (23.11.2017).

Ökumenisches Wörterbuch: *Arsenios von Ikalto.* https://www.heiligenlexikon.de/BiographienA/Arsenios_von_Ikalto.html (01.03.2016).

Songulashvili, Avtandil (2014). *Das wirtschaftliche Leben der Deutschen in Georgien und die Traditionen* (auf Georgisch) [სონღულაშვილი, ავთანდილ (2014). *საქართველოში მცხოვრები გერმანელების სამეურნეო ყოფა და ტრადიციები*] (23.11.2017). http://www.dzeglebi.ge/statiebi/istoria/saqartveloshi mcxovrebi germanelebi.html

Wissenschaftliche Sammlung an der Humboldt-Universität zu Berlin. Biographie: *Richard Meckelein.* Eintragstyp *Personen 17249.* http://www.sammlungen.hu-berlin.de/dokumente/17249/ (23.11.2017).

Zezhkladze, Salome (2010). *Deutsch-Georgier.* Interview mit dem Präsidenten der Assoziation (auf Georgisch) [ცეცხლაძე, სალომე (2014). *ქართველი გერმანელები.* ინტერვიუ ასოციაციის პრეზიდენტთან]. http://www.resonancedaily.com/index.php?id_rub=2&id_artc=1395 (23.11.2016).

Ekaterine Shaverdashvili

Fremdsprachenpolitik und die Rolle des Deutschen als Fremdsprache in Sowjetgeorgien

Nach der Oktoberrevolution 1917 verbreitete sich in Russland und seinen verbündeten Ländern die marxistisch-leninistische Ideologie ziemlich schnell und beeinflusste u.a. das Bildungssystem. Die sowjetische Regierung wollte mit Hilfe der Schule kommunistische Theorien in die Praxis umsetzen und die neue Generation in sozialistischem und kommunistischem Geist erziehen.

> Die Sowjetschule ist dazu berufen, geistig hochstehende und gebildete Menschen für unser Land, Patrioten der Sowjetmacht und aktive Erbauer und Beschützer der kommunistischen Gesellschaft zu erziehen, Menschen, die der Sache Lenins und Stalins ergeben sind ... Sie ist dazu berufen, die Menschen der neuen Gesellschaft zu erziehen, Menschen, die fähig sind, die im Jahre 1917 begonnene große Sache des kommunistischen Aufbaus fortzuführen und erfolgreich zu vollenden. (Nowikow 1953, 7)

Mit dem marxistischen Ideal der Formierung der „allseitig entwickelten Persönlichkeit" (Nowikow 1953, 7) ging der schnelle Prozess der Schaffung der sowjetischen Schule Hand in Hand und es lassen sich einige zeitliche Phasen von der Oktoberrevolution bis zum Zusammenbruch ausmachen:

- frühsowjetische Phase (1917 bis 1930er Jahre);
- Stalinistische Ära (1930er bis 1950er Jahre);
- Chruschov-Ära (von 1956 bis 1966);
- Breshnev-Ära (Anfang der 1980er Jahre);
- Gorbatschev-Perestroika-Ära (Ende der 80er Jahre).

Aus diesen zeitlichen Phasen gingen die drei wichtigsten sowjetischen Schulreformen hervor:
- die sowjetische Schulreform der 30er Jahre;
- die sowjetische Schulreform der 60er Jahre;
- die sowjetische Schulreform der 80er Jahre.
(vgl. Shaverdashvili 2000, 76)

1 Frühsowjetische Phase

Viele für die neue Ideologie „unnötige" Fächer, darunter auch Fremdsprachen, wurden in der frühsowjetischen Phase aus den Lehrprogrammen herausgenommen trotz der Meinung von Nadjeshda Krupskaja, die eine der führenden Personen der sowjetischen

Regierung war. Krupskaja betrachtete die Fremdsprachenkenntnisse als wichtig und bevorzugte die „praktische Beherrschung der Fremdsprachen" gegenüber der alten scholastischen Methode im Fremdsprachenunterricht. Sie behauptete u.a., dass im Fremdsprachenunterricht anstatt des Paukens der grammatischen Regeln „die Fähigkeit zur Selbstäusserung" vermittelt werden sollte (vgl. Krupskaja 1923, 7f.).

Ende der 20er Jahre spielten die wissenschaftlichen Arbeiten von Lev Vladimirovich Schtscherba, Ewgenii Ivanovich Spendiarow und Maxim Vladimirovich Sergijewski bei der Formierung des Unterrichtsprozesses eine große Rolle. Diese Persönlichkeiten bereiteten die Grundlagen der sowjetischen Fremdsprachendidaktik vor und leisteten für die Entwicklung des Fremdsprachenunterrichts einen wichtigen Beitrag. Nach deren Ansichten sollte Sprache als Kommunikationsmittel und Grammatik als Mittel zur Kommunikation unterrichtet werden, weil das System (*langue*) nicht das konstituierende, wesenhafte Merkmal, sondern nur ein Aspekt der Sprache ist und als solcher dem umfassenden Phänomen Sprechtätigkeit untergeordnet sei. Sie verzichteten auf das deduktive Lehrkonzept der Grammatik-Übersetzungsmethode und wollten Fremdsprachen als Kommunikationsmittel für Alltagssituationen im Zielsprachenland (mit Elementen der direkten/natürlichen Methode) anbieten. Dieser Zugang entwickelte sich nach der sowjetischen Lehrertagung 1930 zu der sogenannten kombinierten Methode. Die Fremdsprachen sollten mit Hilfe von Intuition und Nachahmung, so wie Kinder ihre Muttersprache lernen, vermittelt werden (Elemente der direkten Methode und behavioristischer Theorie in Europa). Im Gegensatz zur natürlichen Methode wurden aber im Unterricht Übersetzungen und/oder Erklärungen in der Muttersprache (z.B. bei grammatischen oder phonetischen Regeln) zugelassen. Man griff also weiterhin auf Elemente der Grammatik-Übersetzungsmethode zurück (vgl. Shaverdashvili 2000, 87).

Georgien gehörte seit 1921 zur Sowjetunion, als das Land gegen seinen Willen durch den Einmarsch der Sowjetarmee in Georgien seine dreijährige Unabhängigkeit verlor.[1] Von Anfang an wurde mit den anderen Sowjetrepubliken zusammen versucht, alles zu vermeiden, was als Störfaktor für die Etablierung der kommunistischen Ideologie angesehen wurde. Wegen der nur langsam fortschreitenden Integration Georgiens in die Sowjetunion konnten die westeuropäischen Sprachen in vielen Schulen weiterhin mit den gleichen Zielen und Inhalten wie vor der Sowjetzeit angeboten werden. Das Land versuchte diejenigen Schulcurricula und Lehrmaterialien im Lernprozess einzusetzen, die von georgischen Fachleuten auf der Basis der internationalen Fachdiskussionen vor der Entstehung der Sowjetunion konzipiert und im Unterricht verwendet worden waren.

Im Zentrum der damaligen Diskussion über die Fremdsprachenvermittlung standen die bis zur Oktoberrevolution in Georgien herrschenden Methoden, und zwar einerseits die Grammatik-Übersetzungsmethode, die an Gymnasien, Staatsschulen und Priester-

---

[1]   1918 erklärte sich Georgien als Demokratische Republik für unabhängig, verabschiedete 1921 die erste Verfassung nach dem Vorbild der Schweiz und orientierte sich an Westeuropa. Das dauerte aber nicht lange an, und bereits 1921 wurde Georgien ein Teil der Sowjetmacht.

seminarien und andererseits die natürliche Methode, die an Privatschulen, Lyzeen und Instituten angewendet wurden.

Der Erwerb von Fremdsprachen wurde von den bedeutenden georgischen Persönlichkeiten der damaligen Zeit Ilia Chavchavadze (vgl. Chavchadze 1953; 1957) und Akaki Tsereteli[2] (vgl. Tsereteli 1958) sowie von den Pädagogen Iakob Gogebashvili (vgl. Gogebashvili 1954; 1961) und Luarsab Bozwadse (vgl. Bozwadse1894) hoch geschätzt und als wichtiger Teil der Ausbildung eines georgischen Bürgers angesehen.

> Sie fanden einige Prinzipien der damals herrschenden Grammatik-Übersetzungs-Methode, besonders die Rolle der Muttersprache und das „analytisch-übersetzende Verfahren", wichtig, aber sie betonten auch, dass eine Fremdsprache „praktisch" beherrscht werden sollte. Bei der natürlichen Methode hielten sie „Sprechen" und „Visualisierung" für richtig, aber sie kritisierten „das Fehlen der Muttersprache" im Fremdsprachenunterricht sehr, weil sie die natürliche Methode damit gegen die Grundprinzipien der Didaktik, bei der Lehre eines Fremden vom Bekannten auszugehen, stellte. (Shaverdashvili 2000, 82)

Ungeachtet dessen, dass die „praktische" Beherrschung der Sprache im Zentrum der georgischen Diskussion stand, wurde auf das Sprechen als Fertigkeit in Lehrprogrammen bzw. in Lehrmaterialien, die aus Moskau kamen und den Ansichten der georgischen Wissenschaftlern widersprachen, verzichtet. Die Schulbücher basierten grundsätzlich auf der Grammatik-Übersetzungsmethode, und die Ziele und Inhalte orientierten sich an der Beherrschung der Schriftsprache, die als etwas Ganzes aufgefasst wurde, das nach logischen Regeln aus bestimmten Teilen gefügt war. Die Lerner sollten die Konstruktionsregeln der Sprache verstehen und anwenden lernen. Die Kenntnis der Wörter und Grammatikregeln war wichtig, mit deren Hilfe die Lerner Sätze auf Deutsch produzieren und dann Übersetzungen von der Muttersprache ins Deutsche oder umgekehrt vornehmen sollten (vgl. Gwarjaladse 1957, 376f.).

In der frühsowjetischen Zeit wurden in Georgien entweder die gleichen Lehrbücher aus der vorsowjetischen Zeit ohne Änderungen eingesetzt, oder der Stoff mit sozialistischer Ideologie in den Texten leicht ergänzt und die entsprechend geänderten Bücher erst dann im Lernprozess verwendet.

Für die Autoren sowohl des zweiteiligen „Lehrbuchs der deutschen Sprache", Giorgi Svanidze und Micheil Shavardnadze (1919[3]), als auch des „Lehrbuchs der deutschen Sprache", Konstantine Gamsakhurdia und Simon Kaukchishvili (1934), waren die Kenntnis der Wörter und der Grammatikregeln wichtig, mit deren Hilfe die Lernenden Sätze auf Deutsch produzieren und dann Übersetzungen von der Muttersprache ins

---

2 Ilia Chavchavadze und Akaki Tsereteli schätzt man auch heute nicht nur als berühmte georgische Schriftsteller zahlreicher Werke, sondern auch als führende Persönlichkeiten der Kultur und Wirtschaft Georgiens der damaligen Zeit. Sie reformierten Ende des 19. und Anfang des 20. Jahrhunderts unter anderem auch die alte georgische Sprache und nahmen an der Lehre der Fremdsprachen in georgischen Schulen aktiv teil.

3 Erhältlich ist auch die vierte Fassung des Lehrbuches aus dem Jahr 1924, also bereits aus sowjetischer Zeit, in dem allerdings sowohl die Themen (*Schule, Mensch und Familie, Haus und Wohnung, Garten, Hof und Haustiere, wilde Tiere, Zeit* und *Stadt*) als auch die anderen Lehrbuchelemente (wie *Grammatikpensum, Wortschatz, Übungen und Aufgaben*) die gleichen sind.

Deutsche oder umgekehrt anfertigen sollten. Das grammatische Regelwissen und das Lesen der von den Autoren für das Grammatikpensum erstellten Texte standen im Mittelpunkt der Lehrbücher. Einerseits sollten die Schülerinnen und Schüler die Texte auswendig lernen und die grammatischen Regeln nach der induktiven Methode richtig formulieren (Grammatik-Übersetzungsmethode), und andererseits sollten die neuen Wörter bzw. Texte mit Hilfe von Intuition und Nachahmung vermittelt werden (Direkte Methode), was für den Lernprozess zu der damals herrschenden kombinierten Methode (Grammatik-Übersetzungsmethode und natürliche Methode) führte (vgl. Shaverdashvili 2000, 88).

Die frühsowjetische Phase dauerte von der Oktoberrevolution im Jahr 1917 bis zur 1. sowjetischen Reform, die als 30er Reform bekannt ist, und die die ersten grundlegenden Ziele und Richtlinien für die sowjetische Schule erstellte.

2   Die 30er Reform

Nach der am 25. August 1932 veröffentlichten Verordnung, die als Beschluss des Zentralkomitees der Kommunistischen Partei der Sowjetunion über Veränderungen im Schulsystem bekannt gegeben wurde, war die sowjetische Schule aufgerufen, „eine Fremdsprache als Pflichtfach, auf gleichem Niveau wie andere Fächer, in jeder allgemeinbildenden Mittelschule der Sowjetunion einzusetzen" (Shatirishvili 1971, 4).

Die Fremdsprachendidaktik etablierte sich als eine Wissenschaft, und in der sowjetischen Schule entstanden viele wissenschaftliche Forschungsarbeiten zu diesem Bereich. Die Hauptvertreterin der neuen Theorien der Sprachlehre der 30er Jahre, Irina Grusinskaja, deren Lernforschung stark durch die behavioristische Theorie beeinflusst war, analysierte und kritisierte 1938 die Theorien von Harold E. Palmer (vgl. Palmer 1921), der zu viel Gewicht auf bloßes Imitieren und imitatives Reagieren legte, und unterstrich die Grundlagen des Behaviorismus und die Bedeutung von Sprache als Verhalten. Nach ihrer Theorie war in erster Linie das „analytische Lesen" ein wichtiges Element beim Spracherwerb, weil „beim analytischen Lesen alle Komponenten, wie Phonetik, Grammatik, lexikalische Analyse, mündliche und schriftliche Übungen zusammenkommen" (vgl. Grusinskaja 1938, 67). Grusinskaja legte außerdem großen Wert auf methodische Hinweise für Lehrerinnen und Lehrer und betonte, dass sie diese als Hilfe für ihre Arbeit brauchten (vgl. Grusinskaja 1938, 67, 72, 132).

Im Gegensatz zu Grusinskaja widmeten Henrietta Goldstein und Ruvinov Rosenberg der Grammatikvermittlung große Aufmerksamkeit und versuchten „passive" und „aktive" Grammatik einander gegenüberzustellen. In der Anfangsstufe konnte nach ihrer Theorie die Sprache „praktisch", also induktiv vermittelt werden (Grammatik wurde aktiv benutzt/produktive Grammatik), in den weiteren Stufen aber sollte sowohl die induktive als auch die deduktive, also „passive" Grammatik angeboten werden. Grammatik wurde meist nur verstanden, aber nicht produziert und rezeptive Grammatikkenntnisse standen im Vordergrund, „besonders beim Textverstehen" (Goldstein/Rosenberg 1938, 149f.).

Diese wissenschaftlichen Arbeiten beeinflussten die Lehrmaterialien der Zeit und führten sie zu unterschiedlichen Konzepten. Die Ziele des Fremdsprachenunterrichts waren einerseits das Lesen mit Hilfe von Nachahmung und Imitation (vgl. Grusinskajas Theorie), andererseits galten Grammatik und der Vergleich mit der Muttersprache sowie Übersetzungen als wichtige Hilfe des „bewussten" Spracherwerbs (vgl. Goldstein und Rosenberg und ihre bewusst-vergleichende Methode[4]).

Die sowjetischen Lehrbücher der 30er Jahre waren, davon ausgehend, teilweise nach der Grammatik-Übersetzungsmethode und der natürlichen Methode (z.B. Lesen mit Hilfe von Nachahmung und Imitation; phonetische Übungen und Reime versus Übersetzungen und Grammatikregel in der Muttersprache; Induktion vs. Deduktion etc.) und teilweise nach der bewusst-vergleichenden Methode (z.B. Verwendung von Grammatik und Muttersprache als wichtige Hilfen des „bewussten" Spracherwerbs) konzipiert. Im Vergleich zu den alten Lehrmaterialien waren sie jedoch angereichert durch moderne didaktische Elemente wie phonetische Übungen, Visualisierungen mit Bildern und Tabellen u.a. (vgl. Shaverdashvili 2000, 93f., 114).

Im „Lehrbuch der deutschen Sprache" von Irina Tskvedadze (1936) und in „Deutsch" von Lija Kaminskaja und Elena Chaplina (übersetzt von Bekman 1940) wurden beispielsweise Grammatikregeln in georgischer Sprache (Grammatik-Übersetzungsmethode) sowie in Signalsätzen (natürliche Methode) dargestellt; Ergänzungs- und Umformungsübungen (Grammatik-Übersetzungsmethode) wurden angeboten; die Muttersprache wurde als Hilfe zur Erarbeitung von neuem Stoff verwendet; Phonetik wurde als ein wichtiger Teil des Fremdsprachenerwerbs behandelt (natürliche Methode) und viele Übungen zum Übersetzen wurden eingesetzt (Grammatik-Übersetzungsmethode).

Zu der 30er Reform kann gesagt werden, dass die wissenschaftlichen Arbeiten für die weitere Entwicklung der Sprachendidaktik eine große Rolle gespielt haben, indem sie den Fremdsprachenunterricht in der Sowjetunion bzw. in Georgien positiv veränderten und die sowjetische Schule auf die grundlegenden Reformen, u.a. auch in der Fremdsprachendidaktik, vorbereiteten.

3   Die 60er Reform

Anfang der 1960er Jahre begann eine neue und wichtige Etappe in der Geschichte des sowjetischen Fremdsprachenunterrichts, die fast bis zum Zerfall der Sowjetunion andauerte. 1961 verabschiedete der Ministerrat der UdSSR eine Verordnung über die Verbesserung des Fremdsprachenunterrichts, in der unter anderem stand, dass „jeder Mittelschulabsolvent eine Fremdsprache als Kommunikationsmittel für praktische Zwecke beherrschen sollte, und dass die neuen Ziele und Inhalte des Fremdsprachenunterrichts auf Altes verzichten mussten" (vgl. Fremdsprachen in der Schule 1961, 3).

---

4   Auf Russisch: Сознательно-сопоставительный метод.

Nach Sergey Schatilov, der einer der führenden Didaktiker in der Sowjetunion war, musste auf die alten Methoden verzichtet und das praktische Beherrschen der Fremdsprachen in den Vordergrund gestellt werden, weil „die Sprache als ein wesentlicher Teil der aktiven Gesellschaft zu betrachten ist" (Schatilow 1986, 204). Die Verordnung über die Verbesserung des Fremdsprachenunterrichts basierte theoretisch auf den Forschungen der zeitgenössischen Psychologie, die sich auf den Deutschunterricht tiefgreifend auswirkten und das Sprechen und die Sprache nicht mehr im Rahmen einer einzigen Wissenschaft sahen.

Die Handlungs- und Tätigkeitstheorien der Psychologen Pjotr Galperin, Lew Wygotski und Aleksej Leontjew, die auf den Fremdsprachenunterricht der 60er Jahre einen großen Einfluss hatten, entstanden im Gegensatz zu der Sprechakttheorie (Sprechen und Kommunikation als Handeln) von John Langshaw Austin (1972) und John Searle (1971). Die Tätigkeitstheorie basierte zwar auch auf Sprache als Handeln, ging jedoch nicht von einem ‚blinden' und imitativen Handeln aus, sondern von einem bewussten. Die Handlungs- und Tätigkeitstheorien wurden mit der Theorie von Alexej Leontjew (1971, 1974) über bewusstes und kognitives Erlernen von Sprache als Tätigkeit und der Theorie von Irina Simnaja (1978) über den persönlichkeits- und tätigkeitsorientierten Fremdsprachenerwerb weiterentwickelt, nach denen die Rolle des Fremdsprachenerwerbs darin gesehen wurde, die Schülerinnen und Schüler zu befähigen und kognitiv dahin zu führen, in fremden Situationen zu kommunizieren (vgl. Simnaja 1985, 32).

Die Ziele des Fremdsprachenerwerbs waren dementsprechend die praktische Beherrschung der Fremdsprachen und die „komplexe Realisierung der praktischen, erzieherischen und entwickelnden Ziele der Schule" (Lehrprogramm 1967–1968, 6f.). Die zentral erarbeiteten Lehrprogramme und Lehrbücher für alle Fächer wurden auf der Grundlage der theoretischen Forschungsergebnisse grundsätzlich in Russland konzipiert und an die weiteren Republiken geschickt, die sie meistens nur ‚kosmetisch' oder auch gar nicht überarbeiten durften und sie dann im Lernprozess einsetzen konnten. Was die anderen Forschungen der weiteren Sowjetrepubliken anging, wurden sie meistens in nur kleinen Kreisen als Experimente ohne weitere Umsetzung in die allgemeine Praxis durchgeführt.

Zu den größten georgischen Psychologen der damaligen Zeit gehörte der Begründer der Einstellungspsychologie in der Sowjetunion Dimitri Uznadze.[5] Er erforschte unter anderem den Menschen und seine Handlungen. Nach Uznadze entsprechen die Handlungen eines Individuums seiner Stimmung in allen Situationen, und das Benehmen des Individuums kommt nie aus einem „leeren Punkt"; ein Benehmen ist im Voraus an konkreten Handlungen orientiert und auf diese abgestimmt. Für den Unterrichtsprozess und die Schülermotivation auch beim Fremdsprachenerwerb war die Einstellungstheorie von Uznadze wertvoll und leistete nicht nur in der Psychologie, sondern auch in der Pädagogik einen großen Beitrag. Während das Lehren und Lernen von Fremdsprachen nach Theorien von Alexej Nikolajewitsch Leontjew, Aleksej Leontjew und Pjotr Galpe-

---

5   Dimitri Uznadze (1886–1959) war ein georgischer Psychologe, dessen Werdegang mit seiner Ausbildung im Wundt-Laboratorium begann und der seinen Doktortitel in Deutschland erhielt.

rin kognitiv ablief, passierte es in der Theorie von Uznadze imitativ, was den Fremd-sprachendidaktikern neue Impulse gab. Uznadze plädierte z.B. für den Abbau von Barrieren sowie für die Schaffung einer Atmosphäre von Liebe, Achtung und Vertrauen zwischen Erziehern und Lernenden und ersetzte in seiner Theorie das traditionelle Notensystem durch individuelle Beurteilungen, was im Unterricht ein positives Arbeitsklima ermöglichte (vgl. Rühl 1983, 208f.).

Die Arbeiten von Galperin, Wygotski, Leontjew, Simnaja, Uznadze und vielen anderen Wissenschaftlern der Zeit hatten einen positiven Einfluss auf die Lehrprogramme der 1960er Jahre. Die relativ gut formulierten Ziele und Inhalte in diesen Lehrprogrammen waren jedoch nicht so leicht in die Praxis umzusetzen. Trotz der erfolgreichen wissenschaftlichen Arbeiten wurden nämlich die Lehrbücher eher nach der Grammatik-Übersetzungsmethode und der bewusst-vergleichenden Methode und nicht nach der theoretisch begründeten bewusst-praktischen Methode[6] konzipiert. Einfache Texte voll von kommunistischer Ideologie und fiktive Dialoge, die von den Autoren zur gehäuften Darstellung der grammatischen Inhalte produziert wurden, führten die Kinder zu monotonen Lernprozessen und zur Vernachlässigung der natürlichen Alltagssprache und der Sprachfertigkeit.

Im Lehrbuch „Deutsch" für die 9. Klasse (Bachtadze u.a., 1970) geht es beispielsweise nicht um praktische Ziele, sondern eher um die Grammatik und „hohe Kultur", wie bei den davor veröffentlichten Lehrwerken. Das Buch enthält etwa Texte über

–   berühmte Persönlichkeiten der sozialistischen Welt (Karl Marx, Lenin u.a.);
–   klassische Literatur (Schiller, Goethe u.a.);
–   Fakten aus der „hohen" Kultur und gesellschaftliche Zusammenhänge (Frieden und Krieg u.a.);
–   alltägliche Lebensszenen, aber ohne authentische Inhalte (im Warenhaus u.a.).

Die praktische Beherrschung der fremden Sprache, wie sie in den theoretischen Konzepten und in den Lehrprogrammen gefordert wurde, findet im Buch kaum Beachtung. Das Buch orientiert sich in erster Linie an Grammatik und Übersetzungen.

Das in den Lehrprogrammen der 60er Jahre geforderte übergeordnete Ziel der praktischen Beherrschung der Fremdsprache konnte also in die Praxis nicht umgesetzt und die schön formulierten Ziele konnten wegen vieler Störfaktoren nicht verwirklicht werden. Ein Störfaktor war etwa die geringe Unterstützung seitens der kommunistischen Regierung für die Durchsetzung vieler Forschungen und Experimente zum Fremdsprachenerwerb. Die Regierung konnte ihre zentralisierte Politik offenbar durch den lehrerzentrierten Unterricht in der Schule viel besser durchsetzen. Auch die Unsicherheit der Lehrerinnen und Lehrer im Hinblick auf die neuen Methoden haben den Prozess verlangsamt. Viele der Methoden verwirrten unqualifizierte Lehrkräfte und sie wählten deshalb lieber den altbekannten und ‚leichten' Weg und unterrichteten nach der Grammatik-Übersetzungsmethode.

---

6   Auf Russisch: *сознательно-практический метод.*

4 Die 80er Reform

Die in Moskau zentral ausgearbeiteten und genehmigten Lehrprogramme und Richtlinien sowie die Lehrmaterialien der 1960er Jahre entsprachen den gesellschaftspolitischen Verhältnissen der „Perestroika" der 1980er Jahre nicht mehr, und die letzte Reform des sowjetischen Bildungssystems setzte daher neue Ziele für alle Fächer, also auch für den Fremdsprachenunterricht. Es ergab sich die Notwendigkeit einer stärkeren Berücksichtigung pragmatischer Ziele beim Erlernen von Fremdsprachen und laut der neuen Verordnung der sowjetischen Regierung sollten Fremdsprachen erlernt werden, um sich mit anderen Menschen verständigen und unterhalten zu können (vgl. Lehrprogramm 1987, 2f.).

Die Theorien der 60er und 70er Jahre wurden in den 80er Jahren weiterentwickelt und die „praktische Beherrschung der fremden Sprache als Kommunikationsmittel" stand weiterhin als übergeordnetes Ziel des Deutschunterrichts im Mittelpunkt (Lehrprogramm 1987, 3). Die fremdsprachliche Kommunikation spielte eine entscheidende Rolle bei den Zielbestimmungen, die in sprachlichen, inhaltlichen und sozial-affektiven Aspekten vorgegeben wurden (vgl. Lehrprogramm 1987, 6f.).

Die Lehrmaterialkonzepte der 80er Jahre blieben aber weiterhin die gleichen, und die neu erstellten Lehrbücher sahen genauso aus wie ihre Vorgänger. Grammatik verlor ihre führende Rolle auch in den 80er Jahren nicht und war weiterhin ausschlaggebend für die Lernstoffprogression. Die am Kommunismus orientierten Texte, Themen und Situationen in den Lehrbüchern waren weiterhin der Grammatik untergeordnet. Die Unterrichtsorganisation war fast die gleiche wie vor den 80er Jahren. Lehrerdominanz im Unterricht und eine Erziehung der jungen Generation im Sinne der kommunistischen Ideologie standen immer noch im Vordergrund.

Die 80er Reform dauerte nur ein paar Jahre, weil die Sowjetunion bald zusammenbrach und alle Sowjetrepubliken unterschiedliche Wege gingen. Die neu formulierten Ziele und Inhalte der 80er Reform konnten also wiederum wegen vieler Störfaktoren nicht in die Realität umgesetzt werden. Zu diesen Störfaktoren gehörten in erster Linie

–   häufiger Einsatz von Übungen zu Lese- und Schreibfertigkeiten und sehr wenig Hörverstehen für die Erreichung des übergeordneten Zieles der „praktischen Beherrschung der Sprache";

–   nur theoretisch existierende Elemente wie z.B. die technischen Medien, die unter anderem wegen der knappen Finanzierung und in manchen Fällen auch wegen unqualifizierten Lehrern nur für kleine Kreise zur Verfügung standen;

–   die angebotenen Texte über „sozialistische und kommunistische Helden", die die Schülerinnen und Schüler nicht interessierten und nicht motivierten (vgl. Shaverdashvili 2000, 137f.).

Ein wichtiger Störfaktor war außerdem die Vielfältigkeit der multinationalen Sowjetunion. Die in einzelnen Sowjetrepubliken durchgeführten Forschungen oder Experimente konnten nicht einfach auf den Unterricht anderer, weit entfernter und kulturunterschiedlicher Sowjetrepubliken übertragen werden.

Die demokratischen Ansätze im Unterrichtsprozess fanden erst Ende der 1990er Jahre Beachtung, als die Sowjetunion zusammenbrach und die einzelnen Republiken eigene Wege im Bildungssystem gegangen sind.

Literatur

Alkhasishvili, Archil (2009). *Fremdsprachenvermittlung – Theorie und Praxis*. Tbilissi: Universali (auf Georgisch). [ალხაზიშვილი, არჩილ (2009). *უცხოური ენების სწავლება – თეორია და პრაქტიკა*. თბილისი: უნივერსალი].

Austin, John L. (1972). *Zur Theorie der Sprechakte (How to do things with Words)*. Deutsche Bearbeitung von Eike von Savigny. Stuttgart: Reclam.

Bachtadze, Wilhelmina; Iashvili, Pavle; Siradze, Elena (1970). *Deutsch für die 8. Klasse*. Tbilissi: Ganatleba.

Bozvadze, Luarsab (1894). Pädagogische Empfehlungen. In: *Mtskemsi*. Heft 8, 12–14. Kvirila: Gambashidze (auf Georgisch). [ბოცვაძე, ლუარსაბ (1894). პედაგოგიური რჩევები ჟურნალში: *მწყემსი*. N 8, 12–14. ყვირილა: ღამბაშიძე].

Chavchavadze, Ilia (1951; 1953; 1957; 1961). *Sammlung. Band I und X*. Tbilissi: Iveria (auf Georgisch). [ჭავჭავაძე, ილია (1951–1961) *თხზულებანი. ტ.I, ტ.X, პავლე* ინგოროყვას რედაქციით. თბილისი: ივერია].

Galperin, Pjotr Jakowlewitsch (1974). Die geistige Handlung als Grundlage für die Bildung von Gedanken und Vorstellungen. In: Galperin, Pjotr Jakowlewitsch; Leontjew, Alexei Nikolajewitsch (Hrsg.). *Probleme der Lerntheorie*. Berlin: Volk und Wissen Verlag, 33–49.

Gamsakhurdia, Konstantine; Kaukchishvili, Simon (1934). *Lehrbuch der deutschen Sprache für die 8. Klasse*. Tbilissi: Ganatleba.

Glowka, Detlef (1990). Die Reform des Bildungswesens in der Sowjetunion als Lehrstück für die pädagogische Fachwelt. In: *Zeitschrift für Pädagogik* 34, 481–500.

Gogebashvili, Iakob (1952; 1954; 1961). *Zehnbändige Ausgabe*. Redaktion: Giorgi Tavzishvili und Davit Lortkipanidze. Band 1, 2, 3, 4. Tbilissi: Iveria (auf Georgisch). [გოგებაშვილი, იაკობ (1952; 1954; 1961). *თხზულებათა ათტომეული* გიორგი თავზიშვილის და დავით ლორთქიფანიძის რედაქციით. ტომი 1, 2, 3, 4. თბილისი: ივერია].

Goldstein, Henrietta; Rosenberg, Ruvinov (1938). *Methodik des neusprachlichen Unterrichts*. Moskau: Staatsverlag für Lehrbücher und Pädagogik.

Grusinskaja, Irina Alekseevna (1938). *Methoden für englische Sprache in der Mittelschule*. Moskau: Uchpedgiz (auf Russisch). [Грузинская Ирина Алексеевна (1938). *Методика Преподавания английского языка в средней школе*. Москва: Учпедгиз].

Gwarjaladse, Issidore (1957). *Grundlagen der Lehrmethoden des Englischen als Fremdsprache*. Tbilissi: Institutsverlag (auf Georgisch). [გვარჯალაძე, ისიდორე (1957). *ინგლისური ენის სწავლების მეთოდიკის საფუძვლები*. თბილისი: ინსტიტუტის გამომცემლობა].

Kaminskaja, Lija Markowna; Chaplina, Elena Konstantinowna (1940). *Deutsch für die 5. Klasse.* 4. Ausgabe. Moskau: Uchpedgiz.

Kawkasidse Tina; Metreweli Luisa; Ugrechelidse Ziala (1998). *Deutsch für die IX Klasse.* Tbilissi: Ganatleba.

Kraveishvili, Medea (2002). *Methodik für Fremdsprachen.* Tbilissi: Sprache und Kultur (auf Georgisch). [კრავეიშვილი, მედეა (2002). *უცხოური ენების სწავლების მეთოდიკა.* თბილისი: ენა და კულტურა].

Lehrprogramm für Deutsch für Einheitliche Arbeiterschulen (1927). In: *Neue Schule.* Heft 8, 108–109 (auf Georgisch). [გერმანული ენის პროგრამა ერთიანი მუშათა სკო-ლებისათვის (1927). *ჟურნალში ახალი სკოლა,* N 8, 108–109. თბილისი: ჰერმესი].

Lehrprogramm für die Fremdsprache Deutsch für georgische Mittelschulen für das 1. Lernjahr 1936–1937 (1936). In: *Kommunisti,* 27/VIII, 5–6. [გერმანულის როგორც უცხოური ენის პროგრამა ქართული საშუალო სკოლებისათვის სწავლების პირველ წელს 1936–1937 (1936). გაზეთში: *კომუნისტი,* 27/VIII, 5–6. თბილისი: საქართველოს კომუნისტური პარტიის ცენტრალური კომიტეტის გამომცემლობა].

Lehrprogramm für die Fremdsprache Deutsch. Lehrprogramme für acht- und zehnjährige Mittelschulen im Lehrjahr 1967–1968 (1967). Tbilissi: Verlag für ZK der KP Georgiens (auf Georgisch). [*გერმანულის როგორც უცხოური ენის პროგრამა. პროგრა-მები რვა და ათკლასიანი საშუალო სკოლებისათვის 1967–1968 სასწავლო წლისათვის.* (1967). თბილისი: საქართველოს კომუნისტური პარტიის ცენ-ტრალური კომიტეტის გამომცემლობა].

Lehrprogramm für die Fremdsprache Deutsch. Lehrprogramme für Mittelschulen (1939). Tbilissi: Verlag für ZK der KP Georgiens (auf Georgisch). [*გერმანულის როგორც უცხოური ენის პროგრამა. პროგრამები საშუალო სკოლებისათვის* (1939). თბილისი: საქართველოს კომუნისტური პარტიის ცენტრალური კომიტე-ტის გამომცემლობა].

Lehrprogramm für die Fremdsprache Deutsch. Lehrprogramme für Mittelschulen (1949). Tbilissi: Verlag für ZK der KP Georgiens (auf Georgisch). [*გერმანულის როგორც უცხოური ენის პროგრამა. პროგრამები საშუალო სკოლებისათვის* (1949). თბილისი: საქართველოს კომუნისტური პარტიის ცენტრალური კომიტეტის გამომცემლობა].

Lehrprogramm für die Fremdsprache Deutsch. Lehrprogramme für Mittelschulen (1987). Tbilissi: Verlag für ZK der KP Georgiens (auf Georgisch). [*გერმანულის როგორც უცხოური ენის პროგრამა. პროგრამები საშუალო სკოლებისათვის* (1987). თბილისი: საქართველოს კომუნისტური პარტიის ცენტრალური კომიტეტის გამომცემლობა].

Leontjew, Alexej (1971). *Sprache – Sprechen – Sprechtätigkeit.* Stuttgart: Kohlhammer.

Leontjew, Alexej (1974). *Psycholinguistik und Sprachunterricht.* Stuttgart: Kohlhammer.

Leontjew, Alexej Nikolajewitsch (1982). *Tätigkeit, Bewusstsein, Persönlichkeit.* Köln: Pahl-Rugenstein.

Ministerrat der UdSSR (1961). Über die Verbesserung des Fremdsprachenunterrichts. In: *Fremdsprachen in der Schule* 4, 3–14.

Krupskaja, Nadeshda, Konstantinowna (1923). Fremdsprachenunterricht. In: *Auf dem Weg zu einer neuen Schule.* Moskau: Verlag der Akademie für Pädagogische Wissenschaften, 7–12 (auf Russisch). [Крупская, Надежда Константиновна (1923). Преподавание иностранных языков. In: *На путях к новой школе.* Москва: Издательство Академии педагогических наук, Н. 7-12].

Nowikow, Ivan Kuzmitsch (1953). *Die Organisation der Unterrichts- und Erziehungsarbeit in der Schule.* Berlin: Volk und Wissen Verlag.

Palmer, Harold E. (1921). *The Principles of Language-study.* London: Harrap.

Programm für Einheitliche Arbeiterschulen (1923). Verlag für ZK der KP Georgiens (auf Georgisch). [პროგრამა ერთიანი მუშათა სკოლებისათვის (1923). თბილისი: საქართველოს კომპარტიის ცეკას გამომცემლობა].

Rühl, Paul Gerhard (1983). *Tätigkeit – Einstellung – Fremdsprachenunterricht. Zum Verhältnis von Psychologie, Psycholinguistik und gesteuertem Fremdsprachenerwerb in der Sowjetunion.* Tübingen: Gunter Narr Verlag.

Schatilow, Sergey Fjodorowitsch (1986). *Methoden für Deutsch in der Mittelschule.* Moskau: Prosveschchenie (auf Russisch). [Шатилов, Сергей Федорович (1986). *методика обучения немецкому языку в средней школе.* Москва: Просвещение].

Schtscherba, Lew Wladimirowitsch (1957). *Ausgewählte Werke für Russisch.* Moskau: Uchpedgiz (auf Russisch). [Щерба, Лев Владимирович (1957). *Избранные работы по русскому языку.* Mockva: Учпедги].

Searle, John (1971). *Sprechakte: Ein sprachphilosophischer Essay.* Übersetzt von R. und R. Wiggershaus. Frankfurt a. M.: Suhrkamp.

Sergijewski, Maxim Vladimirovich (1961). *Ausgewählte Artikel.* Moskau: Verlag MGU (auf Russisch). [Сергиевский, Максим Владимирович (1961). *Сборник статей по языкознанию.* Москва: Изд-во МГУ.]

Shatirishvili, Schota (1971). Fremdsprachen in Sowjetgeorgien. In: *Schulischer Fremdsprachenunterricht*, Heft 1, 9–14. Tbilissi: Ganatleba (auf Georgisch). [შათირიშვილი, შოთა (1971). უცხო ენები საბჭოთა საქართველოში. ჟურნალში *უცხო ენები სკოლაში,* N1, 9–14. თბილისი: განათლება].

Shaverdashvili, Ekaterine (2000). *Zur Grundlegung eines Curriculums für den Deutschunterricht in Georgien. Rahmenbedingungen, historische Entwicklung und gegenwärtige Tendenzen.* Münster: Lit Verlag.

Simnaja, Irina Alekceevna (1985). *Psychologische Aspekte für Hörverstehenvermittlung für Fremdsprachen.* Moskau: Prosweschchenie (auf Russisch). [Зимняя Ирина Алексеевна (1985). *Психологические аспекты обучения говорению на иностранном языке.* Москва: Просвещение].

Spendiarow, Ewgenii Ivanovich (1927). *Grundlagen zur natürlichen Methode für Fremdsprachen*. Tiflis: KKA (auf Russisch). [Евгений Иванович (1927). *Основы натурального метода преподавания иностранных языков*. Тифлис: ККА].

Svanidze, Giorgi; Shavardnadze, Micheil (1919). Lehrbuch für Deutsch. Erstes Lernjahr. Kutaissi: Merani (auf Georgisch). [სვანიძე გიორგი; შავარდნაძე, მიხეილი (1919). *გერმანული ენის სახელმძღვანელო. წელიწადი პირველი*. ქუთაისი: მერანი].

Tsereteli, Akaki (1958). *Sammlung. Band 7 und 12*. Tbilissi: Iveria (auf Georgisch). [წერეთელი, აკაკი (1958). *კრებული. ტომი 7, ტომი 12*. თბილისი: ივერია].

Tskhvedadze, Irina (1936): *Lehrbuch der deutschen Sprache*. Teil 1. Tiflis: Sakhelgami.

Uznadze Dimitri (1964). *Gesamte Werke. Allgemeine Psychologie,* Band 3–4, Tbilissi: Verlag für die Wissenschaftsakademie Georgien (auf Georgisch). [უზნაძე, დიმიტრი. (1964). *შრომები. ზოგადი ფსიქოლოგია, ტომი III–IV,* თბილისი: საქართველოს სსრ მეცნიერებათა აკადემიის გამომცემლობა].

Wissenschaftlich-pädagogische Zeitschrift des Bildungsministeriums Georgien: *Fremdsprachen in der Schule* (1961), Heft 3. Tbilissi (auf Georgisch). [საქართველოს სსრ განათლების სამინისტროს სამეცნიერო-პედაგოგიური ჟურნალი *უცხოური ენები სკოლაში,* 1961, N 3. თბილისი].

Tim Giesler

Eton oder Sorbonne – Hauptsache England
Norddeutsche Englischlehrerbiographien im 19. Jahrhundert

1   Einleitung

Im Laufe des 19. Jahrhunderts fand das Schulfach Englisch langsam seinen Weg in die Stundentafeln der allgemeinbildenden Schulen. In Preußen wurde es 1832 fakultative, 1859 obligatorische 2. Fremdsprache an Realschulen, während es an den neuhumanistisch geprägten Gymnasien erst im Lauf des 20. Jahrhunderts seine heutige Bedeutung als erste Regelfremdsprache erlangte (vgl. Ostermeier 2012, 68f.). Dieser Entwicklung entsprechend vollzog sich erst in der 2. Hälfte des 19. Jahrhunderts eine Professionalisierung oder „Philologisierung" (Hüllen 2005, 99) der Englischlehrer, die dann in den entstehenden neuphilologischen Studiengängen und Seminaren wissenschaftlich ausgebildet wurden. Ein Grund hierfür war, dass sich die neuen Sprachen im Renommee gegen die alten Sprachen behaupten mussten, um für höhere Bildung in Frage zu kommen; ihr vergleichbarer „Bildungswert" musste also herausgestellt werden.

So gerieten die neuen Sprachen in ein Spannungsverhältnis zwischen ihrem formalen Bildungswert einerseits, der insbesondere über die Vermittlung von Grammatikkenntnissen bestimmt wurde, und andererseits ihrem tatsächlichen Mehrwert durch ihre Funktion als „lebende" Fremdsprachen, also ihrem Nutzwert als Kommunikationsmittel – etwa für den aufstrebenden Handel. McArthur (1998, 83) illustriert beide Ansprüche mit den Begriffen *„monastery"* bzw. *„marketplace tradition"*. Vor diesem Hintergrund ist es wenig verwunderlich, dass ab den 1880ern die Neusprachliche Reformbewegung jenes Spannungsverhältnis anhand von Viëtors (1882 [1979]) Forderung, der Sprachunterricht müsse „umkehren", aufzulösen versuchte und deren Vertreter die Sprechfertigkeit ins Zentrum des Fremdsprachenunterrichts stellen wollten (vgl. Howatt & Widdowson 2004, 187ff.). Den Reformern, die sich (stillschweigend) etwa an den Methoden der Mädchenschulen bedienten (vgl. Doff 2002, 401), gelang ein nachhaltig wirksames Selbstmarketing: Bis heute werden sie als Innovatoren gefeiert und nur selten wird hinterfragt, auf welche Vorläufer kommunikativer Englischunterricht zurückgehen könnte, noch, wie wirksam die Reformbewegung tatsächlich war (vgl. Schleich 2015, 112). Flächendeckend konnte sie sich sicher nicht durchsetzen (vgl. Rülcker 1969).

Fremdsprachenunterricht, bei dem Sprechfertigkeiten im Vordergrund standen, fand schon lange vor 1880 statt: So gaben Sprachmeister, unter ihnen englische Muttersprachler als „nationale Lehrkräfte" (siehe unten 3.1), ihre Sprachkenntnisse weiter. Im

Gegensatz zu den an höheren Schulen lehrenden (Alt-)Philologen verfügten die Sprachmeister über keine vergleichbare wissenschaftliche Qualifikation, beherrschten dafür aber die Zielsprache praktisch und konnten so eine direkte Methode verwenden, bei der Englisch Unterrichtssprache war.

Weitere Vorläufer des „kommunikativen" Englischunterrichts finden sich in den norddeutschen Seehandelsstädten, vor allem in Bremen. Obwohl es sich hierbei um ein regional begrenztes und stark an den besonderen Bedürfnissen einer Seehandelsstadt orientiertes Phänomen handelt, lassen sich überregionale Bezüge und Anknüpfungspunkte zeigen. In gewisser Weise war der Englischunterricht in Bremen wohl ein *missing link* zwischen Methoden des Fremdsprachenunterrichts, die schon lange vor der Dominanz des Neuhumanismus und seiner Grammatik-Übersetzungsmethoden ihren Einsatz in Mittel- und Realschulen sowie in ihren philanthropistischen Vorläufern hatten, zudem findet sich hier ein Methodenrepertoire, welches in vielerlei Hinsicht die neusprachliche Reformbewegung vorwegnahm:

- In Bremen wurde an der Bürgerschule ab 1855 erstmals an einer deutschen Schule Englisch als erste Fremdsprache (und gleichzeitig als stundenstärkstes Fach) unterrichtet.
- Die Stellung der englischen Sprache für den Überseehandel war dort so dominant, dass weder formale Bildungsansprüche noch die Hofsprache Französisch die Stellung des Englischen in Frage stellen konnten.
- Der bremische Englischunterricht hatte eine deutlich „kommunikativere" Ausrichtung als der Englischunterricht an vergleichbaren Mittelschulen in anderen deutschen Staaten und ist gleichzeitig sehr gut dokumentiert.
- Die vergleichsweise wohlhabenden Seehandelsstädte Norddeutschlands waren in der Lage, geeignete Lehrer im In- und Ausland anzuwerben. Auch deshalb zeigten sie anfangs wohl kein Interesse, eigene Ausbildungsstätten einzurichten. (vgl. zur Bremer Bürgerschule allgemein Giesler 2013)

So lässt sich an der Bremer Bürgerschule eine „mittlere" Generation von Englischlehrern nachweisen (siehe unten 3.2), die in den knapp zwei Jahrzehnten zwischen 1855 und der Eingliederung Bremens in den preußisch dominierten Norddeutschen Bund dort unterrichteten. Diese Lehrenden brachten auf der Basis teils schillernder Biographien schon Erfahrungen aus drei Bereichen mit, welche bis heute Teil der Ausbildung von Fremdsprachenlehrkräften sind: akademische und seminaristische Ausbildung gepaart mit Auslandserfahrung. Ihre Berufsbiographien lassen sich vor allem aus Kurzbiographien rekonstruieren, die in den Veröffentlichungen der Bremer Bürger- bzw. Realschule[1] jeweils anlässlich von Einstellungen, Versetzungen, Pensionierungen oder als Nach-

---

1   Schon seit 1861 brachte der jeweilige Vorsteher der Bremer Bürgerschule ein monatliches Schulblatt mit dem Titel „Mittheilungen aus der Bürgerschule" (MadB) heraus, das anhand von kurzen Mitteilungen und längeren Abhandlungen die Eltern der Schüler über Schulleben und Unterrichtliches informierte. Die praktisch veranlagten Bremer finanzierten aus dem Erlös der „Mittheilungen" außerdem einen Teil der Witwen- und Waisenkasse der Schule (vgl. Reiche 1905, 72ff.).

ruf veröffentlicht wurden. Trotz ihrer teils überregionalen Bedeutung – z.B. als Lehrbuchautoren – sind die Lebensläufe dieser Lehrer heute in Vergessenheit geraten.

Ihre direkten Nachfolger gehörten dann zur ersten Generation der an den neu gegründeten neuphilologischen Instituten der Universitäten und an den preußischen Seminaren ausgebildeten Fremdsprachenlehrer. Diese „preußischen Profis" (siehe unten 3.3) waren dementsprechend stark durch ihre „philologisierte" Ausbildung geprägt und drückten so dem Englischunterricht in Bremen einen völlig anderen, in vielerlei Hinsicht „konservativeren" Stempel auf, indem sie z.B. formale Grammatikkenntnisse wieder mehr ins Zentrum des Unterrichts rückten. Es gab also offensichtlich einen engen Zusammenhang zwischen der jeweiligen Berufsbiographie der Lehrer und dem von ihnen vertretenen methodischen Konzept. Jenem Zusammenhang will dieser Beitrag nachgehen.

Bevor die einzelnen Generationen der Englischlehrer im dritten Abschnitt kurz skizziert und vorgestellt werden, soll im zweiten Abschnitt das bremische Schulwesen und die Stellung des Fremdsprachen- bzw. Englischunterrichts darin näher beleuchtet werden. Der Beitrag blickt dann zusammenfassend auf erste Vorschläge, wie die Geschichte des Fremdsprachenunterrichts mehr als eine von Kontinuität und Tradition und weniger als eine Abfolge von (jeweils geschickt vermarkteten) Reformen und Paradigmenwechseln gesehen werden kann.

2 Englischunterricht an norddeutschen Mittelschulen

Die Handelsstadt Bremen erlebte im 19. Jahrhundert ihre größte Blüte als „Welthandelsplatz" (Schwarzwälder 1994, Bd. II, 134), aus dessen Häfen Handelsschiffe in die ganze Welt fuhren und Kolonialwaren in den Deutschen Bund einschifften. Besonders eng war die Verbindung zu den jungen Vereinigten Staaten von Amerika, mit denen die Stadt eine nahezu symbiotische Verbindung einging: Über Bremens Häfen wanderten Migrantinnen und Migranten aus Mittel- und Osteuropa aus, während die dortigen Handelsgüter – vor allem Rohstoffe wie Baumwolle – nach Deutschland eingeführt wurden. Aus dieser engen Bindung erklärt sich die Wichtigkeit von Englischkenntnissen für bremische Kaufleute, Seefahrer und Hafenarbeiter.

Gleichzeitig konnte die Stadtrepublik ihre Freiheit gegenüber den europäischen Großmächten als „Freie Hansestadt" zwischen der Französischen Annexion Norddeutschlands unter Napoleon unter der Einigung (Nord-)Deutschlands unter preußischer Hegemonie in den 1860ern bewahren und war so in der Lage, das gesamte öffentliche Leben den Interessen des Handels unterzuordnen. So unterlag auch das bremische Schulwesen weniger den idealistischen Bildungsvorstellungen des preußischen Neuhumanismus als einer stärker utilitaristischen Prägung, die neben dem Fernhandel auch durch die religiöse Ausrichtung der mehrheitlich reformiert-calvinistischen bremischen Eliten befördert wurde.

Die Weiterentwicklung des Bremer Schulwesens folgte im 19. Jahrhundert jeweils einschneidenden politischen Ereignissen, welche ein geändertes Bildungsbedürfnis anregten und erzeugten. Der beginnende Überseehandel Bremens führten Ende des 18. Jahrhunderts zu einer wirtschaftlichen „Blüte" (Schwarzwälder 1994, Bd. I, 525), in deren Folge 1802 die „Handelsschule" gegründet wurde. An ihr wurde „[...] die breite Allgemeinbildung mit Sprachen, Literatur und Realien weiter gefördert, andererseits aber auch auf den Kaufmannsberuf vorbereitet" (Schwarzwälder 1994, Bd. II, 111). Während der oft abschätzig als „Franzosenzeit" bezeichneten Annexion Norddeutschlands vereinigte Bremen 1812 das lutherische Lyceum mit dem reformierten Pädagogium. Nach der Neugründung des Bremer Staates als Freie Hansestadt Bremen im Wiener Kongress wurden die genannten drei höheren Schulen Bremens 1817 zur staatlichen „Hauptschule" zusammengefasst. Diese bestand aus einer gemeinsamen Vorschule, nach der die Schüler – je nach Berufsziel und Neigung – auf die Gelehrtenschule oder die Handelsschule wechselten (ebd., 110f.). Obwohl Englisch an den beiden weiterführenden Abteilungen der Hauptschule gelehrt wurde, hatte es eine nur untergeordnete Stellung in den Stundentafeln. Die neuhumanistisch geprägte Gelehrtenschule umfasste Latein-, Französisch-, Griechisch-, Englisch- sowie fakultativ Hebräischunterricht; an der Handelsschule fanden sich Latein, Französisch, Englisch und Spanisch (ebd., 262f.).

Die (letztlich gescheiterte) Märzrevolution 1848/49 ging in Bremen mit einer starken Volksschullehrerbewegung einher, deren Protagonisten u.a. einen Ausbau des kostenlosen Schulwesens forderten. Die anschließende Restauration brachte dann – als Kompromiss – vor allem den Ausbau des Mittelschulwesens hervor. So kam der Senat den schulpolitischen Forderungen der Liberalen ein Stück weit entgegen, stärkte aber durch die Gründung einer Bürgerschule, die vor allem angehende Kaufleute ausbilden sollte, direkt die Interessen der politisch dominierenden Kaufmannschaft. Als Vorsteher der Schule berief der Senat Heinrich Gräfe, der als kurhessischer Liberaler in den Wirren der Revolution nach einer Festungshaft in die Schweiz geflüchtet war (ebd., 262). Gräfe konzipierte die Bürgerschule eng an den „lokalen Bedürfnissen" und machte daher Englisch nicht nur zur ersten Fremdsprache und zum stundenstärksten Fach, sondern legte ebenfalls fest, dass die Absolventen

> [...] mit angemessener Korrektheit und Geläufigkeit das Englische sprechen und schreiben lernen, so daß sie, um vollkommene praktische Fertigkeit darin zu erlangen, nach ihrem Abgange von der Anstalt nicht mehr eines eigentlichen Unterrichts darin, sondern nur noch fortgesetzter Übung bedürfen. (Lehrziele der Bürgerschule, zitiert nach: Reiche 1905: 55)

Um dieses (im synchronen Vergleich, vgl. Giesler 2013, 117) außerordentlich ambitionierte Lernziel zu erlangen, griff Gräfe bewusst auf Lehrer mit Auslandserfahrung zurück: „Mehr als die Hälfte der Mitglieder unseres Collegiums ist längere oder kürzere Zeit in England gewesen und es haben die Fachlehrer des Englischen daselbst an öffentlichen Schulen oder Privatanstalten gewirkt" (MadB 1/67, s.p.).

Die unter preußischer Hegemonie erzwungene Einigung Deutschlands schränkte dann die Bremer Eigenständigkeit schrittweise ein. Die Anpassung des bremischen Schulsystems an das preußische fand nach und nach statt – jedoch meist im vorauseilenden Gehorsam.[2] Abzulesen ist dieser Prozess u.a. an den Benennungen der bremischen Schulen: Die Bürgerschule wurde 1868 – direkt nach der Angliederung Bremens in den Norddeutschen Bund – in „Realschule in der Altstadt" umbenannt und passte ihren Lehrplan dem einer preußischen Realschule 2. Ordnung an. Anfangs wurde Englisch als erste Fremdsprache beibehalten, später stellten auch die Bremer auf Französisch um (vgl. Giesler 2014, 44). Diese Umstellung korrelierte mit dem Tod Gräfes im Jahre 1868, der sein Schulkonzept nicht mehr verteidigen konnte. Hinzu kam, dass die von ihm eingestellten Englischlehrer die Schule aus unterschiedlichen Gründen verließen und durch Lehrer ersetzt wurden, die ein reguläres preußisches Ausbildungssystem durchlaufen hatten und daher hier als „preußische Profis" (siehe 3.3) bezeichnet werden. Die Handelsschule wandelte sich 1875, also kurz nach der Reichsgründung, in eine Oberrealschule um, 1878 schließlich erhielt sie die Bezeichnung „Realschule 1. Ordnung".

Die unterschiedlichen Generationen der Fremdsprachenlehrkräfte im bremischen Mittelschulwesen sollen im nächsten Abschnitt entsprechend der skizzierten Entwicklung des Schulwesens näher betrachtet werden. Die jeweilige Rückwirkung auf die Unterrichtskonzeption findet dabei ebenfalls Beachtung.

Tab. 1: Bremer Mittelschulwesen im 19. Jahrhundert

Jahr	Politisches Ereignis	Auswirkung auf Schulwesen
1802		Handelsschule
1806–1813/14	Französische Annexion Norddeutschlands	
1814/15	Wiener Kongress	
1817		Hauptschule aus Gelehrtenschule und Handelsschule
1848/49	Märzrevolution	
1855		Bürgerschule
1867	Norddeutscher Bund	
1868		Bürgerschule wird Realschule (2. Ordnung) „in der Altstadt"
1871	Deutsches Reich	
1875		Handelsschule wird Oberrealschule
1878		Handelsschule wird Realschule 1. Ordnung

---

2   Es gab von preußischer Seite keinerlei Aufforderungen an die Staaten des Norddeutschen Bundes bzw. des Deutschen Reiches, ihr Schulwesen anzupassen. Der Bremer Senat dagegen beschloss am 16. Juni 1868, dass die Bremer Realschule „in dem Lehrplane und ihren Leistungen den preußischen Realschulen in so weit gleichzukommen sich bestrebt, als es bei Erhaltung ihrer in bremischen Verhältnissen und Bildungsbedürfnissen begründeten Eigenthümlichkieten möglich sein wird" (MadB 7/68: s.p.).

3   Die Englischlehrer

Die bereits angesprochenen drei Generationen von Englischlehrern sollen im Folgenden
näher vorgestellt werden. Aufgrund der wenigen Quellen für die Zeit vor 1848 liegt der
Schwerpunkt hierbei auf den Englischlehrern nach 1855, die in den Veröffentlichungen
der Schulen – den „Mittheilungen aus der Bürgerschule" und später den Schulpro-
grammschriften – rekonstruierbar sind. Dennoch werden einleitend diese „nationalen"
Lehrkräfte kurz vorgestellt, die zum Teil auch überregional Spuren hinterließen. Ähnliche Sprachmeister hatte es schon lange – insbesondere für den Privatunterricht – gegeben, teils wurden diese aber auch andernorts als Schullehrer eingesetzt (vgl. Hüllen
2005: 64).

3.1   Die Sprachmeister (bis ca. 1850)

Vermutlich wurde der Fremdsprachenunterricht an der Bremer „Hauptschule" – analog
zu den anderen neuhumanistischen Gelehrtenschulen – in der Regel von Altphilologen
übernommen, die über keine Sprechfertigkeiten in den neueren Fremdsprachen verfügten. Hieraus erklärt sich auch die Popularität der Grammatik-Übersetzungsmethode: Die
neuen Sprachen wurden im Anschluss an solide rezeptive Kenntnisse in den alten Sprachen gelehrt; hierbei griff man auf die daher bekannten Methoden des Grammatik- und
Vokabellernens zurück und behandelte so die neuen Fremdsprachen quasi ebenfalls wie
„tote" Sprachen. Vorteil dabei war, dass sich Schüler wie Lehrer nicht auf eine neue
Methode einstellen mussten und vielfach auf bereits vorhandene formale Sprachkenntnisse – insbesondere im Bereich der Grammatik – zurückgreifen konnten. Selbstverständlich erlangten die Schüler so keine soliden produktiven Fremdsprachenkenntnisse;
verbunden mit späteren Auslandsaufenthalten konnte dennoch wohl eine Basis für um-
fassenderes Fremdsprachenlernen gelegt werden (vgl. Hüllen 2005, 92ff.).

Englisch war in den Lehrplänen an Gelehrtenschulen und Gymnasien – wenn es
denn überhaupt vorkam – meist die zuletzt begonnene Fremdsprache. Dies war auch an
der Bremer Gelehrtenschule der Fall (vgl. Abschnitt 2). An der Handelsschule dagegen
sollten moderne Fremdsprachen auf eine Art und Weise gelehrt werden, dass auch
Sprechfertigkeiten Berücksichtigung fanden. Eingesetzt wurden dazu „nationale" Lehrkräfte, die im Nachhinein allerdings eher kritisch betrachtet wurden:

> Für die modernen Sprachen in den oberen Klassen engagierte man nationale Lehrkräfte,
> aber ohne recht viel Freude davon zu haben. Herr Cochard aus Lausanne gab so viele Pri-
> vatstunden, daß er davon in den Schulstunden schon ganz erschöpft war; zudem untergrub
> seine Unwissenheit ihm die Disziplin. Aber auch mit des Engländers Woolrych Betragen
> war man bald sehr unzufrieden. (Entholt 1911, 41)

1833 stellte die Handelsschule mit dem Engländer Newton Ivory Lucas eine offensichtlich geeignetere nationale Lehrkraft ein. Ihm wurden ein „gesetztes Wesen, Treue
und Pünktlichkeit" (Entholt 1911, 94) attestiert. Newton trat deutschlandweit mit sei-

nem „Lehrbuch der englischen Sprache" (vgl. Klippel 1994, 390) in Erscheinung; er wurde 1850 zum ordentlichen Lehrer der Hauptschule ernannt (vgl. Entholt 1911, 94).

Letztlich zeigen die hier aufgeführten Beispiele den Zielkonflikt, der sich bei beiden Arten von Englischlehrern äußerte: Während die Philologen nicht über Sprechfertigkeiten verfügten und so nur Kenntnisse über die neuen Sprachen oder maximal schriftliche Fertigkeiten vermitteln konnten, gab es bei den Sprachmeistern keine verlässliche Ausbildung, ihre didaktischen Fähigkeiten waren eher zufällig und eklektisch ausgeprägt. Bei den Lehrern der Bürgerschule versuchte Gräfe daher beide Welten produktiv miteinander zu verbinden.

3.2 Die mittlere Generation (1855–1870)

Als Beispiele für die mittlere Generation der Englischlehrer, die an der Bremer Bürgerschule kurz nach deren Gründung 1855 wirkten, werden im folgenden Heinrich Plate, Friedrich Werner und Gottfried Helms vorgestellt. Während Plate schon über Erfahrung an anderen deutschen Schulen verfügte und u.a. eine Schule bei Hamburg geleitet hatte, stellte die Bremer Bürgerschule für Werner eine Zwischenstation auf dem Weg ins höhere Schulwesen dar. Helms schließlich, dessen Lebenslauf sicherlich am schillerndsten von den dreien ist, wirkte bis zu seinem recht frühen Tod an der Bremer Bürgerschule. Abgesehen davon zeichnet sich bei allen dreien ein ähnliches Schema in der Ausbildung ab: Nach dem Besuch eines (Volksschullehrer-)Seminars gingen sie ins englisch- und französischsprachige Ausland, wo Helms und Werner als Lehrer tätig waren. Somit verfügten sie sowohl über eine didaktische Ausbildung als auch über praktische Sprachkenntnisse. Werner war zwischenzeitlich „Lector der deutschen Sprache und Literatur" am Queens College in Liverpool (MadB 10/62, 54), Helms wirkte gar als Mathematiklehrer am renommierten Eton College (MadB 12/68, 68).

Alle drei waren darüber hinaus als Lehrbuchautoren tätig: allen voran Heinrich Plate, dessen „Methodisch geordneter Lehrgang der englischen Sprache" (Plate 1850) über Jahrzehnte zum auflagenstärksten Englischlehrbuch des 19. Jahrhunderts wurde – mit 95 Auflagen zwischen 1850 und 1920 (vgl. Klippel 1994, 314). Werner, der auch einen Großteil der Artikel zum Fremdsprachenunterricht an der Bürgerschule verfasste, die in den „Mittheilungen" veröffentlicht wurden, stellte „Geographische Charakterbilder über das Britische Reich und die Vereinigten Staaten" zusammen (Werner 1867; vgl. Klippel 1994, 342), die an der Bürgerschule vor allem für den in englischer Sprache stattfindenden Geographieunterricht gedacht waren. Hierin befanden sich auch schon diskontinuierliche Texte, nämlich Statistiken (vgl. Klippel 1994, 353f.). Darüber hinaus verfasste er mit „Die Dichtersprache im Englischen" ein eher klassisch literaturwissenschaftlich orientiertes Lehrbuch. Helms schließlich brachte analog zu dem englischsprachigen Geographielehrbuch „*Seven Tales from the History of England and the United States*" (Helms 1868) heraus, welches die Grundlage für den englischsprachigen Geschichtsunterricht darstellte.

Tab. 2:   Die mittlere Generation der Englischlehrer

	Heinrich Plate (1813–1880[3])[4]	Dr. Friedrich Werner (*1832 in Raumburg/Saale)[5]	Dr. Georg Gottfried Helms (*1825 in Bahrenburg/Hannover)[6]
Tätigkeit an der Bürgerschule	1855–1870	1862–1869	1863–1868
Im Anschluss	Pensionierung wegen Krankheit	Versetzung an Handelsschule	Verstorben
Ausbildung Seminar	Stade (bis 1840)	Berlin (bis 1857)	Neben- und Hauptseminar Hannover (mehrmals bis 1850)
Ausbildung Universität	-	-	Paris, London; Göttingen (1863)
Promotion	-	Universität Rostock (1865)	Universität Rostock (1868)
Weitere Tätigkeiten	Lehrer in Altona (1840-46) und am Gymnasium Stade (1846-53); Leitung Erziehungsanstalt in Eimsbüttel (1853-55)	Lehrer an der Handelsschule Bremen (ab 1869)	Lehrer und Hauslehrer an versch. Orten (1841-50)
Tätigkeiten im Ausland	Einjähriger Englandaufenthalt (zwischen 1846 und 53)	Lehrer an Privatschulen in England; Lektor am Queens College, Liverpool (1857-60); Privatlehrer in Paris	Lehrer an Boarding School, Brighton; am, Eton College; Hauslehrer in Irland und England (bis 1863)
Lehrbücher	„Methodisch geordneter Lehrgang der englischen Sprache" (1850)	„Die Dichtersprache im Englischen" (1866a) „Geographische Charakterbilder über das britische Reich und die Vereinigten Staaten" (1867)	„Seven Tales from the History of England and the United States" (1868)

Sowohl Werner als auch Helms verfassten neusprachliche Dissertationsschriften und wurden während ihrer Tätigkeit an der Bürgerschule 1865 bzw. 1868 promoviert, Werner mit einer linguistischen Abhandlung *„Sur les formes du subjontif dans la langue française"* (MadB 10/69, 55), Helms untersuchte *„The english* [sic!] *adjective in the language of Shakspere* [sic!]" (MadB 12/68, 69). Während Helms 1868 recht jung verstarb (ebd., 66) und Plate 1870 aus gesundheitlichen Gründen vorzeitig in den Ruhe-

3   Realschule Altstadt 1880, 4.
4   MadB 4/70.
5   MadB 10/62.
6   MadB 12/68.

stand versetzt wurde (MadB 4/70, 4), nutzte Werner die akademische Würde zum Aufstieg in das höhere Schulwesen und wurde so 1869 an die Bremer Handelsschule versetzt (MadB 10/69, 55).

Ausgehend von den hier kurz skizzierten breiten unterrichtlichen und sprachlichen Erfahrungen konzipierten insbesondere Werner und Helms auf Grundlage der Vorgaben ihres Vorstehers Gräfe einen Englischunterricht, der „vollständige praktische Fertigkeit" (vgl. oben) zum Ziel hatte:

> So ausgerüstet, dürften sich wohl wenige ähnliche Schulen rühmen können, ein so hohes Lehrziel, als das unsrige, zu erreichen. Schon in Klasse III. sind die Schüler so weit gefördert, daß in den englischen Stunden die nöthigen Wort- und Sacherklärungen in englischer Sprache gegeben werden, und das Englische als Umgangssprache mit dem Lehrer für diese Sprache auftritt. In Klasse II. wird die Geographie von England und Amerika, und in Klasse I. die Geschichte Englands in englischer Sprache ertheilt. [...] Aus dem Munde geborener Engländer haben wir zu unserer Freude gehört, wie gewandt und richtig die besseren unserer Schüler das Englische sprechen, und nicht minder erfreulich ist es für uns gewesen, zu hören, wie brauchbar sich unsere Schüler in ihren späteren Lebensverhältnissen erweisen. (Werner 1864, s.p.)

Bei ihrer „selbsteigenen Methode" (ebd.) griffen die Lehrer der Bremer Bürgerschule auf ihre biografischen Ressourcen und Erfahrungen zurück. Die Methode speiste sich daher aus drei Quellen:

1. Plate und Helms waren an norddeutschen (Volksschullehrer-)Seminaren ausgebildet und hatten währenddessen und im Anschluss an norddeutschen Volksschulen in Stade (MadB 4/70, 4) bzw. Sulingen und Harpstedt (MadB 12/68, 67) unterrichtet. Teil ihrer Ausbildung war dort Deutschunterricht. Dieser stellte in Norddeutschland im 19. Jahrhundert faktisch einen Zweitsprachenunterricht dar; die im Privaten Plattdeutsch sprechenden Schüler wurden auf Hochdeutsch alphabetisiert.

2. Werner und Helms arbeiteten als Deutschlehrer an Schulen sowie als Privatlehrer im Ausland, und konnten so auf praktische methodische Erfahrungen aus ihrer Tätigkeit dort zurückgreifen.

3. Alle drei hatten als Schüler am Gymnasium (Plate, vgl. MadB 4/70, 4 und Werner, vgl. MadB 10/62, 54) bzw. im Privatunterricht (Helms, vgl. MadB 12/68, 66) alte Sprachen erlernt. Werner und Helms promovierten im Anschluss noch im Bereich der Neuphilologie. Damit kannten sie auch die „klassische" Art des Fremdsprachenunterrichts durch Grammatik-Übersetzungsmethoden und verfügten über wissenschaftliche Qualifikationen.

Spuren der genannten drei methodischen Quellen finden sich so in den Unterrichtskonzeptionen der Bürgerschule der ersten zwei Jahrzehnte. In vielerlei Hinsicht ähneln diese eher den Konzepten der deutlich jüngeren neusprachlichen Reformbewegung als anderen kontemporären Methodenkonzeptionen. Im Grammatikunterricht wandten sich die Bremer Lehrer etwa gegen isolierte Sätze:

> In allen gut organisierten Anstalten werden grammatische Regeln zur Anschauung gebracht, entwickelt und zur Fertigkeit eingeübt. Während aber dies alles an abgerissenen,

gerade für diesen Zweck geschriebenen Sätzen gelehrt wird, bildet bei unserer Schule das zusammenhängende Lesestück dazu die Unterlage. Man begreift leicht, wie gerade der innere Zusammenhang des für die Entwicklung der Regel verwandten Materials von wesentlichem Nutzen für den Geist ist, ein lebendiges und anschauliches Bild der Sprachform zu gewinnen. (Werner 1864, s.p.)

Neben dieser „moderneren" Form des Grammatikunterrichts sollte die Lektüre eine wichtige Grundlage des Unterrichts bilden. Besonderheit war hierbei jedoch, dass die Lehrer über im Ausland erworbene solide Sprechfertigkeiten verfügten und diese im Unterricht einsetzen konnten:

In allen guten Schulen wird ferner ein gewisser Theil des Unterrichts auf die Lectüre verwandt. Die unbekannten Wörter werden von den Schülern im Wörterbuche aufgeschlagen, dem Gedächtnis eingeprägt, grammatische Formen werden frageweise zur Anschauung gebracht, ungewöhnliche Wörter und unverständliche Sachen werden erläutert, die vorkommenden eigenthümlichen Formen werden erklärt. Ist der Unterricht in den Händen eines auch praktisch gebildeten Lehrers, so wird wohl auch der Inhalt gesprächsweise abgefragt. (ebd., s.p.)

Die Bremer Lehrer griffen dabei bewusst auf methodische Konzeptionen zurück, die ihnen aus ihren vorherigen Tätigkeiten bekannt waren. Werner greift z.B. einer möglichen Kritik an seiner Unterrichtskonzeption vor, indem er explizit institutionellen Schulunterricht und die Tätigkeit eines Privatlehrers vergleicht. Hier wird deutlich, dass die „Principien" seiner Methode bereits bekannt waren und durchaus außerhalb von Schulunterricht Anwendung fanden:

Nach diesen eingehenden Erörterungen über unsere Methode suchen wir uns noch gegen diejenigen zu verwahren, die wohl die Principien derselben gelten lassen, aber dieselbe nur bei Privatschülern und bei sehr begabten Schülern, keinesfalls aber im Massenunterricht wollen angewandt wissen. (ebd., s.p.)

Neben den Methoden der Sprachmeister und Privatlehrer orientierten sich die Bremer Englischlehrer aber auch ausdrücklich an den Methoden des deutschen Sprachunterrichts,[7] die sie vermutlich an niederdeutschen Volksschulen kennengelernt hatten:

Nach dem Beispiele unserer tüchtigen Methodiker des modernen Sprachunterrichts im Deutschen benutzen wir auch die Lectüre zu schriftlichen Zwecken: Auf der unteren Stufe werden die Lesestücke umgebildet, sei es, daß der Singular in den Plural umgewandelt, das Geschehene als ein Werdendes dargestellt wird; die erzählende Person als die besprochene auftritt, die Erzählung dramatisch eingekleidet, die Beschreibung in Briefform wiedergegeben wird, und wie die mannigfachen Uebungen heißen mögen, die sich außerdem daran anknüpfen lassen. (ebd., s.p.)

Die von Werner ausführlich beschriebene „selbsteigene Methode" der Bremer Bürgerschule wurde von den nachfolgenden Lehrern ab 1868 Schritt für Schritt zugunsten

---

7   Eine erste Durchsicht der einschlägigen Literatur zur Geschichte des Deutschunterrichts (siehe z.B. Frank 1973; Glinz 2003) zeigt, dass (Hoch-)Deutsch als Zweitsprachenunterricht dort bislang nicht zentral behandelt wurde und daher – auch vor dem Hintergrund aktueller Debatten zu lebensweltlicher Mehrsprachigkeit – ein Forschungsdesiderat darstellen dürfte.

einer an Preußen orientierten klassischen Methode aufgegeben. 1870 verließ mit Plate der letzte der drei vorgestellten Lehrer die Schule.

3.3 Die „preußischen Profis" (nach 1868)

Mit der Angliederung Bremens an den Norddeutschen Bund (1867) und das Deutsche Reich (1871) ging ein schrittweiser Wandel des Bremer Schulwesens einher, welcher am einfachsten an den Benennungen der Schulen abzulesen ist (vgl. Abschnitt 2). In den „Mittheilungen" berichtet der Vorsteher Gräfe noch kurz vor seinem Tod im Juli 1868 über die wesentlichen Änderungen:

> Da die Anstalt künftig die Berechtigung zur Ausstellung von Schulzeugnissen für den ein-jährigen Freiwilligendienst im Heere in dem Maße, wie die preußischen Realschulen 2r Ordnung, erhalten soll, so macht es sich nothwendig, daß sie in dem Lehrplane und ihren Leistungen den preußischen Realschulen in so weit gleichzukommen sich bestrebt, als es bei Erhaltung ihrer in bremischen Verhältnissen und Bildungsbedürfnissen begründeten Eigenthümlichkeiten möglich sein wird. (MadB 7/68, s.p.)

Im Zusammenhang dieses Beitrags interessiert insbesondere die Auswirkung dieses Schulstrukturwandels auf den Fremdsprachenunterricht bzw. auf die Konzeption dieses Unterrichts, die sich aus den untersuchten Quellen ablesen lässt. Pointiert nachweisen lässt sich eine Akzentverschiebung des Unterrichtskonzepts anhand des Artikels von Wilhelm Henkel (1870) „[...] über die letzten, im sprachliche Unterrichte eingetretenen Veränderungen":

> Denn wenn auch die Vortrefflichkeit der mit den bis dahin gebrauchten Lehrmitteln er-zielten Resultate in Bezug auf praktische Fertigkeit im Englischen nicht zu leugnen war, so mußte doch andrerseits auf eine mehr eingehende und genaue Kenntniß der Grammatik beider Sprachen gedrungen werden. Diese aber anzubahnen, dazu sind die eben genann-ten, in so vielen deutschen Schulen eingeführten methodischen Lehrbücher ausnehmend geeignet. Hauptsächlich geben dieselben neben der methodischen Behandlung des gram-matischen Stoffes etwas, das uns bei der früher verfolgten Lehrweise oft fehlte, nämlich genügende Anleitung zur Uebersetzung aus der Muttersprache in die fremde. (ebd., s.p.)

Die hier von Henkel begründete Einführung eines Grammatiklehrbuchs und die damit einhergehende Nutzung der (Rück-)Übersetzung – also eines zentralen Elements der Grammatik-Übersetzungsmethode(n) (vgl. Richards & Rodgers 2001, 5f.) – war der erste Schritt in Richtung eines eher traditionellen, an den preußischen Realschulen ori-entierten Englisch- und Französischunterrichts. Weitere Schritte in diese Richtung wa-ren die Umstellung auf Französisch als erste Fremdsprache (vgl. Reiche 1905, 83ff.) sowie die schrittweise Abschaffung des Geographie- und Geschichtsunterrichts in der Fremdsprache bis 1885 (vgl. ebd., 86). Abgeschafft wurden also genau die Besonderhei-ten, die aufgrund der „lokalen Bedürfnisse" Bremens (vgl. Abschnitt 2) eingeführt wor-den waren, damit die angehenden Kaufleute in die Lage versetzt wurden, mit ihren englischen und amerikanischen Handelspartnern zu kommunizieren.

Die Protagonisten dieses Wechsels waren Fremdsprachenlehrer, deren Ausbildung zwar in der Regel noch die Elemente ihrer Vorgänger – universitäre und seminaristische Ausbildung in Kombination mit Auslandserfahrungen – beinhaltete, die aber stark geprägt waren durch ihre preußisch orientierte, „philologisierte" (vgl. Hüllen 2005: 99) Ausbildung. Hier sollen drei dieser Lehrer vorgestellt werden, Wilhelm Henkel, Albert Gärtner und Georg Otto Arndt, die zwischen 1868 und 1885 an der „Realschule in der Altstadt", wie die Bürgerschule jetzt hieß, wirkten (siehe Tabelle 3). Henkel liegt dabei zeitlich noch sehr nah an der „mittleren Generation" und verließ bereits ein Jahr nach Werner die Realschule in Richtung der Bremer Handelsschule, passt jedoch von seiner Ausbildung und Unterrichtskonzeption her eher in die Generation der „preußischen Profis", wie das Zitat oben illustriert.

Zentrales verbindendes Element der „preußischen Profis" war ihre universitäre Ausbildung an einer der jungen neuphilologischen Fakultäten in Preußen – in den aufgeführten Beispielen in Bonn (Henkel; vgl. MadB 4/69), Göttingen (Gärtner; vgl. MadB 10/70) oder Berlin (Arndt; vgl. Realschule Altstadt 1880, 3). Die universitäre Ausbildung wurde dann durch eine Promotion abgeschlossen, bevor die schulpraktische Ausbildung folgte. Diese fand entweder an einem Seminar statt (Gärtner) oder in Form eines Probejahrs (Arndt); Henkel und Gärtner durchliefen zudem Staatsprüfungen für das Lehramt, Henkel in Kassel und Halle, Gärtner in Bonn. Während Henkel und Gärtner jedoch ebenfalls noch über Unterrichtserfahrungen im Ausland verfügten, lässt sich von Arndt nur erfahren, er habe 1875–76 „im Auslande" (vgl. Realschule Altstadt 1880, 3) studiert. Henkel und Gärtner hatten ebenfalls einen Teil ihres Studiums in London bzw. an der Pariser Sorbonne absolviert.

Wie bereits an Henkels Plädoyer für pointierteren Grammatikunterricht abzulesen ist, brachten die preußisch geprägten neuen Lehrer – im Einklang mit der Angleichung der bremischen Schulen an die preußischen – „neue" Ideen in den Fremdsprachenunterricht ein. Dabei waren die Reformschritte erst einigermaßen behutsam. Henkel unterstreicht die „Vortrefflichkeit der mit den bis dahin gebrauchten Lehrmitteln erzielten Resultate" (vgl. oben), Gärtner (1874) hebt noch einmal die besondere Eignung seminaristisch ausgebildeter Lehrer hervor:

> […] Da es also auch aus diesen Gründen an akademisch gebildeten Lehrern für die unteren Classen mangelt, so empfiehlt es sich, qualifizierte seminaristisch gebildete Lehrer dazu heranzuziehen, wie dies auch schon seit einigen Jahren an unsere [sic!] Anstalt geschieht. Sie sind meistens geschickte Methodiker im Elementarunterricht und haben theoretisch und praktisch schon im Deutschen Aussprachübungen zu leiten gelernt, so daß ihnen die nöthigen Mittel und Mittelchen reichlicher zu Gebote stehen, als einem Probekandidaten, der eben von der Universität kömmt [sic!]. (Gärtner 1874, s.p.)

Erneut findet sich hier wiederum ein Hinweis auf die methodische Vorbildwirkung der „Aussprachübungen" im deutschen Elementarunterricht. Eine solche Aussprachübung war im mehrheitlich Plattdeutsch sprechenden Norddeutschland nötig, um die Kinder auf Hochdeutsch – also in der Zweitsprache – zu alphabetisieren.

Tab. 3:   Die „preußischen Profis" an der Bremer Bürgerschule

	Dr. Wilhelm Henkel (*1841 in Kassel)[8]	Dr. Albert Gärtner (*1842 in Braun-schweig)[9]	Dr. Georg Otto Arndt (*1853 in Friedeberg/ Brandenburg)[10]
Tätigkeit an der Bürgerschule/ Realschule	1868–1870	1870–1888	1879–1885
Im Anschluss	Versetzung an die Handelsschule Bremen[11]	Verstorben[12]	Versetzung an die Oberrealschule in Gleiwitz, Schlesien
Ausbildung Seminar	Reallehrerprüfung (Sprachen, Geogra-phie) in Kassel (1867), pro facultate docendi (klass. u. mod. Philologie) in Halle (1868)	Herrigs Seminar in Berlin (1867–70), pro facultate docendi in Berlin (1870)	Probejahr Realschule I. O.[13] in Frankfurt an der Oder (1878–79)
Ausbildung Universität	Bonn (klassische und moderne Philologie); University College, London (Gasthörer)	Göttingen (Neuere Sprachen, Geschich-te); Sorbonne (Gast-hörer)	Heidelberg und Berlin (1872–75, germ. und rom. Sprachen) „im Auslande" (1875 76) Bonn (1876–78)
Promotion	Über die homeri-schen Übersetzun-gen, Universität Jena (1866)	Über die Sprache Froissarts, Universi-tät Göttingen (1865)	Altgermanische epische Poesie, Universität Tübingen (1877)
Weitere Tätigkeiten	Lehrer an Realschule Hersfeld und Pro-gymn. Eschwege (vor 1868); Lehrer an der Handelsschule Bremen (ab 1870)	Lehrer an Friedrichs-Realschule, Berlin und der Genz'schen Höheren Töchter-schule (bis 1870)	Lehrer an Realschule zu Berlin (1879)
Tätigkeiten im Ausland	Hauslehrer in London (vor 1866)	Lehrer an franz. Schule (bis 1865/66); Französischlehrer in Bridlington Quay, Yorkshire (1866–67)	-
Schriften		„Systematische Phraseologie der englischen Umgangs-sprache" (1883)	„Gegen die Fremd-wörter in der Sprache der Schule" (1885)

---

8   MadB 4/69.
9   MadB 10/70.
10   Realschule Altstadt 1880, 3.
11   Hauptschule Bremen 1871, 43–44.
12   Realschule Altstadt 1889, 34–35.
13   Realschule I.O. = Realschule Erster Ordnung.

In der Zielsetzung des Englischunterrichts bleibt Gärtner allerdings in dem gleichen Artikel zu den „Sprechübungen im fremdsprachlichen Unterrichte" deutlich vorsichtiger als seine Vorgänger an der Bürgerschule. Er zitiert dabei den preußischen Regierungsrat Dietrich Wilhelm Landfermann, dessen Einschätzung sich auch fast wortwörtlich in den preußischen Curricula wiederfindet (vgl. Realschule Preußen 1859, zitiert nach Christ & Rang 1985, II, 62f.):

> Wir stimmen mit den Worten Landfermanns ‚Eine Conversationsfertigkeit zu Wege zu bringen, kann nicht Aufgabe der Schule sein, sondern muß der Privatübung überlassen werden' überein und erklären uns auch einverstanden mit der Begründung dieser Behauptung, ‚daß sie inmitten einer deutschen Umgebung nicht zu erreichen ist und erfahrungsmäßig auch nicht erreicht wird', so weit es sich nämlich um eine ‚Fertigkeit' handelt. (Gärtner 1874, s.p.)

Während die „mittlere Generation" ihre längeren Auslandsaufenthalte hervorhob (vgl. Abschnitt 3.2), sah Gärtner auch diese eher kritisch und betonte – seinen Seminarleiter Ludwig Herrig zitierend –, dass neben diesen auch eine explizite Ausspracheschulung nötig sei:

> [...] Wer seiner Zeit das Herrig'sche Seminar für Lehrer der neueren Sprachen besucht hat, wird es bestätigen, wi [sic!] gerade die Aussprache der Mitglieder die größten Mängel zeigte, und es ist ein nicht gering anzuschlagendes Verdienst Herrig's, auf diese Lücken aufmerksam gemacht und die Mittel und Wege angegeben zu haben, sie auszufüllen. Selbst ein längerer Aufenthalt im Auslande giebt nicht so ohne Weiteres ein Patent auf eine gute Aussprache. [...] (ebd., s.p.)

Arndt schließlich, der von den drei hier vorgestellten Lehrern am längsten an der Realschule in der Altstadt unterrichtete, verabschiedete sich 1885 mit einer Schrift „Gegen die Fremdwörter in der Sprache der Schule" aus dem Schuldienst, die dem Zeitgeist entsprechend schon deutlich nationalistische Töne anschlägt und in der er z.B. den Gebrauch von Fremdwörtern als „für unser deutsches Volk nachteilig" (Arndt 1885, 3) bezeichnet. Diese Aussage ist nicht nur grundsätzlich für einen Fremdsprachenlehrer befremdend, es schwingt darüber hinaus ein komplett neuer Ton mit, wenn man damit Werners kosmopolitische Einstellung vergleicht, der zwanzig Jahre zuvor über den englischsprachigen Geographieunterricht sagte, es sei dessen Nebeneffekt, „die Vorurtheile, die so Mancher gegen fremde Länder und fremde Völker zu seinem eigenen Nachtheile zur Schau trägt, verschwinden zu sehen" (Werner 1866b, s.p.).

Der Englischunterricht, den die „preußischen Profis" in Bremen konzeptionell prägten, entsprach also weitgehend dem preußischen Mainstream, wie ihn seine Protagonisten im Laufe ihrer Ausbildung kennengelernt hatten. Dies war in Bremen nach 1868 offensichtlich erwünscht, die Vertreter der „mittleren Generation" hatten entweder die Schule verlassen oder äußersten sich nicht zu dem Wandel des methodischen Konzepts. Was freilich hierbei Ursache und was Wirkung war, lässt sich nicht mehr rekonstruieren.

4 Schluss

Die Historiographie des Fachunterrichts hat in der Fremdsprachendidaktik keinen besonderen Stellenwert. Findet eine Beschäftigung damit dennoch statt, lässt sich häufig eine Tendenz zu *„potted histories"* (Howatt & Smith 2014, 76) feststellen, bei denen holzschnittartig von den großen *„paradigm shifts"* (ebd.; vgl. Hunter & Smith 2012, 432) – wie der Neusprachlichen Reformbewegung – ausgegangen wird. Stehen allein die Reformen und Paradigmenwechsel im Fokus, werden Traditionen und Kontinuitäten im Sinne von Braudels *longue durée* nur zu gern übersehen.[14]

Die bremischen Englischlehrerbiografien und die von den Lehrern vertretenen Unterrichtskonzepte zeigen in vielerlei Hinsicht, dass wesentliche Prinzipien der Neusprachlichen Reformbewegung an der Bremer Bürgerschule schon vor dem (angeblichen) Paradigmenwechsel der 1880er konzeptionell verankert waren. Sie zeigen aber gleichfalls, dass diese Prinzipien auch dort nicht „erfunden" worden waren, sondern dass die in Bremen tätigen Lehrer wiederum auf ein Methodenrepertoire zurückgriffen, welches sie aus ihren vielfältigen Berufsbiografien zusammensetzten. Neben den „kommunikativ" orientierten Methoden der ausländischen Sprachmeister, die (nicht nur in Bremen) auch im institutionellen Schulwesen eingesetzt wurden, waren das vor allem auch Einflüsse aus dem Deutschunterricht. Dieser war in vielen Teilen des Deutschen Bundes eben kein muttersprachlicher Unterricht, sondern ein Zweitsprachenunterricht, in dem die Schüler alphabetisiert wurden. In weiten Teilen Norddeutschlands war die Erstsprache Plattdeutsch, andernorts gab es andere Erstsprachen wie z.B. Polnisch. Diese methodische Tradition ist bis dato völlig unerforscht, dürfte aber vor dem Hintergrund aktueller Diskussionen um Mehrsprachigkeit ein lohnendes Forschungsfeld sein.

Schließlich lässt sich am Bremer Beispiel ablesen, dass eine teleologische Sortierung methodischen Wandels die tatsächliche Entwicklung des Fremdsprachenunterrichts nur sehr verkürzt darstellt. Statt einer stetigen Weiterentwicklung eines Fremdsprachenunterrichts, der den Bedürfnissen des Fernhandels folgt, wirken weitere Kontextfaktoren so auf die Konzeption und Rahmenbedingungen des Unterrichts ein, dass sich eben kein konsequenter methodischer Fortschritt abzeichnet. So wurde in Bremen in den 1870ern ein auf Kommunikation ausgerichtetes Fremdsprachenunterrichtskonzept, welches zudem den ökonomischen Bedürfnissen der Handelsstadt entsprach, zu Gunsten der deutschlandweit populäreren Grammatik-Übersetzungsmethoden aufgegeben. Protagonisten dieses Wandels „zurück" waren wiederum Fremdsprachenlehrer, die auch hier ihre eigenen beruflichen Erfahrungen und Qualifikationserfahrungen in die Konzepte einfließen ließen; sie waren „preußische Profis" mit philologischem Profil. Der (vermeintliche) Fortschritt schließlich kam schon im folgenden Jahrzehnt aus Preu-

---

14 Ein Weg, die Kontinuität von Fremdsprachenunterricht theoretisch zu fassen, könnte – angelehnt an Tyack und Tobins *Grammar' of Schooling* (1994) – die Vorstellung einer „Morphologie" des Fremdsprachenunterrichts (vgl. Giesler 2015, 147ff.) sein, innerhalb derer sich Unterricht zwar zwischen verschiedenen konzeptionellen Optionen (vgl. Thornbury 2011, 190ff.) bewegt, radikale Paradigmenwechsel jedoch eher die Ausnahme darstellen und stattdessen neue Einflüsse und Ideen je nach Kontext einfließen.

ßen zurück, wo die Neusprachlichen Reformer sich allerdings nicht an ihre Vorläufer oder die Tradition, in der sie selbst standen, erinnern konnten oder wollten.

Literatur

Quellen

Arndt, Georg Otto (1885). *Gegen die Fremdwörter in der Sprache der Schule.* Wissenschaftliche Beilage zum Programm der Realschule in der Altstadt zu Bremen: Selbstverlag.

Christ, Herbert; Rang, Hans-Joachim (Hrsg.) (1985). *Fremdsprachenunterricht unter staatlicher Verwaltung 1700 bis 1945. Eine Dokumentation amtlicher Richtlinien und Verordnungen.* 7 Bände. Tübingen: Narr.

G[ärtner, Albert] (1874). Bemerkungen über die Stellung der Sprechübungen im fremdsprachlichen Unterricht. In: *An das Elternhaus. Mitteilungen aus der Realschule.* 8/1874.

Gärtner, Albert (1883). *Systematische Phraseologie der englischen Umgangssprache.* Bremen: Hollmann.

Helms, Georg (1868). *Seven Tales from the history of England and the United States.* Ein Lesebuch für die mittlere Stufe des Unterrichts im Englischen, mit Wörterverzeichnis und Aufgaben zu schriftlichen Übungen. Bearbeitet und herausgegeben von Georg Helms. Bremen: Dubbers.

H[enkel, Wilhelm] (1870). Einige Worte über die letzten, im sprachlichen Unterrichte eingetretenen Veränderungen. In: *An das Elternhaus. Mitteilungen aus der Realschule.* 4/1870.

[MadB] An das Elternhaus. Mittheilungen aus der Bürgerschule/Realschule ([und] Bürgertöchterschule und deren Vorbereitungsschulen). Herausgegeben unter Verantwortlichkeit des Vorstehers der Bürgerschule, XVIII Jahrgänge, 1861–1878. Staatsarchiv Bremen, Za-231.

Plate, Heinrich (1850). *Methodisch geordneter Lehrgang der englischen Sprache.* Dresden: Ehlermann.

Programm der Hauptschule zu Bremen (1871).

Programm der Realschule in der Altstadt zu Bremen (1880).

Programm der Realschule in der Altstadt zu Bremen (1889).

Programm der Realschule in der Altstadt zu Bremen (1898).

Viëtor, Wilhelm (1882 [1979]). Der Sprachunterricht muß umkehren! Heilbronn. Abgedruckt in Hüllen, Werner (Hrsg.), *Didaktik des Englischunterrichts.* Darmstadt: Wissenschaftliche Buchgesellschaft, 22–31.

W[erner, Friedrich] (1864). Der Unterricht im Englischen in der Bürgerschule. In: *An das Elternhaus. Mittheilungen aus der Bürgerschule, Töchterbürgerschule und deren Vorbereitungsschulen. Herausgegeben unter Verantwortlichkeit des Vorstehers der Bürger-*

schule. III. Jahrgang. Nr. 11. 15.02.1864. Bremen: Gesenius, 81–85. Staatsarchiv Bremen, Za-231.

Werner, Friedrich (1866a). *Die Dichtersprache im Englischen an 50 Gedichten veranschaulicht. Zugleich Musterstücke für die Behandlung der englischen Synonymen*. Bremen: [Verlag unbekannt].

W[erner, Friedrich] (1866b). Die englische Geographie in der II. Klasse der Bürgerschule. In: *An das Elternhaus. Mittheilungen aus der Bürgerschule, Töchterbürgerschule und deren Vorbereitungsschulen. Herausgegeben unter Verantwortlichkeit des Vorstehers der Bürgerschule*. III. Jahrgang. Nr. 5. 15.08.1866. Bremen: Gesenius, 37–39. Staatsarchiv Bremen, Za-231.

Werner, Friedrich (1867). *Geographische Charakterbilder über das Britische Reich und die Vereinigten Staaten als stoffliche Grundlage für den mündlichen und schriftlichen Gedankenaustausch im Englischen in den obern Klassen höherer Unterrichtsanstalten*. Bremen: Gesenius.

Sekundärliteratur

Doff, Sabine (2002). *Englischlernen zwischen Tradition und Innovation. Fremdsprachenunterricht für Mädchen im 19. Jahrhundert*. München: Langenscheidt-Longman.

Entholt, Hermann (1911). Die bremische Hauptschule von 1817 bis 1858. In: *Bremisches Jahrbuch*, Band 23, 1–130.

Frank, Horst Joachim (1973). *Geschichte des Deutschunterrichts von den Anfängen bis 1945*. München: Hanser.

Giesler, Tim (2013). Die bremische Bürgerschule: Kommunikativer Englischunterricht für Kaufleute. In: Klippel, Friederike; Kolb, Elisabeth; Sharp, Felicitas (Hrsg.). *Schulsprachenpolitik und fremdsprachliche Unterrichtspraxis. Historische Schlaglichter zwischen 1800 und 1989*. Münster: Waxmann, 113–123.

Giesler, Tim (2014). School Languages between Economy and Politics. The Foreign Language Curriculum in Northern German Schools (1850 to 1900). In: Reinfried, Marcus (Hrsg.). *Français, anglais et allemand: trois langues rivales entre 1850 et 1945*. Paris: SIHFLES (Documents pour l'histoire du français langue éstrangère ou seconde 53), 33–48.

Giesler, Tim (2015). Here be dragons. Von einer „Mythologie" zu einer „Morphologie" des Fremdsprachenunterrichts. In: *IJHE Bildungsgeschichte*, Heft 2/2015, 146–161.

Glinz, Hans (2003): Geschichte der Sprachdidaktik. In: Bredel, Ursula; Günther, Hartmut; Klotz, Peter; Ossner, Jakob; Siebert-Ott, Gesa (Hrsg.). *Didaktik der deutschen Sprache*. Band 1. Paderborn: Schöningh, 17–29.

Howatt, A. P. R; Smith, Richard (2014). The History of Teaching English as a Foreign Language, from a British and European Perspective. In: *Language & History* 57:1, 75–95.

Howatt, A. P. R.; Widdowson, H. G. (2004). *A History of English Language Teaching*. Second Edition. Oxford: Oxford University Press.

Hüllen, Werner (2005). *Kleine Geschichte des Fremdsprachenlernens*. Berlin: Erich Schmidt.

Hunter, Duncan; Smith, Richard (2012). Unpackaging the Past: 'CLT' through ELTJ Keywords. In: *ELT Journal* 66(4), 430–439.

Klippel, Friederike (1994). *Englischlernen im 18. und 19. Jahrhundert. Die Geschichte der Lehrbücher und Unterrichtsmethoden.* Münster: Nodus.

McArthur, Tom (1998). *Living Words. Language, Lexicography, and the Knowledge Revolution.* Exeter: University of Exeter Press.

Ostermeier, Christiane (2012). *Die Sprachenfolge an den höheren Schulen in Preußen (1859–1931). Ein historischer Diskurs.* Stuttgart: Ibidem.

Reiche, Armin (1905). *Die Entwicklung des Realschulwesens in Bremen insbesondere der Realschule in der Altstadt. Ein geschichtlicher Rückblick.* Beilage zum Programm der Realschule in der Altstadt zu Bremen. Bremen: Selbstverlag.

Richards, Jack C.; Rodgers, Theodore S. (2001). *Approaches and Methods in Language Teaching.* Cambridge: Cambridge University Press.

Rülcker, Tobias (1969). *Der Neusprachenunterricht an höheren Schulen. Zur Geschichte und Kritik seiner Didaktik und Methodik.* Frankfurt a.M.: Diesterweg.

Schleich, Marlis (2015). *Geschichte des internationalen Schülerbriefwechsels. Entstehung und Entwicklung im historischen Kontext von den Anfängen bis zum Ersten Weltkrieg.* Münster: Waxmann.

Schwarzwälder, Herbert (1994). *Geschichte der Freien Hansestadt Bremen.* 5 Bände. Bremen: Edition Temmen.

Tyack, David; Tobin, William (1994). The „Grammar" of Schooling: Why Has it Been so Hard to Change? In: *American Educational Research Journal* 31 (3), 453–479.

Marlis Schleich

"Had it not been for the exchange system I believe I would never have been able to speak French."[1]
Geschichte des internationalen Schüleraustauschs: Erste Ansätze zur systematischen Organisation um die Wende vom 19. zum 20. Jahrhundert

1   Einleitung: Was zuvor geschah ...

Die „„Sitte des Kindertausches'[...] d.h. die temporäre Verschickung von Kindern ins jeweils andere Sprachgebiet zum Zweck des Spracherwerbs" (Glück 2002, 102) lässt sich, so schreibt Helmut Glück, für das deutsch-französische Kontaktgebiet „bis ins Hochmittelalter zurückverfolgen" (ebd., 102). Für das deutsch-polnische Kontaktgebiet gibt es bereits ab dem 16. bis 18. Jahrhundert „Berichte über temporären Kinderaustausch" (ebd., 104). Zusammenfassend schreibt Glück:

> Es waren nicht nur Kaufleute und Handwerker, die den Nachwuchs für längere Zeit ins Ausland schickten, damit er eine qualifizierte Ausbildung erhalte, sondern auch der (Hoch-)Adel und, seit dem 16. Jh., das gebildete Stadtbürgertum. Der heutige Schüleraustausch von Schule zu Schule hat seine Vorläufe in diesem Kinderaustausch von Familie zu Familie oder von Hof zu Hof. (Glück 2002, 104)

Der Ausdruck „von Hof zu Hof" erhält eine weitere Bedeutung, wenn man bei Ulrike Eder weiterliest, denn „so genannte Kinderwechsel" (Eder 2006, 76) fanden auch in der mehrsprachigen Habsburgermonarchie statt, wo sie insbesondere „im bäuerlichen Milieu sehr verbreitet" (ebd.) waren. Hinweise auf deutsch-böhmische Kinderwechsel gibt es beispielsweise schon im 17. Jahrhundert (vgl. ebd., 77).

Solche sehr frühen Beispiele für den Austausch von Kindern scheinen den Akteuren des späten 19. und frühen 20. Jahrhunderts kaum bewusst gewesen zu sein; zumindest gaben die hier ausgewerteten Quellen keine Anhaltspunkte dafür. Allerdings finden sich immer wieder – wenngleich auch sehr vage – Hinweise auf die Praxis des Schüleraustauschs zwischen deutsch- und französischsprachigen Kantonen in der Schweiz sowie im Kontaktgebiet zwischen Österreich und Italien (vgl. Block 1899, 626; L'Étude pratique des langues vivantes et les échanges d'enfants. 1898, 123; Loev 1901, 350; Toni-Mathieu 1905, 367). Dass schließlich Formen des Schüleraustauschs entstehen

---

1   Letters from Some Who Have Exchanged Homes (1901, 28).

konnten, die über die Grenzgebiete hinausgingen, hing stark mit den historischen Rahmenbedingungen zusammen.

2   Historischer Kontext

Von den vielen Aspekten des historischen Kontexts um die Wende vom 19. zum 20. Jahrhundert sind für die Entstehung organisierter Formen des Schüleraustauschs insbesondere zwei Entwicklungslinien bedeutsam, die hier mit den Begriffen Verkehr (2.1) und Völkerverständigung (2.2) überschrieben werden sollen.[2]

2.1   Verkehr: Eisenbahn und Tourismus

Von der „Verkehrsrevolution" (z.B. Klenner 2002, 11) ist oft die Rede, um den rasanten Fortschritt im Transportwesen zu beschreiben, der sich im Laufe des 19. Jahrhunderts vollzog. Er „führte zwischen der Mitte des 19. Jahrhunderts und dem Ersten Weltkrieg zu einer Intensivierung der weltweiten Handelsbeziehungen, die als ‚erste Globalisierung' bezeichnet worden ist" (Nonn 2009, 78f.). In Frankreich beispielsweise wuchs das Streckennetz der Eisenbahn zwischen 1870 und 1900 von 17.602 km auf 38.109 km (vgl. Roth 2009a, 33). Die Entwicklung in Großbritannien und Deutschland verlief ähnlich beeindruckend und bis zum Jahr 1914 verfügte das Deutsche Reich, wo der Eisenbahnbau erst vergleichsweise spät eingesetzt hatte, mit 61.749 km über das größte Streckennetz Europas (vgl. ebd., 33). Im Laufe der zweiten Hälfte des 19. Jahrhunderts „verknüpfte sich der bis dahin regionale und nationale Flickenteppich der Bahnen zu einem europäischen Eisenbahnnetz" (Dienel 2009, 107f.). Es gab transnationale Verbindungen, beispielsweise fuhr der berühmte Orientexpress ab 1884 von Paris nach Istanbul (vgl. ebd.).

Mit dem Bahnfahren verlor im Laufe des 19. Jahrhunderts auch das Reisen seinen exklusiven Charakter. Aus der adeligen *Grand Tour* wurde die bürgerliche Bildungsreise (vgl. Gebauer 2008, 37f., 49ff.). Thomas Cooks Pauschal- und Geschäftsreisen führten ab 1855 auch ins Ausland, und es entwickelte sich ein Reiseagenturwesen (vgl. Zimmers 1995, 51ff.). Der Horizont der Menschen weitete sich und zugleich das, was Dienel ihren „Möglichkeitsraum" (Dienel 2009, 106) nennt. Die Bedeutung der Verkehrsrevolution für die Entstehung von Strukturen zur Organisation von Schülerbegegnungen zeigt sich exemplarisch, wenn der Austauschschüler F. B. über seine Fahrt nach Boulogne berichtet: „Ein Schnellzug brachte mich in 16 Stunden von Celle über Hannover–Antwerpen–Brüssel–Lille–Calais ans Ziel" (F. B., zit. in: Berliner Komitee für den internationalen Schüleraustausch 1913, 9).

Der systematische Ausbau von Schülerkontakten wurde durch die Verkehrsrevolution sowohl infrastrukturell wie auch mental möglich und wahrscheinlich. Hierbei spielen

---

2   Für eine detaillierte Darstellung der kontextuellen Rahmenbedingungen siehe Schleich (2015, 50ff.).

auch gesamtgesellschaftliche Entwicklungen eine Rolle, die im Folgenden unter der hier ganz wörtlich zu verstehenden Überschrift „Völkerverständigung" zusammengefasst werden, und die nicht zuletzt auch aus der Verkehrsrevolution als Basisprozess resultieren.

2.2 Völkerverständigung: Fremdsprachenunterricht und Friedensbewegung

In Bezug auf den Fremdsprachenunterricht war es die – bekanntermaßen mit Wilhelm Viëtor (1850–1918) und seiner Streitschrift von 1882 *Der Sprachunterricht muss umkehren!* assoziierte – neusprachliche Reformbewegung, die den Boden bereitete, auf dem sich die systematische Organisation von Schülerkontakten entwickelte. Die mit Vehemenz ausgerufene Kurskorrektur propagierte die Abkehr von einer altsprachlich geprägten Methodik im Unterricht der neueren Sprachen und gab eine neue Richtung vor: Erklärtes Ziel war nunmehr die tatsächliche Anwendung der modernen Fremdsprachen in realen Kommunikationssituationen. Dies führte unter den Neuphilologen zu einem vermehrten Interesse an direkten Kontakten mit dem Ausland. Interessant ist hier beispielsweise, dass sich im Zuge der Entwicklung des Tourismus und der damit einhergehenden Ausdifferenzierung der Reiseführerbranche eine eigene Sparte von Reiseführern von und für Fremdsprachenlehrerinnen und -lehrer entwickelte. Ein Klassiker dieser ‚neuphilologischen Reiseliteratur' war Roßmanns *Studienaufenthalt in Paris*, 1896 erstveröffentlicht (vgl. Roßmann 1900). Roßmanns Buch wurde von einem Rezensenten als „Neuphilologen-Baedeker für Paris" (zit. in: Hartmann 1903, 32) bezeichnet.

Die zunehmende Internationalisierung durch Verkehr und Reisen betraf auch die sich im 19. Jahrhundert entwickelnde Friedensbewegung, die oft als internationale Friedensbewegung bezeichnet wird. Zu Beginn des 19. Jahrhunderts hatten sich in Amerika und Großbritannien erste Friedensgesellschaften gebildet (vgl. Holl 1988, 21–22). Auf dem Kontinent entstanden dann die ersten Friedensgesellschaften mit leichter Verzögerung. Eine verstärkte internationale Zusammenarbeit der Pazifisten verschiedener Länder fand ab den 1840er Jahren statt (vgl. Riesenberger 1985, 24). Weitere Schlaglichter der Geschichte des internationalen Pazifismus sind unter anderem das Jahr 1889 mit dem ersten Weltfriedenskongress in Paris. Im Jahr 1892 wurde das Internationale Friedensbüro in Bern gegründet (vgl. Holl 1988, 42; Schulz 2011, 199). Besondere Bedeutung kam ferner den beiden Haager Friedenskonferenzen von 1899 und 1907 zu, an deren Zustandekommen nicht zuletzt William T. Stead (1849–1912) beteiligt war, einer der Gründerväter des internationalen Schülerbriefwechsels und Schüleraustauschs.

Die beiden hier unter Völkerverständigung zusammengefassten Punkte spiegeln auch die wichtigsten Beweggründe wider, internationale Schülerkontakte systematisch zu organisieren. Zum einen ging es um die praktische Anwendung und das Lernen der modernen Fremdsprachen, zum anderen um den Aufbau von persönlichen Kontakten und den Abbau von Vorurteilen, die letztlich dem Völkerfrieden dienen sollten. Dies waren auch die Hauptargumente für die Einführung des internationalen Schülerbriefwechsels, der hier als Ausgangspunkt für die Entstehung einer systematischen Organisation von Schülerkontakten steht.

3   Der internationale Schülerbriefwechsel

Um die Entwicklung vom internationalen Schülerbriefwechsel zum internationalen Schüleraustausch (3.3) zu verstehen, werden zunächst die wichtigsten Akteure (3.1) vorgestellt sowie die Organisation von Schülerbriefwechseln (3.2).[3]

3.1   Akteure

Als Gründervater des internationalen Schülerbriefwechsels gilt der Franzose Paul Mieille (1859–1933) (vgl. z.B. Massoul 1898, 87). Paul Mieille war Englischlehrer und unterrichtete ab 1897 am Lycée im südfranzösischen Tarbes. Auf britischer Seite bildet William T. Stead (1849–1912) zusammen mit Paul Mieille das Gründungsduo des internationalen Schülerbriefwechsels. William T. Stead war Journalist und Herausgeber der politischen Monatszeitschrift *Review of Reviews* und außerdem sehr engagierter Friedensaktivist. In Deutschland nahm sich Martin Hartmann (1854–1926) des internationalen Schülerbriefwechsels an; er machte aus dem Gründungsduo ein Gründungstrio. Martin Hartmann war Neuphilologe und unterrichtete Englisch und Französisch am König-Albert-Gymnasium in Leipzig. In Amerika wurde Edward Hicks Magill (1825–1907) zum Akteur des Briefwechsels. Magill unterrichtete Französisch am *Swarthmore College* in Pennsylvania (zu seinem Leben siehe Magill 1907).

Betrachtet man diese vier Urheber des internationalen Schülerbriefwechsels, wird das Zusammenspiel von historischem Kontext und individuellen Akteuren deutlich, das Innovationen – wie hier die systematische Organisation von Schülerkorrespondenz – möglich macht. Alle vier sind stark verwurzelt im historischen Kontext, der hier unter der Überschrift Völkerverständigung zusammengefasst wurde. Zunächst ist festzustellen, dass drei Fremdsprachenlehrer vertreten sind und ein friedensbewegter Journalist. Unter diesen Neuphilologen war insbesondere Martin Hartmann ein passionierter Vertreter der neusprachlichen Reformbewegung und bezeichnete sich selbst als „im lager der reform" (Hartmann, zit. in: Gassmeyer 1899, 349) stehend. Auch Paul Mieille ist in diesem reformerischen Lager anzusiedeln und vertrat ganz klar eine direkte Methodik mit dem Ziel der praktischen Sprachanwendung (z.B. Mieille 1901, 57f.). Diesem Ziel verschrieb sich auch Magill immer mehr, der im Laufe seines Lebens vom Alt- zum Neuphilologen wurde. Aber auch William T. Stead war bekannt für sein Interesse am Fremdsprachenlernen. An diesem Interesse Steads für moderne Fremdsprachen und wie sie am besten zu erlernen seien, zeigt sich die Verquickung der Sphären Fremdsprachenunterricht und Pazifismus. Unter den vier Initiatoren des internationalen Schülerbriefwechsels kann Stead als der Vertreter der internationalen Friedensbewegung gelten,

---

3   Siehe Schleich (2013) sowie ausführlich Schleich (2015, 161–327).

für die er sich bis zu seinem Lebensende unermüdlich engagierte. Er war beispielsweise beteiligt am Zustandekommen der beiden Haager Friedenskonferenzen, für deren Berichterstattung er Entscheidendes leistete. Immer wieder wurde er als möglicher Friedensnobelpreisträger gehandelt. Aber auch die Neuphilologen unter den Briefwechselinitiatoren zeigen deutliche Affinitäten zur Friedensbewegung und zu pazifistischem Gedankengut. Dies gilt insbesondere für Mieille, der friedensbewegte Vorträge hielt (z.B. Mieille 1902) und für Magill, dessen pazifistische Geisteshaltung in seinem quäkerischen Glauben wurzelte (z.B. Magill 1901). Ferner engagierten sich Mieille ebenso wie William T. Stead für die Verbreitung der Plansprache Esperanto. Auch hier wird die Bedeutung von Völkerverständigung im Sinne von sprachlichem Verstehen als Voraussetzung für ein friedliches Zusammenleben der Völker deutlich.

Zusammenfassend lässt sich sagen, dass die Personenkonstellation, wie wir sie hier sehen, nicht nur die personelle Zusammensetzung der Briefwechselorganisatoren zeigt, sondern die Akteure hier gleichzeitig ein aus dem historischen Kontext entspringendes Kontinuum der Ideen repräsentieren, das sich zwischen pazifistischem und neuphilologisch-reformerischem Gedankengut ergibt. Nimmt man diese Gemengelage der Ideen und die infrastrukturellen Voraussetzungen, die durch die Verkehrs- und Kommunikationsrevolution geschaffen worden waren sowie das persönliche Engagement und den Tatendrang der Akteure, erklärt sich die Entstehung des internationalen Schülerbriefwechsels.

3.2   Organisation

Auf Initiative Paul Mieilles und in Kooperation mit William T. Stead startete im Januar 1897 der internationale Schülerbriefwechsel zwischen Großbritannien und Frankreich. Dies gelang durch die Kooperation der von William T. Stead herausgegebenen *Review of Reviews* und der pädagogisch-didaktischen Zeitschrift *Revue Universitaire* mit Sitz in Paris, die Paul Mieille für eine Kooperation gewinnen konnte. Die beiden Zeitschriften agierten als zentrale Stellen der Organisation und Vermittlung von Briefpartnern. Bereits im März des Jahres 1897 gründete Martin Hartmann die deutsche Zentralstelle für internationalen Briefwechsel in Leipzig. Er machte sich allerdings unabhängig von Zeitschriften und nahm die Organisation von Briefwechseln selbst in die Hand, d.h. die Zentralstelle war verantwortlich für Werbung und Akquise im In- und Ausland, für die Zusammenstellung von Korrespondentenpaaren und das Verschicken der Adressen. Ähnlich dem deutschen Vorbild führte Magill am *Swarthmore College* den Briefwechsel ein, wo 1899 ebenfalls eine Zentralstelle gegründet wurde.

Wesentliche Punkte der Organisation und Durchführung der Schülerbriefwechsel waren folgende (vgl. Markscheffel 1903, 40ff.): Die Anmeldung erfolgte durch den Lehrer der modernen Fremdsprache, dem auch die Kontrolle der Briefwechsel oblag, die somit im neusprachlichen Unterricht verankert waren. Jeder Schüler sollte mindestens einmal im Monat schreiben. Mutter- und Fremdsprache sollten sich abwechseln. Fehler sollten gegenseitig korrigiert und kommentiert werden.

Es soll in diesem Beitrag um die systematische Organisation von Schülerkontakten in großem Stil gehen. Dass dies der Fall war, belegen die Zahlen, die insbesondere Martin Hartmann jährlich vorlegte. Er zählte für die Jahre 1897 bis 1914 nicht weniger als 44.329 Anmeldungen bei der deutschen Zentralstelle (vgl. Hartmann 1915, 649).

3.3 Vom Schülerbriefwechsel zum Schüleraustausch

Der internationale Schülerbriefwechsel führte auf zweierlei Weise zum Schüleraustausch. Zum einen kam es zu gegenseitigen Besuchen von Korrespondenten, zum anderen unternahmen zwei der Organisatoren Versuche, direkte Austausche, d.h. ohne vorhergehenden Briefwechsel, ebenfalls systematisch zu organisieren.

Besuche von Korrespondenten

Insbesondere nach der Jahrhundertwende mehren sich die Hinweise auf gegenseitige Besuche von Korrespondenten. Im Jahr 1901 schreibt Winkler, ein Lehrer, der selbst am internationalen Schülerbriefwechsel beteiligt war:

> Manchmal tauschen die Eltern ihre Söhne, die einander durch den Briefwechsel kennen gelernt hatten, während der Ferien persönlich aus. Vom pecuniären Standpunkte aus betrachtet, ist dies die billigste Art fremde Länder, ihre Sitten und Gebräuche kennen zu lernen und sich in der fremden Sprache gründlich auszubilden. (Winkler 1901, IV)

Hartmann berichtet im Jahr 1902, dass „die Fälle immer häufiger werden, dass die Korrespondenten sich gegenseitig persönlich besuchen" (Hartmann 1902, 42). Markscheffel, ebenfalls als Lehrer am Schülerbriefwechsel beteiligt, bestätigt ein Jahr später diese Beobachtung und begründet sie nicht zuletzt mit dem „immer bequemer werdenden Eisenbahnverkehr" (Markscheffel 1903, 32). Es kommt sogar – wenn auch vereinzelt – zu Besuchen von Amerikanern und Amerikanerinnen, die aus dem deutsch-amerikanischen Briefwechsel resultieren (vgl. Hartmann 1906, 368; Hartmann 1907, 354).

Neben diesen privat organisierten Austauschen von Korrespondentinnen und Korrespondenten, unternahmen sowohl Paul Mieille von Paris aus als auch William T. Stead Versuche, Schüleraustausche auch entkoppelt vom Briefwechsel systematisch zu organisieren.

Die Initiative Paul Mieilles

Bereits im Jahr 1898, also ein Jahr nach dem offiziellen Start des internationalen Schülerbriefwechsels, machte sich Paul Mieille daran, die systematische Organisation von Schüleraustauschen nach dem Muster des internationalen Schülerbriefwechsels zu initiieren. Er ging das Projekt in ganz ähnlicher Weise an wie zuvor die Einführung des internationalen Schülerbriefwechsels, d.h. er sicherte sich zunächst die Unterstützung der Unterrichtsverwaltung (siehe L'Étude pratique des langues vivantes et les échanges d'enfants. 1898, 123ff.). Die von Mieille vorgeschlagene Organisation sah vor, dass in jedem teilnehmenden Land ein Austauschbüro gegründet werden sollte, ein sog. *Bureaux d'Échanges interscolaires*. Der Austausch sollte auf Gegenseitigkeit beruhen, d.h. zwei Familien würden für einen gleich langen Zeitraum jeweils den Partner aus dem anderen Land bei sich aufnehmen, wobei auch organisiert werden sollte, dass die Partner etwa gleich alt sein und aus ähnlichen sozialen Verhältnissen stammen sollten und jeweils die Schule des anderen besuchen dürften. Für die Realisierung seines Vorhabens wandte sich Mieille an die anderen Initiatoren des Schülerbriefwechsels: Stead in London und Hartmann in Deutschland. Stead sicherte seine Beteiligung zu, Hartmann hingegen zeigte sich zögerlich (vgl. Hartmann 1904, 369; Mieille 1900, 44f.). Ursprünglich hatte Mieille gehofft, die *Revue Universitaire* würde wie im Falle der Schülerkorrespondenz auch für die Organisation von Austauschen zur Verfügung stehen (vgl. Mieille, zit. in L'Étude pratique des langues vivantes et les échanges d'enfants. 1898, 124). Von hier kam jedoch eine Absage (vgl. ebd., 124f.). So schlug Mieille in einem erneuten Beitrag in der *Revue Universitaire* einen Aktionsplan – „plan d'action" (Mieille 1898, 368) – vor, in dem er seine Kollegen aufrief, die Idee bekannt zu machen und Werbung zu machen sowie lokale Komitees zu bilden, die zur Organisation von Austauschen zusammenarbeiten sollten (vgl. ebd., 368). Mieilles Idee wurde zwar bis nach Amerika aufgenommen (vgl. Magill 1899, 50f.), allerdings kam es zunächst nicht zur Gründung von derlei Austauschbüros (vgl. Mieille 1900, 54). Einen praktischen Vorstoß hingegen machte die *Review of Reviews*.

„Exchange of Homes" der Review of Reviews

In der für ihn typischen Begeisterungsfähigkeit war William T. Stead derjenige, der Mieilles Vorschlag noch im selben Jahr 1898 aufgriff und mit Hilfe seiner Sekretärin E. Annie Lawrence in die Tat umsetzte. In der August-Ausgabe der *Review of Reviews* stellt Stead das neue Projekt vor:

> The plan I propose is this. Any master (for, of course, boys must make the venture first) who finds amongst his pupils a lad who has a sufficient knowledge of French or German to profit by study abroad, and is so circumstanced that to do so would be a real boon to him, is asked to find out whether the lad's parents would like him to go, and be willing to exchange him for a foreign boy for a time; the French or German lad to be received into the family, go to the school, and as far as possible take his place for the time being; their own son to be received into the foreign home in the same manner. If the home is one to be recommended and parents like the idea, the headmaster should then communicate with me, giving particulars, and with the co-operation of French and German schoolmasters I would make arrangements for the exchange. ([Stead, W. T. und Lawrence, E. A.] 1898c, 179)[4]

---

4   Da Steads Sekretärin E. Anne Lawrence mit der Redaktion der ohne Autorennamen erscheinenden Rubrik *Learning Languages by Letter-Writing* betraut war, werden stets beide Namen angeführt (siehe Fußnote in Schleich 2015, 207).

Lehrer konnten also ab sofort ihre Schüler für einen gegenseitigen Austausch anmelden, sofern sie diese für geeignet hielten und die Eltern ihr Einverständnis gaben. Da, so Stead und Lawrence, viele Eltern in England und Frankreich zumindest einem ihrer Kinder ermöglichen wollten, im Ausland eine Sprache sprechen zu lernen, konnten diese Eltern an die *Review of Reviews* schreiben, wo man versuchte, ein passendes ,Austauschkind' zu finden und den Kontakt zwischen den Familien herzustellen: „What we try to do is to place such parents in communication with one another" ([Stead, W. T. und Lawrence, E. A.] 1904b, 515). Gleichzeitig werden immer wieder auch Annoncen von Austauschgesuchen direkt veröffentlicht (vgl. z.B. [Stead, W. T. und Lawrence, E. A.] 1898b, 598).

Ebenso wie für Mieille (vgl. Mieille 1900, 54) war es auch für Stead erklärtes Ziel, die auf Gegenseitigkeit beruhenden Austausche nicht nur den Söhnen und Töchtern privilegierter Familien zukommen zu lassen: „for travel is an enlargement of the mind which in these days need not be confined to the wealthy" ([Stead, W. T. und Lawrence, E. A.] 1906, 321). Dass dieses Ziel – von Einzelfällen einmal abgesehen – erreicht wurde, muss allerdings bezweifelt werden.

Auch wenn es Erfolge zu verzeichnen gab (vgl. ([Stead, W. T. und Lawrence, E. A.] 1898a, 403), gestaltete sich die Vermittlung von Austauschpartnern von Anfang an doch deutlich schwieriger als die von Briefkorrespondenten. Immer wieder klagen Stead und Lawrence über die mangelnde Beteiligung von britischen Familien (z. B. [Stead, W. T. und Lawrence, E. A.] 1899, 279). Dennoch blieb Stead dem Projekt treu und so wurde der „Exchange of Homes" über die Jahre aufrecht erhalten und immer wieder hierüber in der *Review of Reviews* berichtet (exemplarisch [Stead, W. T. und Lawrence, E. A.] 1901, 208). Insgesamt blieb die Anzahl der direkt vermittelten Austausche aber wohl sehr überschaubar und deutlich geringer als die, die sich als Besuch nach einem Briefwechsel ergaben (vgl. Exchange of Homes. 1902, 80). Nichtsdestotrotz: Die Idee war in der Welt und ein Anfang gemacht.

4   Schüleraustausch: Weitere Initiativen und Entwicklungen

Die Suche nach weiteren und möglicherweise erfolgreicheren, systematischen Initiativen zur Organisation von Schüleraustauschen im Sinne Paul Mieilles führt dann auch zurück nach Frankreich, dem Sitz zweier neu gegründeter Austauschbüros: der *Société d'Échange International des Enfants et des Jeunes Gens pour l'Étude des Langues étrangères* (4.1) sowie des *Bureau scolaire international* (4.2). Mit einiger Verzögerung kam es schließlich auch zu Austauschinitiativen in Großbritannien und Deutschland (4.3).

4.1 J. Toni-Mathieu und die Société d'Échange International des Enfants et des Jeunes Gens pour l'Étude des Langues étrangères

In Frankreich gründete J. Toni-Mathieu im Jahr 1904 die *Société d'Échange International des Enfants et des Jeunes Gens pour l'Étude des Langues étrangères* (vgl. Toni-Mathieu 1909, 561). Toni-Mathieu war in der Schulverwaltung tätig (vgl. ebd., 560) und hatte im Jahr 1903 erstmals Austausche zwischen jungen Franzosen, Deutschen und Engländern organisiert; 50 Familien waren in diesem ersten Jahr beteiligt. Angesichts der guten Resultate und der öffentlichen Unterstützung gründete er ein Jahr später die neue Organisation unter der Schirmherrschaft diverser Persönlichkeiten aus Bildungspolitik und -verwaltung (vgl. ebd., 561). Die Zeitgenossen übersetzten den Namen seiner Organisation mit „verein für internationalen austausch junger leute" (Hartmann 1908, 15) und mit „Verein[] für Kinderaustausch behufs Erlernung fremder Sprachen" (Goodnight 1907, 106). Auch Martin Hartmann und William T. Stead unterstützten die Gründung mit ihren Namen.

Die Organisation verlief wie folgt: Die Gesellschaft unterhielt Komitees bzw. Korrespondenten in größeren Städten; in der Regel handelte es sich um Lehrer. Deren Aufgabe war es, Anmeldungen weiterzuleiten. Die Anmeldung erfolgte durch die Eltern, die hierfür ein Anmeldeformular mit Foto sowie ärztlichem Zeugnis einreichen mussten. Ferner musste die Anmeldung dem Direktor der entsprechenden Schule vorgelegt werden (vgl. Toni-Mathieu 1909, 562). Alle Anmeldungen wurden schließlich im Pariser Büro zentral gesammelt, wo man passende Austauschfamilien zusammenstellte und diese dann in Verbindung setzte (vgl. Toni-Mathieu 1905, 367f.). Für ihre Vermittlungstätigkeit erhielt die Gesellschaft schließlich auch finanzielle Unterstützung durch den Staat (vgl. Toni-Mathieu 1909, 563).

Berger – ein Lehrer, der selbst drei Schüler über Toni-Mathieu nach Frankreich vermittelte und sehr angetan über die Erfahrungen war –, erklärt das System und seine Vorzüge:

> Es handelt sich, kurz gesagt, darum, geeignete Schüler oder Schülerinnen während der Sommerferien in ein fremdes Sprachgebiet zu schicken, wo sie in guten Familien freundliche Aufnahme finden, wofür diese Familien ihre eigenen Söhne oder Töchter während des gleichen Zeitraumes den Eltern ihrer Feriengäste anvertrauen. Infolge dieser Gegenseitigkeit haben die jungen Leute für ihre Verpflegung im fremden Lande nichts zu zahlen — nur die Hin- und Rückreise macht einige Kosten — und es besteht die Gewähr dafür, dass sie aufmerksam und liebevoll behandelt werden. (Berger 1906, 51)

Es handelt sich also hier um einen Austausch im Wortsinne, da zwei Kinder zum gleichen Zeitpunkt und für die gleiche Zeitspanne jeweils in die Familie des Austauschpartners wechseln. Diese Art des Austausches hat neben der offensichtlich geringen finanziellen Belastung für Berger den Vorteil, dass sich beide Familien sicher sein können, dass das jeweils eigene Kind in der Austauschfamilie gut behandelt wird. Ferner bot das Prinzip des Austauschs von Familie zu Familie für Toni-Mathieu insbesondere den

Vorteil der „Isolierung"[5], sodass die Schüler in der Tat gezwungen waren, die Fremdsprache auch zu sprechen.

In diesem Zusammenhang taucht in den französischen Quellen immer wieder das Wort *otage* („Geisel') auf.[6] Die Vorstellung, über eine gewisse Garantie für die Wohlbehandlung des eigenen Kindes zu verfügen, dadurch, dass man das Austauschkind gleichermaßen als ‚Geisel' im eigenen Haus hatte, wurde offenbar als beruhigend empfunden. Dieser Wortgebrauch scheint insofern bemerkenswert, als er auf das Innovationspotenzial von Toni-Mathieus Initiative hinweist. Einerseits war das Reisen mit der Bahn im Laufe des 19. Jahrhunderts zur Normalität geworden. Die immer stärkere internationale Vernetzung war für viele Eltern direkt spürbar und sie wussten um die Bedeutung von Fremdsprachenkenntnissen. Sie waren grundsätzlich bereit, ihre Kinder alleine zu einer anderen Familie ins Ausland zu schicken; nicht zuletzt, weil ihnen die (beruflichen) Chancen klar waren, die mit einem solchen Austausch verbunden waren.[7] Andererseits wird durch die Wortwahl deutlich, dass es sich doch um eine Schwelle handelte, die hier überschritten werden musste und dass dieser Schritt mit durchaus ängstlichen Gefühlen einhergehen konnte. Dass sich Toni-Mathieus Büro erfolgreich etablieren konnte, hing also auch davon ab, dass mehr und mehr Eltern bereit waren, ihre Kinder alleine in die Ferne ziehen zu lassen. Auch wenn zunächst einigen Eltern wohler dabei war, wenn sie eine jugendliche ‚Geisel' gleichsam als ‚Pfand' behalten konnten: Der Möglichkeitsraum der Erwachsenen wurde nun in systematischer Weise für Schüler und alsbald auch für Schülerinnen geöffnet. Aber in welcher Größenordnung spielte sich die Organisation ab und wer waren die Teilnehmerinnen und Teilnehmer? Auf dem Internationalen Kongress für moderne Fremdsprachen, der 1909 in Paris tagte, stellte Toni-Mathieu die zahlenmäßige Entwicklung ab Beginn seiner Initiative vor:

---

5   Original: „[…], il faut que l'isolement de l'élève soit assuré, permanent et constant; […]" (Toni-Mathieu 1909, 559).

6   So z.B. bei Pinloche: „[…] et la famille peut être tranquille sur le sort de l'absent, puisqu'elle a pour ainsi dire un otage qui lui en répond" (Pinloche 1904, 368). Bei Toni-Mathieu heißt es: „[…] envoyer l'enfant d'une famille française, par exemple, dans une famille allemande, en échange de l'enfant de cette dernière, otage contre otage, […]" (Toni-Mathieu 1905, 367). Bereits Stead und Lawrence hatten geschrieben: „The parents would have a sort of hostage for the well-being of their own boys, […]" ([Stead, W. T. und Lawrence, E. A.] 1898c, 179).

7   Siehe hierzu aus dem Bericht eines englischen Lehrers über den zweiwöchigen Austausch eines englischen und eines französischen Schülers: „Dennis, too, has benefited much by his journey. Besides improving his French greatly, it has done much to make a man of him, able to go about the world and polite to others. It has been serviceable to him too in getting a situation. There were, I believe, some seventy or eighty applicants for his post (clerk to some firm with foreign business). He related his experiences to the head of the firm, who took him at once, and said it was the best thing he had heard of a school doing – i.e., organising exchanges of visits" (Brief des Londoner Lehrers F. E. Rogers vom 9.10.1904, zit. in: [Stead, W. T. und Lawrence, E. A.] 1904a, 555).

Tab. 1: **Zahlenmäßige Entwicklung der durch die *Société d'Échange International* ver-mittelten Austausche (während der Ferien und während des Schuljahres)**

	Échanges pendant les vacances	Échanges pendant le cours de l'année	TOTAL
1903	23	2	25
1904	35	9	44
1905	51	15	66
1906	89	31	120
1907	110	40	150
1908	126	46	172
	434	**143**	**577**

Quelle: Toni-Mathieu 1909, 563.

Toni-Mathieu unterscheidet zwischen Austauschen während der Ferien („Échanges pendant les vacances") und Austauschen während des Schuljahres („Échanges pendant le cours de l'année") und man sieht deutlich, dass für beide Arten des Austauschs Jahr für Jahr mehr Anmeldungen zu verzeichnen waren. Bis zum Kongress 1909 hätten über 600 Austausche stattgefunden, d.h. Toni-Mathieu zählt über 1200 ausgetauschte Kinder, Jugendliche und junge Erwachsene (vgl. Toni-Mathieu 1909, 563). Die Entwicklung verlief ihm teils sogar zu rasant, sodass er im Jahr 1907 berichtet, dass angesichts der Arbeits- und Kostenlast des Büros ein Anmeldestopp verhängt werden musste (vgl. Toni-Mathieu 1907, 371).

Die meisten Kinder und Jugendlichen, die an dem Austauschprogramm teilnahmen, kamen aus Lehrer- bzw. Beamtenfamilien (vgl. Toni-Mathieu 1906, 276); etwa ein Sechstel davon waren Mädchen (vgl. Toni-Mathieu 1909, 563). In lokaler Hinsicht waren die grenznahen Gebiete stark vertreten. Hauptpartner war Deutschland. So fanden beispielsweise im Jahr 1906 von 111 Austauschen 95 mit Deutschland bzw. Österreich statt: „Sur les 111 échanges de cette année, 95 ont été réalisés avec les pays de langue allemande" (Toni-Mathieu 1906, 276). Hiervon entfielen 89 auf Deutschland und 6 auf Österreich und Böhmen (ebd., 277). Dass in Deutschland die Nachfrage groß war, lag nicht zuletzt daran, dass hier Martin Hartmann, der Leiter der Leipziger Zentralstelle für internationalen Briefwechsel, alle eingehenden Anfragen zur Vermittlung von Schüler-austauschen an Toni-Mathieu weiterleitete, den er stets wärmstens empfahl (z.B. Hart-mann 1908, 15), sodass Toni-Mathieu auch in Deutschland einen großen Bekanntheits-grad gehabt haben dürfte (vgl. auch Breymann und Steinmüller 1909, 194f.). Dies gilt in vielleicht etwas geringerem Maße, aber sicherlich auch für die zweite größere französi-sche Initiative.

4.2 Victor Willemin und das Bureau scolaire international

Victor Willemin war Fremdsprachenlehrer und unterrichtete am Collège in Épinal, einer Stadt in Lothringen und damit in einer Grenzregion. Ganz anders als Toni-Mathieu gründete 1904 Victor Willemin in Épinal abseits von Paris und unabhängig von jeglicher offizieller Unterstützung ein weiteres Austauschbüro, das er *Bureau scolaire international* nannte (vgl. Gérard 1909, 547). Die Idee war auch hier, durch das Prinzip der Gegenseitigkeit vergleichsweise günstige Auslandsaufenthalte für Kinder, Jugendliche und junge Erwachsene zu ermöglichen (vgl. Willemin 1906, 9; siehe auch Willemin 1907 und 1908). Für die Vermittlung mussten die Eltern ebenfalls ein Anmeldeformular ausfüllen (siehe Anhang). Es waren Fragen zur Familien- und Schulsituation zu beantworten sowie zu den Sprachkenntnissen und dem Gesundheitszustand des Kindes Lage und Klima des Wohnortes der ansuchenden Eltern und zur gewünschten Dauer des Austausches. Für längere Aufenthalte war anzugeben, welche Schule besucht werden konnte (vgl. Willemin 1906, 38f.).

Die Zusammenstellung der Paare erfolgte dann in den meisten Fällen gemäß dem Beruf des Vaters (vgl. Willemin 1906, 4), da auch Willemin eine ähnliche soziale Herkunft der Austauschpartner für die wichtigste Voraussetzung für das Gelingen eines Austausches hielt. Die Väter der Teilnehmenden des ersten Jahres waren beispielsweise Lehrer, Beamte, Offiziere, Kaufleute, Ärzte oder Industrielle, berichtet er (vgl. ebd.). Gleichzeitig räumt er ein, dass die Austausche eine elitäre Angelegenheit seien und Kinder aus weniger wohlhabenden Familien, insbesondere solche, die auf dem Land oder in touristisch wenig attraktiven Gebieten lebten, nur schwer eine Chance auf Vermittlung hätten (vgl. Willemin 1909, 569).[8]

Willemins Berichten zufolge verliefen die Austausche in der Regel gleichzeitig; manche Besuche fanden aber auch hintereinander statt (vgl. Willemin 1906, 4). Die Austauschfamilien lebten in den Städten Angoulême im Westen Frankreichs, Rennes in der Bretagne, Paris, Hamburg, Dresden, München und Mailand (vgl. ebd., 4) und Austausche fanden nun auch weit über die Grenzregionen statt.

Ebenfalls auf dem Kongress von 1909 präsentierte Willemin Zahlen für die bisherige Entwicklung, wonach durch sein Büro von 1904 bis 1908 363 junge Leute an einem Austausch teilnehmen konnten. Davon entfielen auch hier die meisten – 270 – auf den deutsch-französischen Austausch (vgl. Willemin 1909, 569).

Zählt man also die Teilnehmer von beiden französischen Initiativen zusammen, wurden insgesamt zwischen 1903 und 1909 etwa 1500 junge Menschen durch die Büros von Toni-Mathieu und Willemin für einen Austausch ins Ausland vermittelt. Aber gab es auch Vermittlungsinitiativen in den Partnerländern?

4.3   Weitere Entwicklungen: Großbritannien und Deutschland

Sowohl in Großbritannien als auch in Deutschland kam es vergleichsweise spät zur Entwicklung von zentralen Stellen zur systematischen Organisation von Schüleraustauschen.

---

8   Er schreibt: „L'organisation des échanges profite surtout aux familles aisées ou même riches [...]. Les familles modestes, particulièrement celles qui habitent la campagne dans un pays sans charme naturel, ont souvent de la peine à échanger leurs enfants. On préfère la grande ville avec Université et Cours de vacances ou bien la montagne, la mer" (Willemin 1909, 569).

Modern Language Association

Im Jahr 1908 übergab die *Review of Reviews* die Organisation von Austauschen an die *Modern Language Society*. In der Zeitschrift *Modern Language Teaching*, dem offiziellen Organ der englischen *Modern Language Association*, die sich – vergleichsweise spät – erst 1904 konstituiert hatte, ist zu lesen, dass im Mai des Jahres 1908 das *Executive Committee* der *MLA* ein „sub-committee for the exchange of children" (Modern Language Association 1908, 155) ernannte. Hauptverantwortlich war die offenbar in der *MLA* recht aktive Miss Batchelor, aber auch Miss E. Annie Lawrence von der *Review of Reviews* gehörte diesem neuen Ausschuss zur Organisation von Austauschen an (vgl. ebd.). Anmeldungen waren nunmehr an Miss Batchelor zu schicken, wobei die Lehrer zu aktivem Mitwirken aufgerufen wurden, was die Bekanntmachung der Einrichtung und das Anmelden von Schülern betraf (vgl. The Scholars International Correspondence 1908, 93). Die *Review of Reviews* begrüßte das Engagement der *MLA* und berichtete weiterhin über die Entwicklung des internationalen Kinder- bzw. Schüleraustauschs (vgl. [Stead, W. T. und Lawrence, E. A.] 1908b, 524). Die Tatsache, dass Miss Lawrence im Austauschausschuss der *MLA* vertreten war, zeigt wohl, dass man gerne bereit war, Know-how sowie Kontakte zu teilen und so setzte auch Miss Batchelor die bereits bestehende Kooperation der *Review of Reviews* mit Toni-Mathieu fort (vgl. [Stead, W. T. und Lawrence, E. A.] 1910, 586). Dieser kümmerte sich offenbar um die Organisation der englisch-französischen (und damit um das Gros der in Großbritannien überhaupt stattfindenden) Austausche.

Was die Zahlen der erfolgreich durchgeführten Austausche angeht, so stiegen sie hier von 35 Austauschen im Jahr 1908 (vgl. International Exchange of Children. 1908, 180) auf 67 im Jahr 1913 (vgl. [Lawrence, E. Annie] 1913, 488). Allerdings blieb der Mangel an britischer Beteiligung ein Thema, so wie auch beim internationalen Schülerbriefwechsel die mangelnde Beteiligung der Briten oft beklagt wurde (vgl. [Stead, W. T. und Lawrence, E. A.] 1908c, 611). Insbesondere für Deutschland war es sehr schwierig, britische Austauschpartner zu finden, obwohl hier ein reges Interesse bestand (vgl. The Scholars International Correspondence. 1908, 93; International Exchange of Children. 1908, 180). Auf britischer Seite beklagte man, dass im Gegensatz zu Frankreich die Organisation von Austauschen mit Deutschland auch deshalb schwierig sei, weil es hier noch keine entsprechenden Ansprechpartner bzw. Vermittlungsbüros gebe (vgl. [Stead, W. T. und Lawrence, E. A.] 1908a, 308). Das sollte sich auch erst mit dem Jahr 1910 ändern.

Berliner Komitee für den internationalen Schüleraustausch

Denn erst im Februar des Jahres 1910 wurde das Berliner Komitees für den internationalen Schüleraustausch gegründet – auf Anregung von Toni-Mathieu hin und unter Vorsitz des Berliner Stadtschulrats (vgl. Schmidt 1913, 61ff.; Berliner Komitee für den internationalen Schüleraustausch 1912, 3–4). Das Berliner Komitee wurde ehrenamtlich betrieben, wobei mehrere Universitätsprofessoren beteiligt waren sowie Direktoren von höheren Schulen in Berlin. Einer der Beteiligten schreibt:

> Es handelt sich hier nicht um ein geschäftliches unternehmen, sondern um eine pädagogisch wichtige organisation; wohl gibt es viele deutsche, die den geschilderten austausch unternehmen würden, aber es fehlt an der vermittlungsstelle, die zugleich eine gewähr bietet. Hier ist sie. (Schmidt 1913, 62)

Das Komitee vermittelte Austauschgesuche unter Mithilfe von französischen Partnern. Insbesondere zu Toni-Mathieus *Société d'Échange International* pflegte das Komitee besondere Beziehungen – und zahlte 5 Mark pro Vermittlung. Weitere Gesellschaften, mit denen kooperiert wurde, waren das *Foyer à l'École* sowie die Zeitschrift *Concordia* (vgl. Schmidt 1913, 61ff.; Berliner Komitee für den internationalen Schüleraustausch 1912, 3f.).[9]

> Diese Gesellschaften, die auf derselben Grundlage arbeiten wie das Berliner Komitee, tauschten mit dem Berliner Komitee die beiderseitig geprüften Fragebogen aus, und mit ihrer Hilfe wurden die deutschen Gesuche nach Frankreich befriedigt." [...]. (Berliner Komitee für den internationalen Schüleraustausch 1913, 5)

So zeigt denn auch ein Blick auf die Zahlen, dass Austausche zwischen Deutschland und Frankreich bei Weitem überwogen. Insgesamt rechnet das Komitee die zahlenmäßige Entwicklung zwischen 1910 und 1913 wie folgt vor: 25 (1910) + 46 (1911) + 54 (1912) + 65 (1913) = 190 Austausche, „d.h. 380 junge Leute haben als Gäste innerhalb einer fremden Familie das Ausland in mehrwöchigem und mehrmonatigem Aufenthalt kennengelernt" (Berliner Komitee für den internationalen Schüleraustausch 1913, 3). Für die Jahre 1912 und 1913 schlüsseln sich die Zahlen wie folgt auf:

Tab. 2:   Zahlenmäßige Entwicklung der durch das Berliner Komitee vermittelten Austausche in den Jahren 1912 und 1913

Austausch	1912	1913
nach Frankreich	45 (35 Knaben, 10 Mädchen)	37 (26 Knaben, 11 Mädchen)
nach Belgien	-	12 (11 Knaben, 1 Mädchen)
i.d. frz. Schweiz	-	2 (2 Knaben)
nach England	9 (5 Knaben, 4 Mädchen)	12 (6 Knaben, 6 Mädchen)

Quellen: Berliner Komitee für den internationalen Schüleraustausch 1912, 3; 1913, 3.

Die große Mehrzahl der hier angezeigten Austausche fand in den Sommerferien statt und die mehrmonatigen Aufenthalte blieben die Ausnahme. Für das Jahr 1913 beispielsweise fanden 42 Austausche mit dem französischen Sprachgebiet in den Ferien statt, wohingegen nur neun Aufenthalte mehrere Monate dauerten (vgl. Berliner Komitee für den internationalen Schüleraustausch 1913, 3f.). Die Tabelle zeigt, dass das Berliner Komitee nach Alternativen zum Austausch mit Frankreich suchte und zu diesem Zweck zwei Ableger gegründet wurden: im November 1912 das Schweizer Komi-

---

9   Zur *Concordia* als Nachfolgerin von *L'Étranger*, dem Organ der *Société d'Études internationales* siehe Schleich 2015, 166ff.

tee in Genf und zu Ostern 1913 ein belgisches Komitee (vgl. ebd., 5), denn: „Angesichts der unruhigen politischen Lage [...] benutzten manche deutschen Familien die Gelegenheit, ihre Kinder nach der Schweiz und Belgien zu geben; [...]" (ebd., 8).

In Bezug auf die geographische Streuung der Austausche schreibt das Berliner Komitee:

> Wie sich aus der Statistik der beim Austausch berücksichtigten Orte ergibt, können die östlichen Teile des Reiches wenig oder gar im äussersten Teile nur in Ausnahmefällen dem Austausch erschlossen werden; wird doch niemand einem französischen Vater verdenken können, dass er sein Kind statt nach Königsberg lieber nach Düsseldorf gibt. Immerhin entfallen auf die Gegenden östlich der Elbe einschliesslich Gross-Berlin 22 Austausche. Auch ist es für diese weiteren Entfernungen schwierig, Mädchen auszutauschen. (Berliner Komitee für den internationalen Schüleraustausch 1912, 7)

Der Austausch überwindet also seine Limitierung auf die Grenzgebiete, wenngleich Kinder und Jugendliche in grenznäheren Gebieten nach wie vor bessere Chancen auf eine Teilnahme hatten. Dies galt insbesondere für die Mädchen.

Interessant ist ferner ein Blick auf die Berufe der Väter, die das Berliner Komitee auflistet. Für das Jahr 1912 sind vermerkt: jeweils 1 Zahnarzt und Förster; jeweils 2 Pastoren, Juristen, Ärzte, Baumeister und Ingenieure; 4 Professoren; jeweils 6 Lehrer und Beamte sowie 26 Kaufleute (Berliner Komitee für den internationalen Schüleraustausch 1912, 3). Die verhältnismäßig große Beteiligung der Kinder von Kaufleuten entspricht der gewachsenen Bedeutung von Fremdsprachenkenntnissen im Zuge der ersten Globalisierung. Da in Handel und Industrie Englisch noch wichtiger als Französisch war, wurden insbesondere auch Austausche nach Großbritannien nachgefragt, die allerdings nur selten erfüllt werden konnten. So berichtet das Berliner Komitee, dass im Jahr 1911 von 22 Gesuchen für den Austausch mit England nur 3 vermittelt werden konnten. Daraufhin reisten der zweite Vorsitzende des Komitees, Direktor Dr. Gropp, und der Schriftführer, Oberlehrer Dr. Karl Schmidt, nach London, um den Schüleraustausch dort zu propagieren und Partner zu finden. Sie wurden zum Neuphilologentag der *Modern Language Association* am 4. und 5.1.1912 in Birmingham eingeladen, wo weitere organisatorische Schritte beschlossen wurden. Es bildete sich ein Arbeitskomitee, dessen Sekretärin Miss Batchelor wurde. In der Liste der beteiligten Personen findet sich auch Miss Lawrence (vgl. Berliner Komitee für den internationalen Schüleraustausch 1912, 4f.).

Insgesamt war das Thema der gegenseitigen Schulbesuche in Deutschland offenbar so virulent, dass es hier bereits im Gründungsjahr des Berliner Komitees – in guter deutscher Manier – zum Ministerialerlass vom 24. Mai 1910 kam, der „die direktoren ermächtigt hat, den schülern und schülerinnen den nötigen urlaub zu geben, falls die ferien in den beteiligten ländern nicht völlig zeitlich zusammenfallen" (Schmidt 1913, 62; siehe auch Ehrke 1910, 317).

Noch im Jahr 1913 gibt sich das Berliner Komitee optimistisch, verweist auf den eigenen Erfolg und hebt noch einmal die Vorzüge des Schüleraustauschs hervor:

> Die jährlich steigende Zahl der Austausche zeigt, daß der Austauschgedanke in Deutschland immer mehr Boden faßt. Die Vorteile: die gute Gelegenheit, vom Familientische aus

Land und Leute kennen zu lernen, die Billigkeit, das Prinzip der Gegenseitigkeit sprechen genügend für die Einbürgerung der Einrichtung. (Berliner Komitee für den internationalen Schüleraustausch 1913, 11)

Zwischen 1898 und 1910 hatten sich also in Großbritannien, Frankreich und Deutschland Organisationen gebildet, die sich der systematischen Vermittlung von Schüleraustauschen verschrieben hatten, die zu diesem Zweck international kooperierten und deren Anmeldezahlen in den Jahren bis zum Ersten Weltkrieg Jahr für Jahr stiegen.

5   Fazit

Wenn man sich hier nochmals vergegenwärtigt, dass Kinderaustausche schon ab dem Mittelalter belegt sind, ist abschließend und zusammenfassend zu fragen: Was war neu um die Jahrhundertwende vom 19. zum 20. Jahrhundert? Neu war die Idee, Schüleraustausche durch zentrale Stellen systematisch und großflächig zu organisieren. Neu war auch die Verbindung dieser Organisation mit dem neusprachlichen Unterricht an höheren Schulen. Neu war das Ziel, Auslandsaufenthalte einer größeren Anzahl von Schülern möglich zu machen, insbesondere auch solchen, deren Familien keine privaten Kontakte ins Ausland hatten oder herstellen konnten.

Dass es sich bei den systematisch organisierten Austauschen um ein Novum handelte, zeigt sich in den Quellen auch auf der Ebene der Begrifflichkeiten. So fällt auf, dass in der Anfangsphase systematisch organisierter Austausche für alle drei Sprachen eine Fülle an Ausdrücken besteht: Es ist vom „Échange des jeunes gens et des enfants" (Willemin 1906–1908, Titel) die Rede, aber auch vom „Échange d'Élèvès entre Établissements ou Familles des différents pays" (Deniker 1901, 33), vom „exchange of pupils" ([Stead, W. T. und Lawrence, E. A.] 1898a, 403), „Exchange of Scholars" ([Stead, W. T. und Lawrence, E. A.] 1898b, 598; [Stead, W. T. und Lawrence, E. A.] 1905, 82) sowie vom „exchange of students" ([Stead, W. T. und Lawrence, E. A.] 1898c), „exchange of children" (Modern Language Association. 1908, 155; siehe auch International Exchange of Children. 1908, 180; [Lawrence, E. Annie] 1913, 488) und „exchange of homes" ([Stead, W. T. und Lawrence, E. A.] 1903, 607), vom „kinderaustausch" (Block 1899, 621), „internationalen kinderaustausch" (Goldschmidt 1909, 231) und vom „internationalen Schüleraustausch" (Berger 1906). Für ein neues – oder als neu wahrgenommenes – Konzept gab es noch keinen eindeutig zugewiesenen Begriff. Wenn man sich die deutschen Quellen ansieht, fällt auf, dass zunächst der Ausdruck „kinderaustausch" noch häufiger benutzt wurde und schließlich aber der Begriff „schüleraustausch" geläufig wurde. Dies erkennt man daran, dass beispielsweise im Jahr 1910 das Wort „Schüleraustausch" in den *Neueren Sprachen* erstmals in einer Überschrift vorkommt (vgl. Ehrke 1910, 316). In der Breymann'schen Reformbibliographie von 1909 stehen die Beiträge zum Thema dann auch unter der Überschrift „Internationaler Schüleraustausch" (Breymann und Steinmüller 1909, 194). Man kann beim Studium der Quellen sehen, wie ein Begriff auftaucht und sich etabliert, den wir auch heute noch benutzen, auch wenn er damals natürlich noch nicht alle Bedeutungsdimensionen des heutigen *umbrella terms* innehatte.

Weiterhin interessant ist die Beobachtung, wie sich innerhalb eines Zeitraums von weniger als fünfzehn Jahren eine Idee, die anfangs noch für unrealistisch gehalten wurde, durchsetzte, realisiert wurde und in den Bereich des Möglichen, wenn nicht gar des Alltäglichen überging. So sah der Lehrer Block im Jahr 1899 den „kinderaustausch" noch als Zukunftsvision: „Vielleicht werden auch bei uns mittel und wege gefunden, diese utopie zur wirklichkeit zu machen" (Block 1899: 625f.; siehe auch Kemény 1898, 181). Vierzehn Jahre später wird dann bei Schmidt deutlich, dass ein Schüleraustausch mittlerweile in den Bereich des ‚Normalen' fällt:

> In unserer zeit des riesigen eisenbahnverkehrs dünkt es nur noch wenige ängstliche gemüter ein großes unternehmen, bis an die grenzen des vaterlandes und darüber hinaus zu fahren. Zahlreich sind daher die unternehmungen, die diesen verkehr der jugend mit dem ausland erleichtern. (Schmidt 1913, 58)

Leider bereitete kurz darauf der Erste Weltkrieg den aufkeimenden Initiativen ein jähes Ende und entgegen aller Hoffnungen der Organisatoren gilt, was Tiemann nüchtern für die deutsch-französischen Jugendbeziehungen konstatiert, wohl auch für die hier untersuchten Austauschbestrebungen: „[Sie] waren vor dem Ersten Weltkrieg ein viel zu schwacher Faktor, als daß er den Lauf der Dinge im Sommer 1914 hätte beeinflussen können" (Tiemann 1989, 19).

Literatur

Quellen

Autorennamen, die zwar bekannt oder zuweisbar sind, aber in der Originalschrift nicht erscheinen, werden in eckige Klammern gesetzt. In eindeutigen Fällen wurden Vornamen aus Gründen der Einheitlichkeit ergänzt. Beiträge ohne Autorennennung sind gemäß des Titels alphabetisch eingeordnet.

Berger, M. (1906). Internationaler Schüleraustausch. In: *Zeitschrift für französischen und englischen Unterricht* 5, 51–52.

Berliner Komitee für den internationalen Schüleraustausch (1912). *Jahresbericht des Berliner Komitees für den internationalen Schüleraustausch für das Jahr 1912*. Berlin.

Berliner Komitee für den internationalen Schüleraustausch (1913). *Jahresbericht des Berliner Komitees für den internationalen Schüleraustausch für das Jahr 1913*. Berlin.

Block, J. (1899). Die internationale Schülerkorrespondenz. In: *Die neueren Sprachen* 6, 617–626.

Breymann, Hermann; Steinmüller, Georg (1909). *Neusprachliche Reform-Literatur (Französisch und Englisch). Viertes Heft (1904–1909). Eine bibliographisch-kritische Übersicht bearbeitet von Dr. Georg Steinmüller*. Leipzig: A. Deichert Nachf. (Georg Böhme).

Delobel, Georges (Hrsg.) (1909). *Congrès international des professeurs de langues vivantes de l'enseignement public tenu à Paris du 14 au 17 avril 1909.* Paris: Henry Paulin & Cie.

Deniker, J. (Hrsg.) (1901). *Congrès international de l'enseignement des langues vivantes tenu à Paris du 24 au 28 juillet 1900. Rapports, mémoires, liste des membres, etc.* Paris: Société pour la propagation des langues étrangères en France.

Ehrke, Karl (1910). Schülerbriefwechsel und Schüleraustausch. In: *Die neueren Sprachen* 18, 316–318.

Gérard, M. (1909). Bourses de voyage – échange des enfants. In: Delobel (Hrsg.), 537–548.

Goldschmidt, Moritz (1909). Der internationale Neuphilologenkongresz [sic] zu Paris (14.-17. April 1909). (Schluß). In: *Die neueren Sprachen* 17, 229–233.

L'Étude pratique des langues vivantes et les échanges d'enfants. (1898). In: *Revue Universitaire* 7/2, 123–126.

Exchange of Homes (1902). In: Stead et al. (Hrsg.), 80.

Gassmeyer, M. (1899). Bericht über die dritte Hauptversammlung des Sächsischen Neuphilologen-Verbandes (S.-N.-V.), abgehalten am 2. Juli 1899 zu Döbeln. In: *Die neueren Sprachen* 7, 348–371.

Goodnight, S. H. (1907). Einige moderne Einrichtungen im Interesse des fremdsprachlichen Unterrichts. In: *Monatshefte für deutsche Sprache und Pädagogik* 8, 99–106.

Hartmann, Martin K. A. (1902). An die briefschreibende Jugend der drei Zungen. In: Stead et al. (Hrsg.), 39–42.

Hartmann, Martin K. A. (1903). *Mitteilungen der deutschen Zentralstelle für internationalen Briefwechsel. Nr. 12 der Rundschreiben der deutschen Zentralstelle. Neue Folge.* Marburg: N. G. Elwert.

Hartmann, Martin K. A. (1904). Jahresbericht der deutschen Zentralstelle für internationalen Briefwechsel 1903–1904. In: *Die neueren Sprachen* 12, 358–369.

Hartmann, Martin K. A. (1906). Jahresbericht der deutschen Zentralstelle für internationalen Briefwechsel 1905–1906. In: *Die neueren Sprachen* 14, 362–374.

Hartmann, Martin K. A. (1907). Jahresbericht der deutschen Zentralstelle für internationalen Briefwechsel 1906–1907. In: *Die neueren Sprachen* 15, 351–363.

Hartmann, Martin K. A. (1908). *Mitteilungen der deutschen Zentralstelle für internationalen Briefwechsel. Nr. 17 der Rundschreiben der deutschen Zentralstelle. Neue Folge.* Marburg i. H.: N. G. Elwert.

Hartmann, Martin K. A. (1915). Jahresbericht der deutschen Zentralstelle für internationalen Briefwechsel 1913–14. In: *Die neueren Sprachen* 22, 648–667.

International Exchange of Children (1908). *Modern Language Teaching* 4, 180.

Kemény, Fr (1898). Eingeborene Lehrer für den Unterricht in den modernen fremden Sprachen. Eine Anregung. In: *Die neueren Sprachen* 6, 177–181.

[Lawrence, E. Annie] (1913). Languages and Letter-writing. In: *Review of Reviews* 48 (Dec.), 488.

Letters from Some Who Have Exchanged Homes (1901). In: Stead, Mieille und Hartmann (Hrsg.), 28.

Loev, E. v. (1901). Internationaler Kongress für fremdsprachlichen Unterricht zu Paris. 24.–28. Juli 1900. In: *Die neueren Sprachen* 9, 337–358.

Magill, Edward H. (1899). The International Correspondence. In: *Modern Language Notes* 14 (2), 48–51.

Magill, Edward H. (1901). The Best Methods to Prevent the Growth of the Military Spirit. In: *Advocate of Peace* 63 (8), 160–162.

Magill, Edward Hicks (1907). *Sixty-five years in the life of a teacher, 1841–1906*. Boston, New York: Houghton, Mifflin and Company.

Markscheffel, Karl (1903). *Der Internationale Schülerbriefwechsel. Seine Geschichte, Bedeutung, Einrichtung und sein gegenwärtiger Stand (Fremde und eigene Erfahrungen). Beilage zum Jahresbericht des Grossherzogl. Realgymnasiums zu Weimar.* Weimar: Druck der Hof-Buchdruckerei.

Massoul, Henry (1898). Versuch eines internationalen Schülerbriefwechsels. In: *Die neueren Sprachen* 5, 87–88.

Mieille, Paul (1898). A propos des Échanges interscolaires. Aux Professeurs de langues vivantes. In: *Revue Universitaire* 7/2, 366–369.

Mieille, Paul (1900). *La correspondance inter-scolaire et les correspondances internationales. Les bureaux d'échanges inter-scolaires.* Tarbes: J.-A. Lescamela, Imprimeur de la préfecture.

Mieille, Paul (1901). Des Méthodes d'Enseignement. In: Deniker (Hrsg.), 57–64.

Mieille, Paul (1902). *La Guerre future et les Associations pacifiques de femmes.* Tarbes: Lescamela.

Modern Language Association (1908). *Modern Language Teaching* 4, 155.

Pinloche, A. (1904). A propos des Échanges Internationaux. In: *Les Langues Modernes* 2 (11), 367–368.

Roßmann, Philipp (1900). *Ein Studienaufenthalt in Paris. Ein Führer für Studierende, Lehrer und Lehrerinnen.* Unter Mitarbeit von A. Brunnemann. 2. Aufl. Marburg: Elwert.

Schmidt, Karl (1913). Der Aufenthalt im fremden Lande als Bildungsmittel für unsere Jugend. In: *Die neueren Sprachen* 21, 58–63.

The Scholars International Correspondence (1908). In: *Modern Language Teaching* 4, 93.

[Stead, W. T.; Lawrence, E. A.] (1898a). Learning languages by letter-writing. In: *Review of Reviews* 18 (Oct.), 403.

[Stead, W. T.; Lawrence, E. A.] (1898b). Learning languages by letter-writing. In: *Review of Reviews* 18 (Dec.), 598.

[Stead, W. T.; Lawrence, E. A.] (1898c). The learning of languages. Why not an international exchange of students? In: *Review of Reviews* 18 (Aug.), 179.

[Stead, W. T.; Lawrence, E. A.] (1899). Learning languages by letter-writing. *Review of Reviews* 19 (Mar.), 279.

[Stead, W. T.; Lawrence, E. A.] (1901). Learning languages by letter-writing. In: *Review of Reviews* 24 (Aug.), 208.

[Stead, W. T.; Lawrence, E. A.] (1903). Learning languages by letter-writing. In: *Review of Reviews* 27 (June), 607.

[Stead, W. T.; Lawrence, E. A.] (1904a). Languages and Letter-writing. In: *Review of Reviews* 30 (Nov.), 555.

[Stead, W. T.; Lawrence, E. A.] (1904b). Languages and Letter-writing. In: *Review of Reviews* 29 (May), 515.

[Stead, W. T.; Lawrence, E. A.] (1905). Languages and Letter-writing. In: *Review of Reviews* 31 (Jan.), 82.

[Stead, W. T.; Lawrence, E. A.] (1906). Languages and Letter-writing. In: *Review of Reviews* 34 (Sep.), 321.

[Stead, W. T.; Lawrence, E. A.] (1908a). Languages and Letter-writing. In: *Review of Reviews* 37 (Mar.), 308.

[Stead, W. T.; Lawrence, E. A.] (1908b). Languages and Letter-writing. In: *Review of Reviews* 37 (May), 524.

[Stead, W. T.; Lawrence, E. A.] (1908c). Languages and Letter-writing. In: *Review of Reviews* 37 (June), 611.

[Stead, W. T.; Lawrence, E. A.] (1910). Languages and Letter-writing. In: *Review of Reviews* 42 (Dec.), 586.

Stead, William T.; Mieille, Paul; Hartmann, Martin (Hrsg.) (1901). *Comrades All. Annuaire de la Correspondance Interscolaire. Internationaler Schülerbriefwechsel.* London: "Review of Reviews" Office, Mowbray House.

Stead, William T.; Magill, Edward H.; Mieille, Paul; Hartmann, Martin (Hrsg.) (1902). *Comrades All. Annuaire de la Correspondance Interscolaire. Internationaler Schülerbriefwechsel.* London: "Review of Reviews" Office, Mowbray House.

Toni-Mathieu, J. (1905). L'échange international des enfants et des jeunes gens. In: *Les Langues Modernes* 3 (26), 367–375.

Toni-Mathieu, J. (1906). Les progrès de l'échange international. In: *Les Langues Modernes* 4 (35), 275–277.

Toni-Mathieu, J. (1907). L'échange international des enfants pendant l'année 1907. In: *Les Langues Modernes* 5, 369–372.

Toni-Mathieu, J. (1909). L'Œuvre de la Société d'échange international des enfants et des jeunes gens pour l'étude des langues étrangères. In: Delobel (Hrsg.), 559–568.

Willemin, Victor (1906). *Nos Fils à l'Étranger. Échange des jeunes gens et des enfants. 1re Année.* Épinal (Vosges): Bureau scolaire international pour l'étude des langues étrangères.

Willemin, Victor (1907). *Nos Fils à l'Étranger. Échange des jeunes gens et des enfants. 2e Année.* Épinal (Vosges): Bureau scolaire international pour l'étude des langues étrangères.

Willemin, Victor (1908). *Nos Fils à l'Étranger. Échange des jeunes gens et des enfants.* Épinal (Vosges): Bureau scolaire international pour l'étude des langues étrangères.

Willemin, Victor (1909). L'Œuvre du Bureau scolaire international d'Épinal. In: Delobel (Hrsg.), 569.

Winkler, Alexander (1901). Ueber die internationale Schülercorrespondenz. In: *XVIII. Jahres-Bericht der Landes-Oberrealschule in Mähr.-Ostrau für das Schuljahr 1900–1901, S.I-XX.* M.-Ostrau: Selbstverlag der Landes-Oberrealschule.

Sekundärliteratur

Dienel, Hans-Liudger (2009). Die Eisenbahn und der europäische Möglichkeitsraum, 1870–1914. In: Roth und Schlögel (Hrsg.), 105–123.

Eder, Ulrike (2006). *„Auf die mehrere Ausbreitung der teutschen Sprache soll fürgedacht werden“. Deutsch als Fremd- und Zweitsprache im Unterrichtssystem der Donaumonarchie zur Regierungszeit Maria Theresias und Josephs II.* Innsbruck: StudienVerlag.

Gebauer, Julia (2008). *Entstehung des Tourismus. Von der Kavalierstour bis zu den Anfängen der Pauschalreise.* Saarbrücken: VDM-Verl. Müller.

Glück, Helmut (2002). *Deutsch als Fremdsprache in Europa vom Mittelalter bis zur Barockzeit.* Berlin: W. de Gruyter.

Holl, Karl (1988). *Pazifismus in Deutschland.* Frankfurt a.M.: Suhrkamp.

Klenner, Markus (2002). *Eisenbahn und Politik 1758–1914. Vom Verhältnis der europäischen Staaten zu ihren Eisenbahnen.* Wien: WUV.

Klippel, Friederike; Kolb, Elisabeth; Sharp, Felicitas (Hrsg.) (2013). *Schulsprachenpolitik und fremdsprachliche Unterrichtspraxis. Historische Schlaglichter zwischen 1800 und 1989.* Münster: Waxmann.

Nonn, Christoph (2009). *Das 19. und 20. Jahrhundert.* 2., durchges. Aufl. Paderborn, *München,* Wien, Zürich: Schöningh.

Riesenberger, Dieter (1985). *Geschichte der Friedensbewegung in Deutschland. Von den Anfängen bis 1933.* Göttingen: Vandenhoeck u. Ruprecht.

Roth, Ralf; Schlögel, Karl (Hrsg.) (2009). *Neue Wege in ein neues Europa. Geschichte und Verkehr im 20. Jahrhundert.* Frankfurt a.M.: Campus.

Roth, Ralf (2009a). Die Entwicklung der Kommunikationsnetze und ihre Beziehung zur europäischen Städtelandschaft. In: Roth (Hrsg.), 23–62.

Roth, Ralf (Hrsg.) (2009b). *Städte im europäischen Raum. Verkehr, Kommunikation und Urbanität im 19. und 20. Jahrhundert.* Stuttgart: Franz Steiner Verlag.

Schleich, Marlis (2013). Die Anfänge des internationalen Schülerbriefwechsels. In: Klippel, Kolb und Sharp (Hrsg.), 139–151.

Schleich, Marlis (2015). *Geschichte des internationalen Schülerbriefwechsels. Entstehung und Entwicklung im historischen Kontext von den Anfängen bis zum Ersten Weltkrieg.* Münster: Waxmann.

Schulz, Matthias (2011). *Das 19. Jahrhundert (1789–1914).* Stuttgart: Kohlhammer.

Tiemann, Dieter (1989). *Deutsch-französische Jugendbeziehungen der Zwischenkriegszeit.* Bonn: Bouvier.

Zimmers, Barbara (1995). *Geschichte und Entwicklung des Tourismus.* Trier.

Anhang: Anmeldeformular für den Schüleraustausch

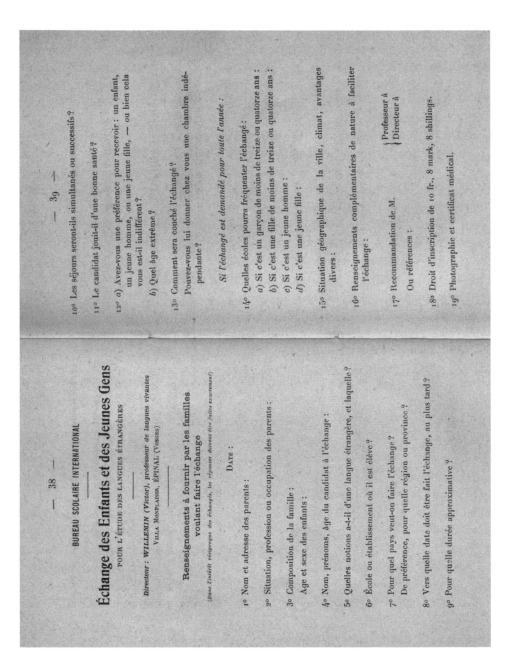

— 38 —

BUREAU SCOLAIRE INTERNATIONAL

Échange des Enfants et des Jeunes Gens
POUR L'ÉTUDE DES LANGUES ÉTRANGÈRES

Directeur: WILLEMIN (Victor), *professeur de langues vivantes*
VILLA MOSPLAISIR, ÉPINAL (VOSGES)

Renseignements à fournir par les familles
voulant faire l'échange

(Dans l'intérêt réciproque des échangés, les réponses doivent être faites exactement)

DATE :

1° Nom et adresse des parents :

2° Situation, profession ou occupation des parents :

3° Composition de la famille :
   Age et sexe des enfants :

4° Nom, prénoms, âge du candidat à l'échange :

5° Quelles notions a-t-il d'une langue étrangère, et laquelle ?

6° École ou établissement où il est élève ?

7° Pour quel pays veut-on faire l'échange ?
   De préférence, pour quelle région ou province ?

8° Vers quelle date doit être fait l'échange, au plus tard ?

9° Pour quelle durée approximative ?

— 39 —

10° Les séjours seront-ils simultanés ou successifs ?

11° Le candidat jouit-il d'une bonne santé ?

12° a) Avez-vous une préférence pour recevoir : un enfant, un jeune homme, ou une jeune fille, — ou bien cela vous est-il indifférent ?
    b) Quel âge extrême ?

13° Comment sera couché l'échangé ?
   Pouvez-vous lui donner chez vous une chambre indépendante ?

   Si l'échangé est demandé pour toute l'année :

14° Quelles écoles pourra fréquenter l'échangé ?
   a) Si c'est un garçon de moins de treize ou quatorze ans :
   b) Si c'est une fille de moins de treize ou quatorze ans :
   c) Si c'est un jeune homme :
   d) Si c'est une jeune fille :

15° Situation géographique de la ville, climat, avantages divers :

16° Renseignements complémentaires de nature à faciliter l'échange :

17° Recommandation de M.
   Ou références :
   { Professeur à
   { Directeur à

18° Droit d'inscription de 10 fr., 8 mark, 8 shillings.

19° Photographie et certificat médical.

Quelle: Willemin 1906, 38f.

Camilla Badstübner-Kizik

„Wie spreche ich mit meinen Arbeitern?"

Ein ungeliebtes Erbe des Fremdsprachenunterrichts Deutsch

1   Einleitung

Der folgende Beitrag spricht ein Thema an, das im Kontext des Unterrichts Deutsch als Fremdsprache bisher noch kaum berührt wurde. Die Beziehungen von Deutsch sprechenden Personen zu einem anderssprachigen Umfeld unterlagen etwa von der Mitte des 19. bis zur Mitte des 20. Jahrhunderts einem politisch-ökomischen Bedingungsgefüge, das nicht selten stark hierarchisch geprägt war. Das trifft in besonderem Maße auf das östliche Mitteleuropa zu. Der Anspruch vermeintlicher Überlegenheit Deutsch sprechender Personen wird in vielen Lehrmaterialien aus dieser Zeit, vor allem in den Bereichen Lexik und Grammatik, spürbar. Der Fremdsprachenunterricht Deutsch hat sich diesem kaum reflektierten ungeliebten Erbe zu stellen. Pars pro toto soll an der genaueren Analyse von zwei bis 1940 wiederholt aufgelegten Gesprächsbüchern für deutschsprachige Verwalter (Erstausgaben 1903, 1916) gezeigt werden, wie deren Kontakt zu polnischsprachigen Arbeiterinnen und Arbeitern verlaufen sollte. Hintergrund der Analyse bildet ein summarischer Blick auf den Wandel der Beziehungen zwischen den Sprecherinnen und Sprechern des Deutschen und des Polnischen vor den wirtschaftlichen und politischen Entwicklungen in Mitteleuropa seit dem Ausgang des Mittelalters.

Der Titel dieses Beitrages, als provokante Verkürzung gemeint, nutzt das Grundwort „Arbeiter" als kleinsten gemeinsamen Nenner vieler möglicher deutscher Nominalkomposita. Eine unter mehreren Reihungen, die sich bilden lassen, trägt – trotz deutlicher Unterschiede – hierarchisierenden Charakter: In die Begriffe Wanderarbeiter, Landarbeiter (auch landwirtschaftliche Arbeiter) und Saisonarbeiter ist eine kürzere oder längere Migration zu einem Arbeitgeber hin sowie eine Temporalität des bestehenden Arbeitsverhältnisses und damit eine örtliche und zeitliche Abhängigkeit eingeschrieben. Die Bezeichnungen Fremdarbeiter und Zwangsarbeiter stellen die diesem Prozess eingeschriebene Distanz zwischen beiden Seiten, Unfreiwilligkeit und Rechtlosigkeit heraus. Wanderung, landwirtschaftlich bedingte Saisonalität, Fremde und gar Zwang verweisen auf eine wirtschaftlich und/oder politisch bedingte Notlage, aus der es keinen anderen Ausweg gibt, als ein vertrautes, als wirtschaftlich bzw. politisch ,unterlegen' eingestuftes Umfeld, Familie, Freunde und Sprache zu verlassen und im Dienst von ,überlegenen' Arbeitgebern diejenigen Tätigkeiten auszuführen, die von diesen verlangt werden.[1] Jedes dieser Komposita oszilliert zwischen wirtschaftlicher Notlage, Vorläufigkeit, Unsicherheit und ggf. extremer Unrechtmäßigkeit, ihnen gemeinsam ist eine implizierte zeitliche Bedingtheit sowie ein unterschiedliches Ausmaß von rechtlicher Abhängigkeit. Der Status der so bezeichneten Personen steht in Relation zum Status der Region oder des Landes ihrer Herkunft[2] in Bezug auf Deutschland zu einem bestimmten Zeitpunkt, die Begriffe sind historisch konnotiert, keiner von ihnen ist wertfrei und für aktuelle Entwicklungen noch zu gebrauchen. Die unter diesen Bezeichnungen migrierenden Personen waren in der überwiegenden Mehrheit Sprecherinnen und Sprecher des Polnischen, Ukrainischen, Russischen, Kroatischen und Serbischen, aber auch des Französischen oder Italienischen. Seit den 1870ern bis zum Jahre 1945 arbeiteten sie in unterschiedlichen Konstellationen und aus unterschiedlichen Gründen auf deutschsprachigem Gebiet – dazu gehörten Zwang und Not, aber auch der Wunsch, die eigenen und familiären Lebensumstände zu verbessern. Deutschsprachige Bezugspersonen und damit die Sprache Deutsch bildeten daher immer einen festen Bestandteil dieser Arbeits- und Abhängigkeitsverhältnisse. Aus der Perspektive von Linguistik, Soziolinguistik und auch Fremdsprachendidaktik stellen sich hierzu fundamentale Fragen: Wie kommunizierten Arbeitgeber und Arbeitnehmer miteinander? Wie spiegelten die in den genannten Arbeitsverhältnissen genutzten Sprachen die ihnen eingeschriebenen Hierarchien? Konkreter gefragt: Wer sprach wann zu wem in welcher Sprache und worüber? Wie wurde etwas gesagt? Was wurde nicht gesagt? Über ihre Sprecherinnen und Sprecher geraten hier auch Sprachen in hierarchische Konstellationen – die dominierende Rolle kommt dabei der Sprache der Arbeitgeber – Deutsch – zu. Sie beginnen und beenden die Arbeitsverhältnisse, sie treffen die Entscheidungen, sie fordern, bestimmen und organisieren den Arbeitstag, sie schätzen die Arbeitsleistung ein, sie zahlen Lohn, loben, strafen usw.

2   Sprachliche Hierarchien

Im Folgenden soll ein Ausschnitt aus der Vielzahl der in diesem Kontext möglichen hierarchisch organisierten Sprachenkombinationen betrachtet werden – die zwischen Deutsch und Polnisch. Das Verhältnis zwischen beiden Sprachen war im Ergebnis politischer und wirtschaftlicher Entwicklungen und im Kontext von sich verändernden Staatsgebilden bis ins 20. Jahrhundert hinein vielen Veränderungen unterworfen. In der

---

1   Auch der Begriff des Gastarbeiters hat – für die Bundesrepublik Deutschland ab 1955 bis in die 1970er Jahre – in dieser Reihung seinen Platz, wenngleich eine indirekte Abhängigkeit durch grundsätzlich positive Assoziationen rund um das Begriffsfeld von Anwerbung und Gästestatus verdeckt wird. Der Begriff wird dennoch heute eher als Euphemismus gewertet (vgl. z.B. Krüger-Potratz 2005, 191f.) Für die DDR wurde etwa zeitgleich (1960er bis 1980er Jahre) der Begriff Vertragsarbeiter verwendet. Vgl. summarisch auch Beier-de Haan 2005.

2   Es handelte sich vor allem um Regionen mit relativ schwacher industrieller Infrastruktur. Hinzu kam in vielen Fällen eine politische Abhängigkeit der Herkunftsländer von den unterschiedlichen zwischen 1879 und 1945 auf deutschem Gebiet bestehenden Staatsformen.

frühen Neuzeit präsentierten sich deutsche und polnische Staatlichkeiten, das Heilige Römische Reich deutscher Nation und Polen-Litauen, als multiethnische und multilinguale Gesellschaften. In der deutsch-polnischen Kontaktzone spielte das Deutsche als Kanzlei-, Amts- und Verkehrssprache eine große Rolle (vgl. Bömelburg/Kizik 2014, 123ff.), insbesondere im polnischen Königlichen Preußen (mit Danzig, Elbing und Thorn) und im Herzogtum Preußen. Auch im Inneren der polnischen Territorien, etwa in Krakau oder Posen, waren ein großer Teil der Stadtbevölkerung und Teile der Landbevölkerung deutschsprachig. Grund waren nicht zuletzt anhaltende Wanderungsbewegungen in West-Ost-Richtung. In Abhängigkeit von der Konfession – protestantisch oder katholisch – und als Ausdruck wachsenden Selbstbewusstseins polnischsprachiger Eliten nahm der Anteil des Polnischen seit dem 16. Jahrhundert allmählich zu, zunächst als Kirchen- und Literatursprache, später auch als Sprache politischer Debatten. Durch seine im Vergleich mit anderen slawischen Sprachen relativ früh einsetzende Kodifizierung stieg Polnisch in den Rang einer slawischen Lingua Franca im nordöstlichen Europa auf und wurde im 17. und 18. Jahrhundert weithin verstanden; Polnisch galt als attraktiv und wurde als bedeutendste slawische Literatur- und Kanzleisprache bis in die erste Hälfte des 19. Jahrhunderts in der gesamten Region genutzt. Im 16. und 17. Jahrhundert kann dementsprechend in vielen Regionen des deutsch-polnischen Kontaktbereiches mit deutsch-polnischer Zweisprachigkeit gerechnet werden. Polnischkenntnisse galten in deutschsprachigen Adelskreisen als karrierefördernd, etwa am Warschauer Hofe der Wasa und der Wettiner; für deutschsprachige Kaufleute und Handwerker waren sie eine wesentliche Voraussetzung prosperierender Geschäfte. Deutschsprachige Stadtbürger in preußischen und schlesischen Städten waren interessiert daran, Polnisch in der Schule zu lernen, polnische Gesprächsbücher, Grammatiken, Wörterbücher, Briefsteller und dgl. erfreuten sich großer Beliebtheit und wurden zahlreich und immer wieder neu verlegt. Als exemplarisch kann hier das 1612 erstmals erschienene Gesprächsbüchlein des Nicolaus Volckmar aus Danzig gelten, dessen mindestens 22 Auflagen bis 1758 von einem ungebrochenen anhaltenden Bedarf künden. Die in den Viertzig Dialogi Volckmars enthaltenen Gesprächssituationen umfassen unterschiedliche thematische Bereiche aus Alltags- und Berufsleben – darunter einfachste „Nützliche Wendungen" (Grüßen, Zahlen, Zeitangaben usw.) sowie Gespräche rund um Tagesablauf, Haus und Haushalt, Handel und Gewerbe, Zerstreuungen und Politik, Jahresablauf, Lebensstationen und Feste. Wie andere Gesprächsbücher der Zeit auch, waren die Dialogi reziprok angelegt: Deutsch und Polnisch als Fremdsprachen waren nicht grundsätzlich voneinander getrennt, immer wurde ein doppelter Adressatenkreis angesprochen. Die Protagonistinnen und Protagonisten der Gespräche (z.B. Kaufleute, Handwerker, Landwirte, Kirchgänger, Hausfrauen, Schüler und Lehrer) traten, unabhängig von Ausgangs- und Zielsprache, gleichberechtigt auf, ihre Rollen waren austauschbar, sie waren einander sprachlich ebenbürtig. Vorrede und Inhaltsverzeichnis von Volckmars Schrift geben davon beredten Ausdruck.

> Wie sehr nötig und nützlich die Teutsche und Polnische Sprache sei, beide Kaufleuten und Handwerkern, Mann und Weibs Personen, großen und kleinen, sonderlich an diesen Örtern, da beide Nationen gleichsam durcheinander gemengt sein und stets miteinander zu

tun haben, ist männiglichen besser bewusst, als das es viel Beweisens bedürfe. (Volckmar 1612, Vorrede, o.S., zitiert nach Kizik 2005, 8)

Neben der Schule wurde das Erlernen der jeweils anderen Sprache auch über Kinder-tausch zwischen gleichgestellten Familien organisiert, wie es etwa der Küster der Dan-ziger Marienkirche, Eberhard Bötticher (1554–1617), in seinen Erinnerungen vermerkt (vgl. dazu Kizik 2013, 74f.).[3] Unter den Sachsenkönigen August II. und August III. (1687–1763) kamen vermehrt deutschsprachige Beamte, Künstler und Architekten ins Land, die aus beruflichen und privaten Gründen ein Interesse daran hatten, Polnisch zu lernen. Auch sie agierten unter der Voraussetzung, dass beide Sprachen gleichberechtigt seien und über vergleichbares Prestige verfügten. Zusammenfassend spricht die Fachli-teratur für die Zeit bis zum Anfang des 19. Jahrhundert von einer „relativen – und in der deutsch-polnischen Verflechtungsgeschichte niemals wieder erreichten – Symmetrie" (Bömelburg/Kizik 2014, 136), dies gilt nicht zuletzt für die Wahrnehmung beider Spra-chen und ihre Stellung im fremdsprachenpädagogischen Kanon der jeweils anderen Sprachgemeinschaft.

Die dreifachen Teilungen Polens 1772, 1793 und 1795 stellten für die Beziehungen zwischen deutschem und polnischem Sprachraum einen entscheidenden Einschnitt dar: Zwei von drei Teilungsmächten waren deutschsprachig. Polnisch büßte auf den Preußen und Österreich einverleibten Territorien seine Rolle als Staatssprache ein und in dem von Russland besetzten zentralen Teil Polens mit Warschau, dem sog. Kongresspolen, dominierte bald das Russische. Zwar kann davon ausgegangen werden, dass sich die Vertreter der Teilungsmächte schnell bewusst machten, dass sie ohne Polnischkenntnis-se ihre Ziele nur begrenzt durchsetzen konnten (vgl. Bömelburg/Kizik 2014, 138), gleichzeitig aber ging es auch darum, die eigene Sprache in Verwaltung und Öffentlich-keit zu etablieren – nicht zuletzt deshalb, weil sich wichtige Macht- und Entscheidungs-zentren in Richtung Westen (Berlin) und Südwesten (Wien) verschoben und von dort zahlreiches Verwaltungspersonal in die polnischsprachigen Gebiete kam, das, agierend aus der Perspektive der hierarchischen Beziehung zwischen Teilungsmacht und geteil-tem Land, sprachliche Reibungsflächen möglichst minimieren wollte. Dies bedeutete eine allmählich stärker werdende Grenzziehung zwischen offiziellem und privatem Sprachgebrauch, eine linguistische Antagonisierung.

Am Beispiel der Beziehungen zwischen Deutsch und Polnisch zwischen dem späten 18. und der Mitte des 20. Jahrhunderts lässt sich der komplexe Prestigewert zeigen, der Sprachen zugeschrieben werden kann. Er bezieht sich „in erster Linie auf die soziale Hierarchie [der Sprecherinnen und Sprecher, CBK] nach Macht und Sozialschichtung" (Ammon 1993, 483). Sprachen mit höherem Prestige werden demnach eher in förmli-

---

3   Vgl.: Memorial oder Gedenckbuch durch mich Eberhard Bötticher für mich und die mey-nen zu langwerender gedechniß beschrieben, Soli Deo Gloria, Danzig 1616 (Archiwum Państwowe Gdańsk [Staatsarchiv Danzig], Sign. 300, R/L1, q, 31): p. 152r. (betrifft das Jahr 1565): „Den 12 January ist mein Bruder Caspar von Posen gekommen, da er nu 3 Jar gewesen, die Polnische Sprach zu lernen wie vorgemeldt ist." sowie p. 191r (betrifft das Jahr 1571): „Den 17 Augusti ist meyner Schwester Catharina von Thorn kommen nach dem sie fast in die 2 Jar bey dem Herrn Bretschen gewesen die Polonische Sprach zu ler-nen" (vgl. dazu auch Kizik 2013, 75).

chen Situationen gebraucht, ihre Nutzung ist dem sozialen Aufstieg förderlich. Für Sprachen mit niedrigerem Prestige gilt das Gegenteil, gleichwohl sind sie oftmals in anderer Hinsicht sehr viel positiver besetzt – etwa als manifester Ausdruck verschwindender oder niedergehaltener kultureller Identität. Schließlich können sie Ersatzfunktionen übernehmen: Eine marginalisierte Sprache wird dann zum Zeichen des Strebens nach Unabhängigkeit, zum Symbol des Widerstandes. Die Symmetrie zwischen Polnisch und Deutsch verschwand mit dem Ende des polnisch-litauischen Staates: Deutsch (im russischen Teilungsgebiet analog Russisch) wurde zur Sprache ungeliebter, fremder politischer Machthaber. Ohne hier auf Einzelheiten eingehen zu können, sei die Tendenz angedeutet, in die sich dies bis zur Wiedererstehung des polnischen Staates im Jahre 1918 fast zwangsläufig entwickeln musste – insbesondere im preußischen Teilungsgebiet, das gegenüber dem österreichischen durch eine sehr viel stärkere Restriktivität, nicht zuletzt in Bezug auf die polnische Sprache, gekennzeichnet war. Gegen Ende des 19. Jahrhunderts kam es v.a. in Großpolen, dem Gebiet um Posen, während des sog. „Kulturkampfes" zu Versuchen einer vollständigen Verdrängung des Polnischen aus dem öffentlichen Leben. „Kulturkampf" meint ursprünglich die Auseinandersetzungen des preußischen Reichskanzlers Otto von Bismarck mit der politischen Opposition, die von der katholischen Kirche unterstützt wurde. Deutsche und polnische Katholiken – und damit die Mehrheit der polnischsprachigen Bevölkerung im Reich – zogen hier an einem Strang. „Kulturkampf" wird aber – zumal in Polen – oftmals auf einen regelrechten Sprachenkrieg reduziert, dessen Kulminationspunkt der Zwang zu deutschsprachigem Religionsunterricht an den Volksschulen im preußischen Teilungsgebiet war, auch für polnischsprachige Katholiken. Sprichwörtlich ist hier der Wreschener Schulstreik von 1901, in dessen Kontext 1908 die sogenannte Rota (Eid) entstand, ein später mehrmals vertonter Text der Dichterin Maria Konopnicka (1842–1910), der die Konfrontation der Sprachen auf den Punkt brachte.[4] Bis zur Gründung der Zweiten Polnischen Republik im Jahre 1918 hatte die emotionale Abgrenzung und assoziative Fixierung beider Sprachen – Machthaber auf der einen und Untertanen auf der anderen Seite – damit einen vorläufigen Höhepunkt erreicht: Eine dominierende Sprache stand einer marginalisierten Sprache gegenüber.[5]

---

4   Die heute bekannteste Vertonung stammt von Feliks Nowowiejski (1877–1846). Der Text wurde in seiner Rezeptionsgeschichte an den mythisch überhöhten Sieg der vereinigten polnisch-litauischen Heere über die „deutschen" Kreuzritter in der „Schlacht von Tannenberg" (Bitwa pod Grunwaldem) 1410 geknüpft (Uraufführung 1910 zum 600-jährigen Jubiläum der Schlacht). Das Lied (insbesondere Strophe 3, vgl. z.B. die Zeilen „Der Deutsche wird uns nicht ins Gesicht spucken und unsere Kinder germanisieren") wird bis heute in polnischen nationalkonservativen und nationalpatriotischen Kreisen gerne als Symbol der Distanz zu Deutschland und zur deutschen Sprache genutzt. Vgl. für Original und Übersetzung https://de.wikipedia.org/wiki/Rota_(Lied). Zum polnischsprachigen Text vgl. z.B. Wawrzykowska-Wiercichowa 1988.

5   Vgl. zur Geschichte des Sprachenunterrichts in den preußischen Teilungsgebieten Glück 1979; für umfangreiche Angaben zum Sprachenunterricht „in den polnischen Ländern" im Zeitraum vom 16. Jahrhundert bis zum Jahre 1918 Glück/Schröder 2007; zur Motivation von „Ausländern" zum Polnischlernen z.B. Dąbrowska 2008.

Anfang der 1920er Jahre befanden sich auf dem Gebiet der 1918 neu gegründeten polnischen Republik unter ca. 27 Millionen Staatsbürgern etwa zwei Millionen Deutsche. Die Hälfte von ihnen wanderte in den folgenden Jahren in das Staatsgebiet der Weimarer Republik aus, vor allem galt dies für das Abtretungsgebiet des polnischen Korridors (größtenteils das einstige Westpreußen) und fast die ganze Provinz Posen. Eine (umstrittene) Volkszählung von 1921 ergab mehrere ethnische Gruppen, darunter 18 Millionen Polen (69,2 %) und 1,06 Millionen Deutsche (3,9 %), die in Polen beheimatet waren (vor allem im polnischen Korridor, in der Gegend um Posen, in Łódź und in Wolynien). Die zweite polnische Republik war ein multinationaler und multilingualer Staat, im offiziellen Sprachgebrauch wurde jedoch ihr polnischer Charakter betont. Die rechtlichen Regelungen gestanden der deutschen Minderheit ein Recht auf eigene Schulen, Presse und Verlage zu, analog galt dies für die polnische Minderheit im Deutschen Reich. 21 Jahre später, am 1. September 1939, fiel die Wehrmacht in Polen ein, es folgten sechs Jahre grausamer Besatzung sowie die Unterdrückung und Vernichtung polnischsprachiger Intelligenz und polnischer Sprach- und Kulturzeugnisse. „Im besetzten Polen wird von den Nationalsozialisten eine entlang ethnischen Grenzen extrem ausdifferenzierte Schulpolitik erprobt" (Hansen 2006, 1). Existierende Schulen wurden geschlossen, Lehrkräfte und Lehrbücher abgesetzt, die Schulpflicht aufgehoben bzw. stark reduziert. Gleich nach September 1939 erfolgte eine „Deutschnahme" (vgl. Hansen 2006, 3), d.h., eine Klassifizierung der Bevölkerung nach ihrem „Eindeutschungspotenzial". Nicht „eindeutschungsfähige Polen" – ohne deutsche Abstammung, Namen und minimale Kenntnisse der deutschen Sprache sowie „aktiv für das Polentum eintretend" – standen als „Schutzangehörige" auf der vorletzten Stufe, nach „fremdvölkischen" Gruppen wie Ukrainern und Goralen und vor „Juden und Zigeunern: ohne Rechtsstatus" (Hansen 2006, 4f.). Dies spiegelte sich auch im Schulsystem, und damit in der mutter- und fremdsprachlichen Bildung, wider: Im sog. Reichsgau Wartheland wurde für polnische Kinder beispielsweise eine „Minimalschule" eingeführt, mit zwei Tagen Unterricht pro Woche, im ‚Generalgouvernement' wurden sie sehr schnell in Berufsschulen gelenkt. Die Schulbildung, die die Nationalsozialisten im besetzten Polen planten, sah – neben der Stärkung des „Deutschtums" in den oberen Gruppen der „rassischen" Einteilung – die Ausbildung williger und unterwürfiger Arbeitskräfte vor. Mittlere und höhere polnischsprachige Schulbildung wurde weitgehend in den Untergrund abgedrängt. Parallel dazu liefen massive Umsiedlungsprozesse an, darunter ein umfangreicher Austausch großer Bevölkerungsgruppen zwischen der UdSSR und Deutschland im Zuge des deutsch-sowjetischen Nichtangriffspaktes (1939–1941): Vor allem aus Lettland, Estland und Bessarabien sowie aus okkupierten, ‚angeschlossenen' und von Deutschland vereinnahmten Regionen siedelten Bauern in den besetzten polnischen Gebieten und bewirtschafteten das ihnen dort zugeteilte Land. Die überwiegende Mehrheit von ihnen war des Polnischen nicht mächtig (vgl. z.B. Arani 2014; Daniluk 2014). Hinzu kam die gesamte Bandbreite grausamer Unterdrückungsmethoden von deutschsprachigen gegenüber polnischsprachigen Personen. Der Kontakt zwischen Sprecherinnen und Sprechern beider Sprachen unterlag in der Folge dieser Entwicklungen einer immer stärkeren Konfrontation mit enormer negativer emotionaler Besetzung auf beiden Seiten.

Die sich seit den polnischen Teilungen anbahnende und während der Okkupation Polens durch das Dritte Reich noch verstärkte negative Konnotierung des Deutschen wurde nach 1945 – wie anderswo auch – in einer Vielzahl von grammatikalischen, lexikalischen und phonetischen Mustern zementiert und über lange Jahre am Leben erhalten. An Beispielen wie den populären polnischen TV-Serien *Hauptmann Kloss* und *Vier Panzersoldaten und ein Hund*, die zwischen den 1960er und 1980er Jahren massenhaft konsumiert wurden und bis heute in der Populärkultur eine gewisse Rolle spielen, lässt sich dies gut veranschaulichen: Das dort gesprochene Deutsch ist laut, hart, unfreundlich und bellend, es dominieren Befehle, Kurzsätze und Einzelwörter, auf Deutsch wird bestimmt, gestraft und geschrien. Auf Deutsch sprechen höhergestellte Vorgesetzte zu Untergebenen, Befehl und Gehorsam werden somit linguistisch pointiert präsentiert. Und: Sprechen Deutsche tatsächlich auch einmal Polnisch, so klingt auch dies immer ,Deutsch' (vgl. Badstübner-Kizik 2012).

3   Wirtschaftliche Hierarchien

Mehr oder weniger parallel zur Abdrängung des Polnischen aus seiner Position als gleichberechtigter Amts-, Verkehrs- und Staatssprache in den privaten Bereich sowie schließlich in einen auch linguistisch manifestierten Widerstand verstärkte sich seit der zweiten Hälfte des 19. Jahrhunderts die Arbeitsmigration in ost-westlicher Richtung. Klein- wie großräumige saisonale Migration nahm dabei einen beachtlichen Platz ein, beliebte Ziele waren die landwirtschaftlichen Regionen und großen Güter in Schlesien, Pommern und Großpolen innerhalb der Grenzen Preußens oder – weiter westlich – in Mecklenburg. Häufig wurde auch das reiche Sachsen aufgesucht.[6] Zeitweilige Emigration stellte für viele Landarbeiter die einzige Chance dar, ihr Schicksal zu verbessern oder auch nur wachsendem Steuerdruck zu entgehen. Vielfach ging es dabei auch um einen Wechsel in die Industrie, etwa in den Schiffs- oder Bergbau – vgl. z.B. die seit den 1880er Jahren massiv einsetzende Abwanderung von Arbeitskräften ins Ruhrgebiet (sog. „Ruhrpolen"). Aus Westpommern migrierten beispielsweise zwischen 1840 und

---

6   Noch heute bedeutet die polnische Wendung „iść na saksy" („Sachsengang"), sich zur Saisonarbeit in Richtung Westen aufmachen („Sachsengänger"). Der Begriff meint ursprünglich die an der Elbe gelegenen Regionen, die Migrationsbewegung betraf zunächst deutschsprachige Personen, ab dem 19. Jahrhundert kamen polnischsprachige Saisonarbeiter sowie Personen aus den östlich gelegenen Reichsgebieten hinzu. Die Polarisierung zwischen „armem Osten" und „reichem Westen" („armen Polen" und „reichen Deutschen") verfestigte sich dadurch: „So wie bei uns zu Hause (d.h. in Hinterpommern, CBK) die ganzen Westprovinzen unter den Begriff ,Sachsen' fallen, so werden hier wohl alle Sachsengänger kurzweg als Polacken bezeichnet" (autobiographisches Dokument von 1881, zitiert nach Ritter/Kocka 1982, 209). Ein analoges Phänomen sind die „Hollandgänger", deutsche Saisonarbeiter, die im 18. und 19. Jahrhundert Verdienstmöglichkeiten im reicheren Holland suchten.

1910 bis zu 820.000 Personen in Richtung Westen. Gleichzeitig wuchs seit den 1880er Jahren durch intensivere Bewirtschaftung und massive Abwanderung in die Industrie der Bedarf an Saisonarbeitern in der Landwirtschaft bis um das Zehnfache an. Er wurde vor allem durch Arbeitskräfte aus Kongresspolen und Galizien gedeckt (vgl. Wielopolski 1959, 163), aus Gebieten also, in denen das Schulsystem der Teilungsmächte nicht durchgängig für Deutschkenntnisse auf einem kommunikativen Niveau gesorgt hatte: Diese Wander-, Land- und Saisonarbeiter waren in der Regel nicht deutschsprachig und ihre Verständigung mit den Arbeitgebern weiter westlich keine Selbstverständlichkeit. Nichtsdestotrotz waren sie sehr beliebt, weil billig: Die Kosten für ihre Versorgung, Unterbringung und Versicherung lagen unter denen für einheimische Arbeiter. Dies führte sogar dazu, dass der preußische Staat eine „slawische Unterwanderung" der östlichen Regionen des Deutschen Reiches befürchtete. Mit Ausbruch des Ersten Weltkriegs versuchte man, polnische Saisonarbeiter für längere Zeit am Ort zu halten, da nun vor allem auf dem Land durch die Einziehung ganzer Jahrgänge Arbeitskräftemangel herrschte. Ab 1915 rekrutierten Österreich und Deutschland gezielt Arbeitskräfte im nichtdeutschsprachigen Kongresspolen, auch mit Hilfe von Zwangsmaßnahmen. Etwa 300.000 Personen wurden in sog. Arbeiterbatallione zusammengefasst, wo sie wie Kriegsgefangene behandelt und meist in Frontnähe eingesetzt wurden. Zusätzlich zwangsverpflichtete die österreichische Verwaltung im östlichen Polen etwa 70.000 Personen für verschiedene Regionen der Monarchie. Im Zweiten Weltkrieg ging man noch gewaltsamer vor. Zwischen 1939 und 1945 wurden aus verschiedenen Teilen des besetzten Landes etwa 2,5 Millionen Personen zur Zwangsarbeit in das Dritte Reich gebracht, zusätzlich zu etwa 300.000 polnischen Kriegsgefangenen. Die Mehrheit stammte aus Gebieten, die vorher nicht zum Deutschen Reich gehört hatten und diese Menschen waren des Deutschen in der Regel nicht mächtig. Bis in die zweite Hälfte des Jahres 1941 stellten polnischsprachige Personen etwa 60% der in Deutschland beschäftigten „fremden" Arbeitskräfte dar und bildeten damit die größte Gruppe. 1944 lag ihr Anteil immer noch bei 29% Prozent; den Hauptanteil machten zu diesem Zeitpunkt aus Russland deportierte bzw. russischsprachige Personen aus Weißrussland und der Ukraine aus. Beide Gruppen wurden am schlechtesten von allen auf dem Gebiet des Deutschen Reiches eingesetzten Fremd- und Zwangsarbeitern behandelt und bezahlt (vgl. ausführlicher zu diesen Entwicklungen Loew 2014).[7]

4   Johann Malchers „Deutsch-polnischer Sprachführer"

In dieser, sich seit dem Ende des 18. Jahrhunderts zuspitzenden politischen, wirtschaftlichen und linguistischen Polarisierung ist Johann Malchers Schrift *Wie spreche ich mit meinen polnischen Landarbeitern* zu situieren. Der Sprachführer erschien erstmals 1903 und wurde 1920, 1939 und 1940 neu aufgelegt. Die Erstausgabe erschien im Berliner

---

7   Auf die dominierende Stellung des Themas „Arbeit" macht Gierlak im Kontext von an polnische Lernende gerichteten Lehrwerken für Deutsch aufmerksam (vgl. Gierlak 2003, 32f.).

Verlag der *Illustrierten Landwirtschaftlichen Zeitung*, für die späteren Ausgaben zeichnete die Deutsche Verlags-Gesellschaft verantwortlich. Weltweit sind nur wenige Exemplare nachgewiesen, davon eins von 1920, neun von 1939 und zwei von 1940; die Erstausgabe von 1903 gilt als verschollen.[8] Das verwundert nicht, wenn man bedenkt, dass es sich um äußerst populäre Broschüren mit Auflagen von bis zu 20.000 Stück auf billigstem Papier handelte (vgl. Abb. 1). Der Autor war „Lehrer an der städtischen Volksschule und an der Landwirtschaftlichen Winterschule in Glatz" (Malcher 1939, vorderer Umschlag), heute Kłodzko, einer in der Nähe der polnisch-tschechischen Grenze gelegenen Stadt in Niederschlesien. In Winterschulen wurden von November bis März Jugendliche in land- und hauswirtschaftlichen Fächern unterrichtet. Glatz hatte seit Jahrhunderten im Interessenbereich der Habsburger und Preußen gelegen und mehrmals seine Zugehörigkeit gewechselt; 1763 war es an Preußen gefallen. Man kann davon ausgehen, dass Malcher, wie die Bewohner der gesamten Gegend, zweisprachig war.

Abb. 1: Vordere Umschlagseite von *Wie spreche ich mit meinen polnischen Landarbeitern?* (Malcher 1939)

Die Schrift greift Bestandteile der frühneuzeitlichen Gesprächsbücher auf – darunter Hinweise zur Aussprache, eine „Kleine Grammatik", 16 „Gespräche" in typischen Situationen, in denen sich „ländliche Besitzer und Verwalter, die gezwungen sind, polnisch sprechende Arbeiter in ihren Betrieben zu beschäftigen", wie der Autor im Vorwort vermerkt (Malcher 1939, o.S.), mit großer Wahrscheinlichkeit befinden würden, sowie eine alphabetische Wortliste mit ca. 2000 Einträgen (vgl. Abb. 2). Gleichzeitig gibt es auffällige Abweichungen: Malchers Gesprächsbuch ist weder reziprok angelegt noch

---

8   https://www.worldcat.org/title/wie-spreche-ich-mit-meinen-polnischen-landarbeitern/oclc/2513
     78264&referer=brief_results, wo weltweit 12 Exemplare nachgewiesen werden (05.07.2016).

bietet es den Austausch von Fragen und Antworten zwischen gleichberechtigten Gesprächspartnern: An die Stelle der zweisprachigen Dialoge tritt hier der einsprachige Monolog des tonangebenden Arbeitgebers, der „sich seinen Leuten verständlich machen“ muss (Malcher 1939, o.S.).

Abb. 2: Inhaltsverzeichnis und Hinweise zu Aussprache und Grammatik in *Wie spreche ich mit meinen polnischen Landarbeitern?* (Malcher 1939, 1f.)

Inhaltsverzeichnis.

Aussprache und kleine Grammatik.

Das polnische Alphabet: a, ą, b, c, ć, d, e, ė, ę, f, g, h, ch, i, j, k, l, ł, m, n, ń, o, ó, p, r, s, ś, t, u, w, x, y, z, ż, ź.
Zusammengesetzte Zischlaute: sz, cz, szcz, rz, dz, dź, dż.

Aussprache der polnischen Laute.

Die Vokale a, e, o, u werden meist kurz, i lang gesprochen.
ą — wie un in Ungarn oder wie das französische on.
c — wie z.
ć — wie tsch.
ė — wie ö.
ę — wie en in Engel oder wie das französische ain in refrain.
ł — halb l und halb u.
ń — wie nj.
ó — halb o und halb u.
s — immer wie ß.
ś — wie sch.
y — wie ein kurzes i, z. B. in Tritt.
z — immer wie ein langes s.
ż — wie das französische ge in genie, nur härter, etwa wie das ge in dem Worte Sergeant.
ź — wie z, nur weicher.
sz — wie sch in dem Worte Marsch.
cz — wie tsz.
rz — wie ż.
ci, ni, si — wie tschi, nji, schi.
ie — je.
sie, cie — wie sche, tsche.

Der Akzent oder die Betonung im Polnischen fällt immer auf die vorletzte Silbe, daher diese auch dem Zeitmaße nach lang erscheint, z. B. krōwa, stodōła, dziewczȳna, mieszanina.

Deklination der polnischen Hauptwörter.

Es gibt im Polnischen drei Deklinationen nach dem dreifachen Geschlechte; demnach gehören die männlichen Hauptwörter zu der ersten, die weiblichen zur zweiten und die sächlichen zur dritten Deklination. Die polnische Sprache hat sieben Biegungsfälle:

Die Hinweise zur Aussprache bleiben sehr oberflächlich, insbesondere betrifft das die Unterscheidung zwischen stimmhaften und stimmlosen Frikativen (Postaveolare und Alveolopalate, vgl. die Lautverbindungen mit den Bestandteilen ś/si, ć/ci, ź/zi, ż) und den entsprechenden Affrikaten, die es im Deutschen nicht gibt. Das grammatische Material umfasst die Grundregeln der Deklination von Nomen und Adjektiven, ausgewählte Pronomina, die drei Grundzeiten, den einfachen Imperativ in der 2. Person Singular und Plural – „für unsere Zwecke dürfte genügen die Konjugation in der Befehlsform und in der Tätigkeitsform der drei Hauptzeiten: Vergangenheit, Gegenwart, Zukunft“ (Malcher 1939, 11) – sowie die Regeln für die regelmäßige Komparation. Die Beispiele, an denen dies illustriert wird, bleiben beschränkt auf den minimal benötigten Wortschatz, z.B. „pan (der Herr)“, „robotnik (der Arbeiter)“, „koń (das Pferd)“, „kobieta (die Frau)“ oder piwo (das Bier)“ (vgl. auch Tomiczek 2006, 64). Es folgen einfache Zeitbegriffe, Zahlen, weitere Befehlsformen und situative Wendungen. Mit den Zeitbegriffen setzt eine Dreiteilung der Angaben ein: deutsches Wort bzw. Wortverbindung, die polnische geschriebene Entsprechung sowie eine Aussprachehilfe in Form einer stark vereinfachenden Umschreibung mit den verfügbaren deutschen Buchstaben, die zum Ende der jeweiligen Situationen zum Teil aber auch fehlt. Da das Polnische deutlich mehr Konsonanten enthält als das Deutsche und diese durch deutsche Buchstabenkombinationen nicht auszudrücken sind, kommt es dabei zu krassen Vereinfachungen – es entsteht ein „deutscher" Akzent (vgl. z.B. die Formen „Idźcie!", „Pójdźcie!" in Abb. 3, wo die alveopalatalen Affrikaten „dźcie" durchgängig als Postalveolare wiedergegeben werden).[9]

Abb. 3: **Verzeichnis von Imperativformen mit stark vereinfachter Aussprachehilfe in** *Wie spreche ich mit meinen polnischen Landarbeitern?* (Malcher 1939, 19, Ausschnitt)

Einige Befehlsformen.

Deutsch.	Polnisch.	Aussprache.
Seil	Bądź!	Bondsch!
Seibl	Bądźcie!	Boudschtsche!
Arbeite!	Rób!	Rub!
Arbeitet!	Róbcie!	Rubtsche!
Höre auf!	Przestań!	Psche tanj!
Höret auf!	Przestańcie!	Pschestanjtsche!
Steh!	Stój!	Stuj!
Stehet!	Stójcie!	Stujtsche!
Steh nicht!	Nie stój!	Nje stuj!
Stehet nicht!	Nie stójcie!	Nje stujtsche!
Geh!	Idź!	Idsch!
Gehet!	Idźcie!	Idschtsche!
Komm!	Pójdź!	Pujdsch!
Kommt!	Pójdźcie!	Pujdschtsche!
Fahre!	Jedź!	Jedsch!
Fahret!	Jedźcie!	Jedschtsche!
Gib!	Daj!	Daj!
Gebt!	Dajcie!	Dajtsche!
Bringe!	Przynieś!	Pschynjesch!
Bringet!	Przynieście!	Pschynjeschtsche!
Beeile dich!	Uwijaj się! (spiesz się!)	Uwijaj schen! (Spjesch schen!)

2*

Das angebotene lexikalische und grammatikalische Material gibt ein anschauliches Bild davon, wie die Grundbedürfnisse der Arbeiter (z.B. Schlafstelle, Essen und Trinken, ärztliche Notversorgung und Entlohnung) geregelt wurden und welchen Bestimmungen sie an Werk- und Sonntagen unterworfen waren (vgl. Abb. 4).

9　Tomiczek (2006, 65) erwähnt, dass sich der deutsche Papst Benedikt XVI. bei seinen polnischen Ansprachen einer ähnlichen Umschrift bedient habe, ein Umstand, der seinerzeit im polnischsprachigen Internet sehr kritisch kommentiert wurde.

Abb. 4:   Typische Wendungen für die Ankunft der Arbeiterinnen und Arbeiter in *Wie spreche ich mit meinen polnischen Landarbeitern?* (Malcher 1939, 21)

— 21 —

Wenn die polnischen Arbeiter ankommen.

Deutsch.	Polnisch.	Aussprache.
Wie heißt du?	Jak się nazywasz?	Jak schen nasywasch?
Wann bist du geboren?	Kiedyś się urodził?	Kjedysch schen urodschil?
Wo bist du geboren?	Gdzieś się urodził?	Gdschesch schen urodschil?
In welchem Kreise?	W którem powiecie?	Wktorem powjetsche?
Woher bist du?	Zkąd jesteś?	Skond jestesch?
Was bist du?	Czem jesteś?	Tschem jestesch?
Welcher Religion bist du?	Jakiejś wiary?	Jakjejsch wiary?
Ledig oder verheiratet?	Samotny albo ożeniony?	Samotny albo oschenjony?
Dieselbe Frage bei weibl. Pers	Samotna albo ożeniona?	Samotna albo oschenjona?
Hier ist eure Stube	Tu jest wasza izba.	Tu jest wascha isba.
Hier habt ihr einen Tisch, zwei Bänke und einen Eimer.	Tu macie stół, dwie ławki i wiadro (węborek).	Tu matsche stol, dwje lawki i wjadro (wenborek).
Jeder bekommt noch einen Kochtopf, eine Schüssel, einen Strohsack und eine Decke zum Zudecken.	Każdy dostanie jeszcze garniec do gotowania, miskę, siennik i kołdrę do przykrycia.	Kaschdy dostanje jeschtsche garnjetz do gotowanja missken, schennik i koldren do pschykrytschja.
Zum Arbeiten erhält jeder einen Rechen, eine Rübenhacke, ein Kartoffelkörbel, eine Sichel, ein Grabeisen u. eine Düngergabel	Do roboty dostanie każdy grabie, motykę rzepią, koszyk do kartofli, sierp, rydel i widły gnojowe.	Do roboty dostanje kaschdy grabje motyken schepjon, koschyk do kartofli, scherp, rydell i widly gnojowe.
Nach der Arbeit müßt ihr die Arbeitsgeräte wieder bei der Geschirrkammer abgeben.	Po robocie musicie narzędzie zaś na komorze narzędzi oddać!	Po robotsche muschitsche naschendschje sasch na komorsche naschendschi oddatsch.

Die Formulierungen sind z.T. wörtlich aus dem Deutschen übersetzt, möglicherweise auch Bestandteil eines Regio- oder Soziolekts. Zum jetzigen Zeitpunkt muss offen bleiben, wer Malchers polnischsprachige Gewährspersonen waren.[10] Arbeiterinnen und

---

10   Tomiczek (2006, 67) verweist auf großpolnische Einflüsse.

Arbeiter werden grundsätzlich geduzt und auf ihre physische Arbeitskraft reduziert. Sie verrichten die wesentlichen saisonalen Tätigkeiten und eben diese sind entsprechend lexikalisch abgedeckt: Pflügen, Dreschen, Heu wenden und einholen, Tiere (Pferde, Schweine, Kühe usw.) versorgen, Unkraut jäten, Wasser holen, Holz hacken, Getreide, Kartoffeln und Rüben einbringen, Werkzeuge und Geräte holen und warten, ggf. etwas reparieren, Essen, Schlafen, pünktlich und fleißig sein – das bildet den kommunikativen Kosmos von Arbeitgebern und Arbeitnehmern. Persönlichere Gesprächsangebote oder Kommunikate, die über einen Kurzsatz hinausgehen und eine Antwort implizieren, sind nicht vorgesehen: Die in Malchers Schrift enthaltenen Gespräche bleiben einseitig, die Landarbeiterinnen und Landarbeiter bleiben sprachlich passiv und erscheinen nur als Ziel von Belehrungen und Vorschriften (vgl. Abb. 5).

Dies gemahnt an die „Kultur des Schweigens" kolonialer Prägung im Sinne Paolo Freires. Sie „ist dadurch gekennzeichnet, dass die Kolonialherren ihre Sprache durchsetzen mit dem Ziel, die Sprache der Kolonisierten herabzuwürdigen und zu tilgen" (Ngatcha 2010, 83). Im vorliegenden Fall dient der herabwürdigende (extrem limitierte, z.T. fehlerhafte) Gebrauch der Sprache der „Kolonisierten" selbst.[11] Malchers Schrift scheint in diesem Licht weniger ein „Kuriosum" (vgl. Tomiczek 2006, 63) als ein Mittel zu sein, einen hierarchischen Kontakt aus der Perspektive der Sprachmächtigen so effizient wie möglich zu gestalten. Wenn aus einer überlegenen Position heraus die Sprache von Unterlegenen in dieser Weise eingesetzt wird, so heißt das auch, dass diese (wie ihre Sprecherinnen und Sprecher) zu mehr und Besserem nicht taugt (bzw. taugen) und keine weitere Anstrengung lohnt. Damit werden Machtstrukturen sprachlich festgeschrieben.

Im Gefolge von Malchers Schrift entstanden 1940 nach dem gleichen Muster und im gleichen Verlag ein deutsch-französischer und ein deutsch-italienischer Sprachführer (Voigt 1940a, 1940b). 1941 erschien eine serbische und kroatische Version (Rottka 1941a) – sicher in Reaktion auf den deutschen Angriff auf das 1918 entstandene Königreich der Serben, Kroaten und Slowenen im Jahre 1941, dessen kroatischer Nachfolgestaat mit dem Dritten Reich kollaborierte. Der Autor legte im gleichen Jahr ebenfalls eine deutsch-russische Version vor (Rottka 1941b), erforderlich geworden durch den Zustrom russischer Zwangsarbeiter nach dem Überfall des Dritten Reiches auf die Sowjetunion im Juni 1941.

---

11   Im Verständnis des Begriffsfeldes kolonial/postkolonial folge ich der „durchaus unkonventionelle(n) Rückspiegelung postkolonialer Analysekategorien auf europäische Konstellationen", wie sie Bachmann-Medick zusammenfassend beschreibt (2009, 211). Diese wären – nach literatur- oder translationswissenschaftlichen Anstrengungen – dezidierter als bisher auch auf fremdsprachendidaktische Konstellationen zu beziehen. Mein Beitrag versteht sich als ein solcher Versuch.

Abb. 5: **Typische Hinweise und Belehrungen in** *Wie spreche ich mit meinen polnischen Landarbeitern?* **(Malcher 1939, 25)**

— 25 —

Deutsch.	Polnisch.	Aussprache.
Ihr müßt pünktlich kommen!	Musicie na czas przyjść!	Muschitsche na tschas pschyjschtsch!
Das ist gut.	To jest dobrze.	To jest dobsche.
Das ist schlecht.	To jest źle.	To jest schle.
Das mußt du besser machen.	To musisz lepiej zrobić.	To muschisch lepjej srobitsch.
So mußt du das machen.	Tak to musisz zrobić.	Tak to muschisch srobitsch.
Hast du gesehen?	Widziałeś?	Widschalesch?
Mach das noch einmal!	Zrób to jeszcze raz!	Srob to jeschtsche ras!
Sei nicht so dumm!	Nie bądź taki głupi!	Nje bondsch taki glupi!
Du Faulenzer.	Ty leniwcze (próżniaku).	Ty leniwtsche.
Seid fleißig!	Bądźcie pilni!	Bondschtsche pilnij!
Macht das ordentlich!	Zróbcie to porządnie!	Srobtsche to poschondnje!
Seht euch nicht um!	Nie oglądajcie się!	Nje oglondajtsche schen!
Lachet nicht!	Nie śmiejcie sie!	Nje schmjejtsche schen!
Zankt euch nicht!	Nie wadźcie się! (nie kłóćcie się!)	Nje wadschtsche schen (nje klutsche schen)!
Sprecht nicht!	Nie mówcie!	Nje muwtsche!
Stehet nicht!	Nie stójcie!	Nje stujtsche!
Kümmert euch um die Arbeit!	Patrzcie roboty!	Patschtsche roboty!
Wie lange wird das dauern?	Jak długo to będzie trwało?	Jak dlugo to beudsche trwalo?
Seid ihr schon fertig?	Jesteście już gotowi?	Jesteschtsche jusch gotowi?
Wie viel habt ihr noch?	Ile jeszcze macie?	Ile jeschtsche matsche?
Heute werdet ihr eine Stunde länger arbeiten.	Dzisiaj będziecie godzinę dłużej robili.	Dschischaj bendschetsche godschinen dluschej robili.

Wie brauchbar die zu Beginn des 20. Jahrhunderts etablierten Verständigungsmuster für die Kommunikation zwischen deutschsprachigen Gutsbesitzern und nichtdeutschsprachigen Landarbeitern offenbar auch in den Zeiten verstärkter Zwangsarbeit nach dem Beginn des Zweiten Weltkrieges waren, zeigt auch eine Schrift von Max Otto, die, erstmals 1916 erschienen, 1940 in zweiter Auflage nachgedruckt wurde (Otto 1940, vgl. Abb. 6). Aufbau, angebotene Themenbereiche und linguistische Mittel bieten ein ganz ähnliches Bild, allerdings fehlt hier die schriftsprachliche polnische Variante der Einzelwörter und kurzen Wendungen, und die Aussprachehilfe ist noch stärker reduziert.

Hinzu kommt, dass viele Angaben grammatikalisch, lexikalisch und phonetisch falsch sind und/oder offenbar untersten Sprachregistern entnommen wurden.

Abb. 6: Deckblatt *Polnisch für den Verkehr mit landwirtschaftlichen Arbeitern und Gefangenen* (Otto 1940)

Unterschwellig wird durchgehend ein Befehlston spürbar, den Arbeitgebern werden v.a. Infinitivformen und Halbsätze an die Hand gegeben, die sie bei ihrem anzunehmenden Kenntnisstand der polnischen Sprache sicher nicht selbstständig variieren oder ergänzen, sondern einfach nur übernehmen konnten (vgl. Abb. 7). Möglicherweise lasen sie die entsprechenden Wendungen ab, lernten sie mit der Zeit auswendig oder kommunizierten überhaupt über einen des Polnischen mächtigen Vorarbeiter. Daneben durchziehen bei Otto zahlreiche Germanismen die polnischen Versatzstücke, der Autor hat sich offenbar nicht einmal die Mühe gemacht, nach passenden Entsprechungen zu suchen.[12] Die linguistische Hierarchisierung geht hier Hand in Hand mit einer deutlichen sozialen und intellektuellen Abwertung der Arbeiterinnen und Arbeiter. Man muss sich an die Ausführungen zur kolonialen Dimension des Deutschen in Afrika erinnert fühlen – Ngatcha zitiert in diesem Zusammenhang aus einer ersten Analyse von Lehrbüchern für

---

12   Vgl. z.B. „Wieviel Überstunden haben Sie? – wjelle überstundow matsche?" (Otto 1940, 29). Eine angemessene Übersetzung würde lauten: „Ile macie / mieliście nadgodzin?"

Deutsch, die sich an jugendliche Lernende in Kamerun richten (Erscheinungsjahr 1910), vergleichbare Sätze: „Ihr müsst schneller arbeiten, ihr seid faul" oder „Wenn du nicht pünktlicher zur Arbeit kommst, muss ich dir vom Lohn abziehen" (Ngatcha 2010, 84).

Abb. 7:   **Typische Anspracheformen in *Polnisch für den Verkehr mit landwirtschaftlichen Arbeitern und Gefangenen* (Otto 1940, 14f.)**

Warum bist du da fortgegangen?
 dschemu schesch tam odsched?
Kannst du Rüben ausmachen?
 moschesch ti bukari kopatsch?
Kannst du Kartoffeln ausmachen?
 moschesch ti Kartoffle kopatsch?
Du bekommst 1 Mark Tagelohn.
 dostanjesch jedden marek saplati (taglonika).
Wer zu spät zur Arbeit kommt, wird bestraft.
 kto sauschno do robotti pschinje saplatschi strafa.
Hier ist eure Wohnstube.
 to jest wascha isba.
Nach der Arbeit müßt ihr die Arbeitsgeräte wieder abgeben.
 po robotsche muschitsche naschendje oddatsch.
Brot holt euch zu Mittag vom Speicher.
 chleba pschijdschtsche ponj na poludnje do spieksch.
Ich verstehe nicht.
 nje rosumje.
Sprich deutsch.
 mow po njemjetzka.

10. Auf dem Hofe.

Häcksel schneiden.
 schetschka rsnuitsch (auch robitsch).
Du kannst einlegen.
 wlada klatschtsch.
Stroh, Heu herantragen.
 sloma, schanno do noschitsch.
Häcksel fortschaffen, hoch aufschaufeln.
 schetschka odnoschitsch, wissoko podschuffle.
In die Häckselkammer tragen.
 w schetschkarnia noschitsch.
In Säcke machen.
 w mjechi ssipatsch.
Häcksel ausharken.
 schetschka wigrabitsch.
Häckselkammer rein machen.
 schetschkarnia witschitschtschitsch.

14

Säcke waschen.
 mjechi pratsch.
Säcke aufhängen zum Trocknen.
 mjechi po wjechitsch.
Säcke abnehmen und auf den Boden bringen.
 mjechi sdijuntsch i na gurra sarnischtsch.
In die Kammer.
 do komurka.
Hafer schroten.
 owjes schrotowatsch.
Gerste schroten.
 jentschmjenj schrotowatsch.
Roggen zu Mehl mahlen.
 schito na monken mletsch.
Tragt die Leiter weg.
 odinjeschta drapka pretsch.
Die lange Leiter an den Stall stellen.
 ta dluga drapka na steinje postawitsch.
Die kurze Leiter an die Scheune (das Haus) stellen.
 ta krutka drapka na stodola (na dom) postawitsch.
Hole Sand.
 pschinjesch pschasku.
Du kannst beim Maurer Handlanger sein.
 moschesch kelle mulascha handslangrowatsch.
Tragt die Wage in den Keller.
 sanjesch waga do sklepu.
Holt die Stricke vom Boden.
 pschinjesch powrossi sgurri.
Holt die Stricke aus der Kammer.
 pschinjesch powrossi s komorki.
Bringe den Eimer in den Stall.
 sanjesch kubellek do steinje.
Geh einen Korb holen.
 itsch po koschik.
Bringt euch 1. Schaufeln, 2. Forken, 3. Harken, 4. Spaten, 5. Schaufeln mit.
 pschinjeschta szobje 1. opati, 2. widli, 3. grabji, 4. spade, 5. bati.
Wir wollen Vieh wiegen.
 mi moschen bidlo waschitsch.

15

Schriften wie die von Malcher oder Otto werden von der linguistischen, fremdsprachendidaktischen und -historischen Forschung ungern wahrgenommen. Johann Malcher hat aus der Sicht von Polnisch als Fremdsprache etwas Beachtung gefunden (vgl. Dąbrowska 2004), eine Beschreibung und vorsichtige linguistische Bewertung findet sich bei Tomiczek, der die Schrift recht ungenau an das Ende des 19. oder den Übergang vom 19. zum 20. Jahrhundert datiert und dessen Autor durchaus „Respekt" wegen des solide zusammengetragenen fachspezifischen Grundwortschatzes zugesteht (vgl. Tomiczek 2006, 67).[13] Das Sprachbuch von Max Otto wird als Beleg für die „herabsetzende, dis-

---

13   Tomiczek fühlte sich allein durch die Anzahl der Imperative irritiert, die aus seiner Sicht die Kluft zwischen deutschen Arbeitgebern und „ausländischen" Arbeitnehmern vergrößern würde und die auch heute noch oft zwischen diesen Gruppen bestehe (vgl. Tomiczek 2006: 67f.).

qualifizierende Einordnung von Polen" durch Deutsche nach 1939 herangezogen (Orłowski 1996, 359f.).

Man mag einwenden, dass sich deutschsprachige Landwirte in den 1940er Jahren – ganz in der Tradition ihrer Vorgänger zum Ende des 19. und zu Beginn des 20. Jahrhunderts – ja doch offenbar bemüht hätten, ihre Angestellten und Untergebenen in deren Sprache anzusprechen. Auf ihre Wahrnehmung durch jene konnte sich das allerdings kaum positiv ausgewirkt haben: Die Klischees von übertriebener Organisation und Pünktlichkeit, unfreundlicher Herablassung und angemaßter Befehls- und Belehrungsgewalt finden gerade in den polnischsprachigen Gesprächsbüchern ihren Ausdruck. Zudem könnte dahinter auch die Intention vermutet werden, die Ngatcha den Kritikern am Unterricht Deutsch als Fremdsprache im von Deutschland kolonisierten Kamerun nachweist: Eine weit verbreitete und gute Kenntnis des Deutschen als Kommunikationssprache musste keineswegs im Interesse der Kolonialherren liegen, da sie ja immer auch Zugang zu Informationen ermöglichte und damit mehr Selbstständigkeit und größere Unabhängigkeit in einem deutschsprachigen Umfeld bedeuten würde (vgl. Ngatcha 2010, 88).

Daneben gab es in den späten 1930er und auch in den 1940er Jahren andere Angebote zum Polnischlernen für den deutschsprachigen Markt, allerdings waren sie an eine grundsätzlich andere Zielgruppe gerichtet. So handelt es sich etwa bei den im Berliner Verlag und im Ullstein Verlag 1936 und noch 1943 (!) wieder aufgelegten 1000 Worte[n] Polnisch (Męcińska 1936[14]) um die fortlaufende Geschichte eines deutschen Geschäftsreisenden, der in Warschau und kleineren Städten unterwegs ist und dort vielfache private und berufliche Kontakte knüpft. Der Selbstlernkurs ist in 12 Heften und 50 Stunden organisiert, die vielfältigen Erklärungen, Lese-, Schreib- und Übersetzungsübungen sowie thematischen Wortlisten für Lernende bis zum mittleren Fortgeschrittenenniveau sind in eine unterhaltsam präsentierte Handlung eingebaut. Sie führt „Karl Dietrich" außer zu Geschäftsessen mit polnischsprachigen Partnern auch zum Friseur und Schneider, in Restaurants, Klubs, Theater- und Opernvorstellungen und zur Bekanntschaft mit „Fräulein Zofia", die aus gutem Hause stammt, über entsprechendes Personal verfügt und „Herrn Karl" (in Anwesenheit der Mutter) schließlich später auch zu Hause empfängt.[15] Die Gleichberechtigung der Handlungs- und Gesprächspartner, ihre offensichtliche gegenseitige Faszination sowie die implizite Dialogizität aller

---

14   Vgl. die Angaben und Nachweise in https://www.worldcat.org/title/1000-worte-polnisch/
      oclc/179732469/editions?editionsView=true&referer=br (5.7.2016). Frühere Ausgaben datieren auf 1910 und 1930, selbst 1943 ging die Auflage offenbar noch in die Tausende. Der Kurs enthält kulturhistorisch interessante Spuren aus dem Warschau der Vorkriegszeit (z.B. Speisekarten, Zeichnungen und Fotos von Gebäuden und Beschilderungen), die offensichtlich immer wieder kopiert wurden, obwohl sie inzwischen längst von der Realität der Okkupation und des Krieges überholt waren. In der gleichen Art wurden Selbstlernkurse für Englisch, Spanisch, Italienisch, Französisch und Russisch angeboten.

15   Die einzelnen Situationen enthalten viele logische Inkonsequenzen, so wird beispielsweise die Konversation zwischen „Fräulein Zofia" mit ihrer Mutter oder ihrem Zimmermädchen präsentiert und kommentiert (vgl. Męcińska 1936, 204f., 289f. u.a.), obwohl dort gar kein deutschsprachiger Gesprächspartner vorgesehen ist. Dies ist für Sprachführer und Selbstlernbücher allerdings nicht ungewöhnlich.

Kommunikationsangebote wirken aus heutiger Sicht überraschend, wenn man bedenkt, dass die Nationalsozialisten 1939 die polnische Hauptstadt besetzten (bzw. aus der Perspektive der Ausgabe von 1943 seit vier Jahren besetzt hielten) und nach der Niederschlagung des Warschauer Aufstands ab August 1944 dem Erdboden gleichmachten. Die Kommunikationsanlässe zwischen gleichberechtigten polnischen und deutschen Geschäftspartnern dürften in den 1940er Jahren geringer gewesen sein, dennoch bestanden sie, z.B. im Generalgouvernement. Die in Męcińskas Selbstlernkurs präsente Atmosphäre zeigt am ehesten die Verhältnisse in der kurzen Zeitspanne zwischen 1934 und 1939, in der beide Länder mehr oder weniger auf Augenhöhe miteinander agierten.[16]

Die drei vorgestellten Selbstlernwerke (Malcher 1939; Męcińska 1936; Otto 1940) sind auf individuelle Imitation angelegt, sie folgen der direkten Methode und wollen ihre Nutzer zur kommunikativen Verwendung der Fremdsprache Polnisch in festgelegten Situationen befähigen. Gleichzeitig zeigen sie große Unterschiede in der Sicht auf die potentiellen Gesprächspartner, die in diese Kommunikationshandlungen involviert sind. Die Gesprächsbücher von Malcher, Otto und Męcińska waren über mehrere Jahrzehnte unverändert auf dem Lehrwerkmarkt präsent; offenbar konnten sie in einem gewissen Maße die Erwartungen und Bedürfnisse unterschiedlicher deutschsprachiger Adressaten bedienen. Dies weist auf die Pragmatik verlegerischer Entscheidungen hin, die sich nicht zuletzt im Festhalten an bewährten Mustern, dem Rückgriff auf vorhandene Lizenzen und ihrer Übertragung auf immer weitere Sprachkombinationen äußert. Dabei muss für den deutsch-polnischen Kontext mindestens bis 1939 von sehr unterschiedlichen Zielgruppen ausgegangen werden, die parallel nebeneinander existierten, und sicher muss man auch situationsspezifisch und sozial stärker zwischen ihnen differenzieren. Zwischen 1939 und 1945 ging es dann – auch fremdsprachendidaktisch – aus deutscher Sicht in Polen (und anderswo) hauptsächlich um „die Beschaffung von Arbeitssklaven für die deutsche Kriegswirtschaft" (Gierlak 2003, 238). Die Gesprächsbücher von Johann Malcher und Max Otto kamen dafür gerade recht.

5   Lehrmaterialien für den Fremdsprachenunterricht aus postkolonialer Perspektive?

Der Unterricht in Sprachen mit einer weit verstandenen kolonialen Vergangenheit – und das betrifft neben Englisch, Französisch, Spanisch oder Russisch zweifellos auch Deutsch – erfordert eine besondere Sensibilität, wenn diese Sprachen als Fremdsprachen in einem Kontext unterrichtet worden sind, in dem diese Vergangenheit kaum mehr als zwei Generationen zurück liegt und im kollektiven Gedächtnis potentieller

---

16   Maria Gierlak (2003, 9 u.a.) zeigt für den Stellenwert der deutschen Sprache im polnischen Schulcurriculum sehr überzeugend, welche Rolle die Wende in der Außenpolitik Polens nach 1932 und insbesondere die deutsch-polnische Nichtangriffserklärung (26. Januar 1934) spielten. Die Zeit unmittelbar nach 1918/19 war demgegenüber durch Minoritätenkonflikte und Revisionsansprüche der deutschen Seite stark belastet (vgl. Gierlak 2003, 10).

Sprachenlernender aus verschiedenen Gründen teilweise noch am Leben erhalten wird. Worauf genau sich eine solche Sensibilität beziehen sollte, zeigen nicht zuletzt historische Fremdsprachenlehrwerke – und zwar unabhängig davon, ob sie für den Unterricht in der einen oder der anderen Sprache innerhalb der jeweiligen Konstellation bestimmt sind. Im vorliegenden Fall zeigen an deutschsprachige Personen gerichtete Lehrwerke für Polnisch eine extrem asymmetrische Verzerrung des angebotenen Kommunikationsraumes. Es liegt in der Verantwortung der Lehrenden, aber in besonderer Weise auch in der Verantwortung der Autorinnen und Autoren aktueller Lehrwerke, daraus Schlussfolgerungen für differenzierte didaktische und methodische Entscheidungen in Bezug auf den gegenwärtigen Fremdsprachenunterricht zu ziehen. Im Fall von Deutsch als Fremdsprache in Polen könnte beispielsweise wenig hinterfragten Routinen (z.B. die sehr frühe Einführung von Imperativformen) bewusst entgegengesteuert werden, etwa, indem man direkte Imperative und Zweiwortsätze vom Typ „Mach das, nimm das, sag das usw. …" eher spärlich einsetzt und differenzierte Höflichkeitsformen oder auch den Konjunktiv als Ausdrucksform von Unsicherheit, Offenheit und Möglichkeit innerhalb der Progression vorverlagert und favorisiert. Im Bereich von Aussprache und Prosodie bietet sich ein differenzierter Einsatz von Tonhöhe, Tempo und Lautstärke an, abgesehen von einer auch an anderen Stellen immer wieder geforderten Einbeziehung unterschiedlicher Varietäten des Deutschen (darunter etwa die „weicher" klingenden süddeutschen und österreichischen). Im Bereich themenbezogener Lexik wäre vielleicht weniger auf die Arbeitswelt abzuheben als das in vielen Lehrwerken üblich ist, zumindest aber könnte dieses lexikalische Feld stärker differenziert, die Arbeitsverhältnisse umgekehrt oder auf spielerische Weise auch in Frage gestellt werden. Dies scheint den pragmatischen Erwartungen vieler Lernender sowie den handfesten wirtschaftlichen Zielen von Lehrwerkverlagen und Sprachkursanbietern zwar auf den ersten Blick zuwider zu laufen, es scheint mir auf längere Sicht jedoch ein gangbarer Weg, um der Sprache Deutsch ihren übermächtigen Effektivitäts- und Erfolgsdruck zu nehmen, den lustvollen Umgang mit ihr außerhalb von leistungsbesetzten Themen (wie Wirtschaft, Arbeit, Schule, Geld, Sport u.ä.) zu stärken, sie auf diese Weise vor allem zwischenmenschlich tauglicher zu machen und immer auch als eine mögliche unter vielen anderen gleichberechtigten Sprachen zu zeigen. In der akademischen Ausbildung von Lehrkräften sowie in Mittlerorganisationen und -institutionen könnten Reflexionen zu einer weit verstandenen (post-)kolonialen Dimension innereuropäischer Sprachenpolitik zu einer größeren Differenzierung in Bezug auf konkrete Fremdsprachen und die Regionen führen, in denen diese gelehrt und gelernt werden. Die Analyse historischer Sprachlernmaterialien sollte dabei eine wichtige Rolle spielen. Ein interessanter Ansatzpunkt wäre hier die Thematisierung der hegemonialen Strategie des „silencing" sog. „Subalterner", wie sie v.a. von der indisch-amerikanischen Literaturwissenschaftlerin Gayatri Chakavorti Spivak seit 1988 herausgearbeitet wurde (vgl. dazu Kanjo 2013, 46ff.). Damit werde

> „nicht die generelle Fähigkeit der Unterdrückten negier[t], für sich selbst zu sprechen, sondern die Tatsache unterstr[i]chen, dass auch das Zuhören Teil eines gelungenen Sprechakts bilde. Dies sei seitens der Herrschenden nicht gewährleistet, selbst in dem sel-

tenen Falle nicht, wenn der allgemeine Wille vorhanden wäre – die unterschiedlichen Ausgangsvoraussetzungen machten eine echte Kommunikation unmöglich." (Kanjo 2013, 47f.)

Malchers und Ottos Sprachführer sowie vergleichbare Publikationen illustrieren dieses Vorgehen auf sehr anschauliche Weise. Indem sie deutschsprachigen Arbeitgebern fremdsprachige Gesprächsbücher für den Umgang mit wirtschaftlich und ggf. politisch rechtlosen anderssprachigen Untergebenen an die Hand geben, liefern sie gleichsam ein linguistisches Instrumentarium ‚guten Willens'. Dieses erweist sich durch die extreme Reduzierung, Primitivisierung und Verfälschung der anderen Sprache allerdings als ein weiteres Unterdrückungsinstrument. Die fremden Sprecherinnen und Sprecher werden mit Hilfe ihrer eigenen Sprache als unterlegen und weitgehend stumm markiert.

Literatur

Zitierte Lehrwerke

Malcher, Johann (1939). *Wie spreche ich mit meinen polnischen Landarbeitern? Deutsch-polnischer Sprachführer*. Berlin: Deutsche Verlags-Gesellschaft.

Męcińska, Marja (1936). *1000 Worte Polnisch. Mit Zeichnungen von Katharina Heyne*. Berlin: Ullstein Verlag.

Otto, Max (1940). *Polnisch für den Verkehr mit landwirtschaftlichen Arbeitern und Gefangenen*. Stuttgart: Frankh.

Rottka, Peter (1941a). *Wie spreche ich mit meinen serbischen und kroatischen landwirtschaftlichen Arbeitern?* Berlin: Dt. Verlags-Gesellschaft.

Rottka, Peter (1941b). *Wie spreche ich mit meinen russischen landwirtschaftlichen Arbeitern?* Berlin: Dt. Verlags-Gesellschaft.

Voigt, Friederike (1940a). *Wie spreche ich mit meinen französischen Landarbeitern. Deutsch-französischer Sprachführer*. Berlin: Dt. Verlags-Gesellschaft.

Voigt, Friederike (1940b). *Wie spreche ich mit meinen italienischen Landarbeitern. Deutsch-italienischer Sprachführer*. Berlin: Dt. Verlags-Gesellschaft.

Volckmar, Nikolaus (1612). *Viertzig Dialogi und Nützliche Gespräch von Allerley vorfallenden gemeinen Sachen [...]*. Thorn: Augustin Ferber [Erstauflage, vollständige kommentierte Ausgabe in Kizik 2005].

Sekundärliteratur

Ammon, Ulrich (1993). Prestige, Stichwort. In: Glück, Helmut (Hrsg.). *Metzler Lexikon Sprache*. Stuttgart: J.B. Metzler, 483.

Arani, Miriam Y. (2014). Der Reichsgau Wartheland als Experimentierfeld der nationalsozialistischen Bevölkerungspolitik. In: Madajczyk, Piotr; Popieliński, Paweł (Hrsg.). *Social*

Engineering. Zwischen totalitärer Utopie und „Piecemeal-Pragmatismus". Warszawa: Institut für Politische Studien der Polnischen Akademie der Wissenschaften, 100–117.

Bachmann-Medick, Doris (2009). *Cultural turns. Neuorientierungen in den Kulturwissenschaften.* Hamburg: Rowohlt (3. neu bearb. Auflage).

Badstübner-Kizik, Camilla (2012). Nachhaltige Spuren? Deutsche und ihre Sprache im polnischen Film. Die Beispiele „Vier Panzersoldaten und ein Hund" und „Hauptmann Kloss". In: Olpińska-Szkiełko, Magdalena; Grucza, Sambor; Berdychowska, Zofia; Żmudzki, Jerzy (Hrsg.). *Der Mensch und seine Sprachen. Festschrift für Professor Franciszek Grucza.* Frankfurt a.M.: Peter Lang (Warschauer Studien zur Germanistik und zur Angewandten Linguistik, Bd. 3), 79–92.

Badstübner-Kizik, Camilla; Kizik, Edmund (2003). Sprachen lernen in der frühen Neuzeit. Polnisch- und Deutschunterricht in Danzig vor dem Hintergrund der ‚Viertzig Dialogi' des Nicolaus Volckmar (1612). In: *Studia Germanica Gedanensia* 11, 25–51.

Beier-de Haan, Rosemarie (Hrsg.) (2005). *Zuwanderungsland Deutschland. Migrationen 1500–2005.* Ausstellungskatalog Deutsches Historisches Museum. Wolfratshausen: Edition Minerva.

Bömelburg, Hans-Jürgen; Kizik, Edmund (2014). *Altes Reich und Alte Republik. Deutsch-polnische Beziehungen und Verflechtungen 1500 1806.* Darmstadt: Wissenschaftliche Buchgesellschaft.

Daniluk, Jan (2014). Aspekte zur Ansiedlung von Volksdeutschen im Reichsgau Danzig-Westpreußen. In: Madajczyk, Piotr; Popieliński, Paweł (Hrsg.). *Social Engineering. Zwischen totalitärer Utopie und „Piecemeal-Pragmatismus".* Warszawa: Institut für Politische Studien der Polnischen Akademie der Wissenschaften, 141–160.

Dąbrowska, Anna (2004). „Wie spreche ich mit meinen polnischen Landarbeitern?" Johanna Malchera jako przykład nietypowych rozmówek niemiecko-polskich [„Wie spreche ich mit meinen polnischen Landarbeitern?" von Johann Malcher als Beispiel eines untypischen deutsch-polnischen Gesprächsbuches]. In: Kamińska-Szmaj, Irena (Hrsg.). *Od starożytności do współczesności. Język – kultura – literatura. Księga poświęcona pamięci profesora Jerzego Woronczaka.* Wrocław: Wydawnictwo Uniwersytetu Wrocławskiego, 323–330.

Dąbrowska, Anna (2008). Dlaczego cudzoziemcy uczą się języka polskiego? Stare i nowe w nauczaniu JPJO [Warum lernen Ausländer Polnisch? Altes und Neues im Unterricht Polnisch als Fremdsprache]. In: Michońska-Stadnik, Anna; Wąsik, Zdzisław (Hrsg.): *Nowe spojrzenia na motywację w dydaktyce języków obcych*, Bd. 1. Wrocław: Wydawnictwo Wyższej Szkoły Filologicznej we Wrocławiu, 47–60.

Gierlak, Maria (2003). *Deutschunterricht und Politik. Das Deutschlandbild in den Lehrbüchern für Deutsch als Fremdsprache in Polen (1933–1945) vor dem Hintergrund der deutsch-polnischen Beziehungen.* Toruń: Wydawnictwo UMK.

Glück, Helmut (1979). *Die preußisch-polnische Sprachenpolitik. Eine Studie zur Theorie und Methodologie der Forschung über Sprachenpolitik, Sprachbewußtsein und Sozialgeschichte am Beispiel der preußisch-deutschen Politik gegenüber der polnischen Minderheit vor 1914.* Hamburg: Buske.

Glück, Helmut; Schröder, Konrad (Hrsg.) (2007). *Deutschlernen in den polnischen Ländern vom 15. Jahrhundert bis 1918. Eine teilkommentierte Bibliographie*, bearbeitet von

Yvonne Pörzgen und Marcelina Tkocz. Wiesbaden: Harrassowitz (Fremdsprachen in Geschichte und Gegenwart 2).

Hansen, Georg (2006). Schulbildung im besetzten Polen 1939–1945. In: *Bildungsforschung* 3/1, 1–16, online zugänglich unter: http://bildungsforschung.org/index.php/bildungsfor schung/article/viewFile/23/21 (06.07.2016).

Kanjo, Judita (2013). *Deutschsprachige Literatur des postkolonialen Diskurses. Eine fremdsprachendidaktische Studie*. München: Iudicium.

Kizik, Edmund (2005). *Nicolausa Volckmara Viertzig Dialogi 1612. Źródło do badań nad życiem codziennym w dawnym Gdańsku* [Die Viertzig Dialogi des Nicolaus Volckmar. Eine Quelle zur Erforschung des Alltagslebens im Alten Danzig]. Gdańsk: Wydawnictwo Uniwersytetu Gdańskiego / WiM.

Kizik, Edmund (2013). Eberhard Bötticher (1554–1617). Kaufmann, Chronist und Kirchenvater der Marienkirche in Danzig. In: Herrmann, Christopher; Kizik, Edmund (Hrsg.): *Chronik der Marienkirche in Danzig*. Das ‚Historisch Kirchen Register‘ von Eberhard Bötticher (1616). Transkription und Auswertung. Köln/Weimar/Wien: Böhlau, 69–91.

Krüger-Potratz, Marianne (2005). *Interkulturelle Bildung. Eine Einführung*. Münster u. a.: Waxmann.

Loew, Peter Oliver (2014). *Wir Unsichtbaren. Geschichte der Polen in Deutschland*. München: C.H. Beck.

Ngatcha, Alexis (2010). Funktionen und Aufgaben des Deutschunterrichts in der Kolonialzeit. In: *ÖDaF-Mitteilungen* 2, 80–90.

Orłowski, Hubert (1996). *„Polnische Wirtschaft". Zum deutschen Polendiskurs der Neuzeit*. Wiesbaden: Harrassowitz (Studien der Forschungsstelle Ostmitteleuropa an der Universität Dortmund 21).

Ritter, Gerhard A.; Kocka, Jürgen (Hrsg.) (1982). *Deutsche Sozialgeschichte 1870–1914. Dokumente und Skizzen*. München: C.H. Beck.

Schmitz-Berning, Cornelia (Hrsg.) (1998). *Vokabular des Nationalsozialismus*. Berlin: Walter de Gruyter.

Tomiczek, Eugeniusz (2006). Ochendórz mi bóty! czyli jak rozmawiam z moimi polskimi robotnikami [Putz mir die Stiefel! Oder wie spreche ich mit meinen polnischen Arbeitern]. In: *Rozprawy Komisji Językowej Wrocławskiego Towarzystwa Naukowego* XXXIII, 63–68.

Wawrzykowska-Wiercichowa, Dioniza (1988). *Nie rzucim ziemi, skąd nasz ród...* [Unser Vaterland geben wir nicht auf …]. Warszawa: MON.

Wielopolski, Alfred (1959). *Gospodarka Pomorza Zachodniego 1800–1918* [Die Wirtschaft Pommerns 1800–1918]. Szczecin: Państwowe Wydawnictwo Naukowe.

Dorottya Ruisz

Fremdsprachenunterricht als Vehikel für Demokratieerziehung und Völkerverständigung in der Orientierungsdebatte US-amerikanischer Neusprachler der Nachkriegszeit.
Ein Vorbild für Deutschland? (1945–1950)

1   Fragestellung

Der Menschheit Würde ist in eure Hand gegeben,
Bewahret sie!
Sie sinkt mit euch! Mit euch wird sie sich heben! (Schiller, Die Künstler, Zeilen 443ff.)

Mit diesem Schiller-Zitat endet ein 1944 im *Modern Language Journal* (*MLJ*) erschienener Aufsatz, der dazu aufruft, das Potenzial des Fremdsprachenunterrichts zur Versöhnung der Völker auszuschöpfen (Morris 1944, 198). Kann es also sein, dass Neu sprachler in den USA in der Zeit um das Kriegsende den Beitrag des Fremdsprachenunterrichts zur internationalen Verständigung und zur Demokratieerziehung diskutierten? Dies erscheint bemerkenswert vor dem Hintergrund bisheriger Forschungsarbeiten der Autorin zum Fremdsprachen- und insbesondere zum Englischunterricht in der amerikanischen Besatzungszone im Nachkriegsdeutschland (v.a. Ruisz 2014).

Am Ende der Nazi-Diktatur sah sich die US-amerikanische Besatzungsmacht in der Verantwortung, die von ihr eingenommenen deutschen Gebiete bei der Demokratisierung zu unterstützen, um damit den Weg zur Völkerversöhnung zu ebnen. Ein *Reeducation*-Programm wurde entworfen und durchgeführt, das verschiedene Lebensbereiche betraf. Dazu gehörte auch die Reformierung des allgemeinen Bildungswesens. Die Frage nach Umerziehungsmaßnahmen im Bereich des Englischlernens war als Forschungsfrage daher besonders interessant, da es sich um das Erlernen der Sprache der Besatzer handelte; man konnte sich den Englischunterricht als einen idealen Ort für die Weitergabe eines in den USA seit langem gelebten demokratischen Wertesystems denken.

Diese Annahme schien sich bei der ersten Betrachtung des von der amerikanischen Militärregierung für ihre Besatzungszone vorgegebenen Konzeptes der *social education* zu bestätigen (vgl. Ruisz 2015, 163ff.; zur Begrifflichkeit: Ruisz 2014, 69). Unter *social education* für den Bereich Schule war die Absicht zu verstehen, das Einüben demokratischer Verhaltensweisen auf drei Ebenen einzuführen: in einem eigens dafür eingerichteten Schulfach, im Unterricht jedes einzelnen Schulfaches und im gesamten Schulleben (vgl. Ruisz 2015, 162). Die Einführung des Konzeptes an den Schulen Deutschlands sollte den übergeordneten Zielen der Umerziehungspolitik dienen, nämlich der Demokratisierung und der Völkerversöhnung (Vorwort zu: U.S. Department of State 1947, III).

Ruisz (2014) hat für die amerikanische Besatzungszone eingehend untersucht, inwiefern sich *social education* auf den Englischunterricht tatsächlich auswirkte. Als Ergebnis zeigte sich dabei, welch untergeordnete Rolle die Amerikaner diesem Sprachenfach zuteilten. Es konnte für die Bereiche des Kulturaustauschprogramms, des Filmprogramms, des Programms der Amerikahäuser, der Amerikanistik an den Universitäten und der direkten Vorgaben für Fremdsprachenunterricht an der Schule festgestellt werden, dass *social education* in einem relativ geringen Ausmaß für den Englischunterricht gefordert wurde (vgl. Ruisz 2015, 168ff.).[1] Ein ähnliches Bild ergab die Analyse des Diskurses der deutschen Neuphilologen. Der Diskursstrang zu diesem Thema war alles andere als ausführlich (vgl. Ruisz 2014, 148ff.).[2]

Es ließen sich eine Reihe von möglichen Erklärungen für diese Vernachlässigung finden (ebd.). Die amerikanische Militärregierung konzentrierte sich zunächst auf die Reformierung des Schulsystems, da man die in Deutschland traditionelle Aufteilung der Schülerschaft in mehr oder weniger akademische Schulgattungen als vollkommen antidemokratisch ansah. Die Bestrebungen zu dieser sogenannten ‚äußeren Schulreform'[3] stießen auf erbitterten Widerstand vor Ort (vgl. Ruisz 2014, 74ff., 253ff.), was mit ein Grund dafür war, dass sich die Besatzer ab Mitte 1948 von diesen Vorhaben verabschiedeten (vgl. Ruisz 2014, 82ff.). Nun wollten sie sich mehr der ‚inneren Schulreform' zuwenden und deren Herzstück, der *social education* –, und zwar bereits in einer Zeit mitten im Kalten Krieg, als die USA den Westen Deutschlands[4] als Partner brauchte und man sich so lieber auf weniger Umstrittenes als den Bereich Schule in der Umerziehungspolitik konzentrierte (vgl. Müller 1995, 137, 273ff.). Diese Umstände könnten also mit dazu beigetragen haben, dass keine Zeit blieb, um das Konzept der *social education* auf fremdsprachliche Schulfächer auszuweiten. Weiter trug zur Erklärung bei, dass die US-amerikanische Besatzungsmacht Demokratie auch vorleben wollte; die Problematik einer Demokratisierung durch Diktat sah man als ein unlösbares Dilemma (vgl. Müller 1995, 134ff.; Ruisz 2014, 74ff.). Eine Beeinflussung des Unterrichts der eigenen Sprache wäre wohl besonders als Diktat aufgefallen. Ein weiterer wichtiger Punkt war, dass man sich in erster Linie den als besonders korrumpiert geltenden Schul-

---

[1]   Im Bereich Schule wurde nur das bayerische Gebiet der amerikanischen Besatzungszone untersucht (vgl. Ruisz 2014, 253ff.).

[2]   Die Rekonstruktion des Diskurses in Deutschland für vergangene Forschungsarbeiten der Autorin basierte in erster Linie auf der Analyse der westdeutschen neuphilologischen Fachzeitschriften der ersten zehn Jahren nach dem Zweiten Weltkrieg (Ruisz 2014, 48ff.; 125ff.). Es wurden sämtliche Zeitschriftenreihen durchgesehen.

[3]   Zu den Begriffen ‚innere' und ‚äußere' Schulreform siehe Fußnote 121 in Ruisz 2014, 74.

[4]   Wie aus dem Thema des Kapitels hervorgeht, wird hier unter ‚Deutschland' immer der Westen des Landes verstanden. Wenngleich hier der Einfluss aus den USA untersucht wird, ist immer dann nicht nur die amerikanische Besatzungszone gemeint, wenn es um den neuphilologischen Diskurs in Deutschland geht. Dieser wurde nämlich gleich nach 1945 übergreifend über die Zonen hinweg geführt.

fächern widmen wollte; vor allem Geschichte und Geographie, deren Rolle in der Verbreitung des nationalsozialistischen Gedankenguts als tragend gesehen wurde (vgl. Müller 1995, 252ff.).

Ebenfalls als Erklärung diente die Annahme, dass die schwache Stellung des Fremdsprachenunterrichts im System der Demokratieförderung innerhalb der USA mit zur Vernachlässigung von *social education* im Englischunterricht in Deutschland beitrug. Es ist dieser letzte Erklärungsstrang, der im vorliegenden Kapitel genauer beleuchtet werden soll. Die angenommene Ausrichtung des Diskurses zum Fremdsprachenunterricht in den Vereinigten Staaten soll durch die Analyse des Diskurses der US-amerikanischen Neusprachler verifiziert werden.

Der amerikanische Diskurs wird also im Hinblick auf die Frage nach Demokratie und Völkerverständigung im Fremdsprachenunterricht analysiert (Abschnitt 3) sowie in Bezug auf explizite Empfehlungen für die Umerziehung der Deutschen (Abschnitt 4), um im Anschluss die Ergebnisse der Untersuchung in einem ausgedehnteren Zusammenhang zu betrachten (Abschnitt 5). Die ausgewählte Quellenbasis bildet die fremdsprachendidaktische Zeitschrift *Modern Language Journal* der Jahre 1944 bis 1950, wie dies im folgenden Abschnitt erläutert wird.[5]

2   Quellenbasis

Grundlage für die Rekonstruktion des Diskurses der US-amerikanischen Neusprachler sind die Texte des *MLJ*. Das *MLJ* ist das Organ der *National Federation of Modern Language Teachers Associations*, welche gemeinsam mit ihrem Fachjournal im Jahr 2016 ihren 100. Geburtstag feiert (vgl. Byrnes 2016). Das Journal hat sich mit seiner Geschichte in zwei Sonderheften zur Jahrtausendwende auseinandergesetzt;[6] für das vorliegende Kapitel ist ein Text zur Geschichte der Redaktionspolitik einschlägig (Magnan 2001). Wie im *Mitteilungsblatt des ADNV*[7] und anderen Fachzeitschriften der deutschen Neuphilologie, kamen im *MLJ* Lehrer und Lehrerinnen sowie Universitätsdozenten und -dozentinnen moderner Fremdsprachen zu Wort, wobei Beitragende aus dem tertiären Bildungsbereich ungefähr zwei Drittel ausmachten (Magnan 2011, 103).[8]

Die Auswahl des *MLJ* erfolgte unter anderem aus der Analyse des neuphilologischen Diskurses in Deutschland heraus – es ist das einzige US-amerikanische Fachjournal, auf das in diesem Diskurs wiederholt verwiesen wird (z.B. Zeiger 1953a und 1953b). Ferner ist das *MLJ* die Fachzeitschrift in den USA gewesen, in welcher die

---

5   Über die Quellenauswahl hinausgehend wird das methodische Vorgehen nicht eigens dargelegt, da es der ausführlich beschriebenen Vorgehensweise in einer älteren Arbeit der Autorin entspricht (Ruisz 2014, 20ff.).

6   Es sind die Ausgaben 84(4) und 85(1) der Jahre 2000 und 2001.

7   *ADNV* ist die Abkürzung für: *Allgemeiner Deutscher Neuphilologenverband*.

8   Im Diskurs der deutschen Neuphilologen hingegen waren die Beitragenden dieser Zeit vor allem an höheren Schulen tätige Lehrer (vgl. Ruisz 2014, 15: Fußnote 2).

Vertreter der Einzelsprachen zusammen publizierten (Withers 1944, 216).[9] Um ein vollständiges Bild des Diskurses zum Fremdsprachenunterricht in den USA zeichnen zu können, müssten jedoch noch weitere Quellengattungen analysiert werden, so auch die einzelsprachlichen Journale.[10] Insofern sind die hier gefundenen Forschungsantworten zukünftig durch eine Ausweitung des Quellenkorpus über das *MLJ* hinaus weiter zu verifizieren.

Für die vorliegende Untersuchung sind die Jahre der Besatzungszeit maßgeblich, d.h. 1945 bis 1949. Es wurden die Jahrgänge 1944 bis 1950 des *MLJ* durchgesehen. Diese sieben Jahrgänge mit dem Umfang von jeweils um die 650 Seiten in acht Heften bieten einen ausreichend breiten Korpus, um feststellen zu können, inwieweit politische Bildung für den Fremdsprachenunterricht diskutiert wurde und um Verbindungslinien zum nachkriegszeitlichen Diskurs im Westen Deutschlands zu erkennen. Als Vergleichsbasis dient zum einen die neuphilologische Diskussion in Deutschland, die in erster Linie in den nach dem Krieg neu- bzw. wiedergegründeten neuphilologischen Fachzeitschriften ausgetragen wurde. Zum anderen werden Bezüge zu Vorgaben der amerikanischen Militärregierung hergestellt, die den Englischunterricht direkt oder indirekt betrafen.[11]

Es wurde das gesamte *MLJ* durchgesehen; das ganze Spektrum von einzeiligen Slogans bis zu Abhandlungen mit zweistelliger Seitenzahl. Die Beiträge, die sich nur mit für die Unterrichtspraxis direkt relevanten Themen beschäftigen, wie Mündlichkeit, Ausspracheschulung und Übung des Hörverstehens, wurden nicht in die Feinanalyse einbezogen. Sprach- und literaturwissenschaftliche Beiträge wurden ebenfalls nur oberflächlich betrachtet. Als wenig relevant erwiesen sich die Rezensionen, die sich zu einem großen Teil literaturwissenschaftlichen Arbeiten widmeten. Für die Feinanalyse einschlägig blieb somit rund ein Drittel der abgedruckten Texte, einschließlich aller Texte zur Bildungs- und Sprachenpolitik und zum Programm der Zeitschrift sowie außerdem alles im weitesten Sinne Politische mit Relevanz für die Fragestellung. Dabei eingeschlossen waren Abhandlungen, Rezensionen und Korrespondenzen mit Themen zur Lage des neusprachlichen Unterrichts in den USA, zur Begründung von Fremdspra-

---

9   Ab 1948 konkurrierte das *MLJ* in Teilbereichen mit *Language Learning: A Quarterly Journal of Applied Linguistics*, heute: *Language Learning: A Journal of Research in Language Studies* (vgl. Anon. 1948c). In erster Linie ist das *MLJ* im Untersuchungszeitraum dem Französischen und Spanischen gewidmet, in zweiter dem Deutschen, in dritter dem Russischen und Italienischen, aber auch weniger verbreiteten Sprachen wie Norwegisch, wobei sich viele Beiträge auf neue Sprachen im Allgemeinen beziehen. Die rezensierten Bücher, alle aus amerikanischen Verlagen, beziehen sich meist auf diese einzelnen Sprachen und sind oft auch in diesen verfasst.

10   Zeitschriften, die sich dem Unterricht einzelner Fremdsprachen widmeten, gab es schon länger, die germanistischen *Monatshefte* sogar bereits vor der Gründung des *MLJ* (Magnan 2001, 93). Für den Untersuchungszeitraum könnten etwa die *French Review*, *Hispania*, *Italica* und *German Quarterly* durchgesehen werden (Olinger 1944c, 451). In der deutschen neuphilologischen Zeitschriftenlandschaft etablierten sich einzelsprachliche Didaktik-Journale hingegen erst nach dem Untersuchungszeitraum (vgl. Doff 2008, 109).

11   Zu Details bzgl. der Durchsicht dieser beiden Quellengruppen durch die Autorin dieser Arbeit siehe Ruisz 2014, 37ff.

chenunterricht, zum Fremdsprachenunterricht im Krieg, zu Deutschland und zum Faschismus.

3   Demokratisierung und Völkerverständigung als Ziele des Fremdsprachenunterrichts? Die Sicht amerikanischer Neusprachler

Welche Schwerpunkte setzten die amerikanischen Neusprachler für den Fremdsprachenunterricht? Inwieweit wurden dabei Demokratieerziehung und internationale Verständigung thematisiert? Diese Fragen werden im folgenden Abschnitt für den Diskurs der amerikanischen Neusprachler im *MLJ* beantwortet.

Nur wenige im *MLJ* abgedruckte Abhandlungen sind vorwiegend dem Thema der Erziehung zur Demokratie im Fremdsprachenunterricht gewidmet (Teller 1947, Kragness 1945; Kroff 1950). Die dafür einschlägigsten Titel sind „Critical Thinking Through Language" von Shiela Kragness (1945) und „Effective Citizenship and Foreign-Language" von Gertrude Teller (1947). Kragness weist dem Fremdsprachunterricht zwar dem Schulfach „social sience" gegenüber eine untergeordnete Rolle in der Demokratieerziehung zu, jedoch eine ansonsten gewichtige (1945, 521). Sie sieht die Stärke des Fremdsprachenunterrichts darin, dass er besonders zur Entwicklung des kritischen Denkens geeignet sei. In diesem Unterricht, speziell auch bei Übersetzungsübungen, könne am besten vorgeführt werden, dass die Beziehung zwischen Sprache und Bedeutung nicht eindeutig ist; so könnten die Schüler und Schülerinnen lernen, Pervertierungen im Wortgebrauch und letztendlich Propaganda zu erkennen (Kragness 1945, 521f.; ähnlich auch Hendrix 1948, 293). Der Fremdsprachenunterricht wäre von daher ganz besonders geeignet, da hier nur wenig Zeit für den Erwerb von Faktenwissen zu reservieren sei, im Gegensatz zu Schulfächern wie Geschichte (Kragness 1945, 523). Teller geht sogar einen Schritt weiter und sieht fremdsprachliche Schulfächer als das Zentrum für politische Bildung: „efficient knowledge of languages will be more necessary than any other educational equipment to achieve this reality", so Teller (1947, 499). Sie meint damit nicht das Ziel, Dolmetscher für die Vereinten Nationen o.Ä. auszubilden, sondern „to foster and develop the responsible human being and citizen for whom this world of ours so urgently calls" (Teller 1947, 509).

Speziell zum Thema der internationalen Verständigung bietet das *MLJ* viele relevante Textstellen. Es lassen sich einige Abhandlungen finden, die sich überwiegend mit diesem Thema beschäftigen (Hart 1950; Oppenheimer 1950; Kroff 1950). Es wird unzählige Male auf Völkerverständigung verwiesen (z.B. Olinger 1944b, 95; Huebener 1945b, 678), oder sie wird Unterthema in Abhandlungen zu verschiedenen Fragestellungen, zum Beispiel im Beitrag von Teller:

> In our age of the atomic bomb, there is doubtless no other goal of equal importance to be achieved than the creation of a climate favorable to peace. Only then shall we prevent the complete destruction not only of uncountable millions of human lives but also of many cultures and civilizations as well as the imminent political, social and economic enslave-

ment of the peoples of this earth. All this would be the inevitable outcome of another war, whatever nation may be the so-called victor. (Teller 1947, 509)

Hier wird der Appell, möglichst die gesamte Schülerschaft frei von Vorurteilen zu machen, um den Weltfrieden zu sichern, mit einer Antithese verstärkt. Würde der Frieden in der Welt nicht gestärkt, warte der nächste Krieg, dessen wahrscheinliche Resultate aufgelistet werden: „atomic bomb", Zerstörung von „millions of human lives" und von „many cultures and civilizations" sowie „enslavement" der Völker. Bei der Vermeidung all dieser Schrecken wiederum spiele das Erlernen von Fremdsprachen eine zentrale Rolle. Über den fremdsprachlichen Unterricht als Schutzschild vor einem dritten Weltkrieg schreiben auch andere Neusprachler ganz explizit (Morris 1944, 198; Hart 1950, 131). Ferner sind Rückblicke auf die Weltkriege zahlreich, meist in kurzen Kommentaren. Das Wort „war" findet sich in der Überzahl der für die Feinanalyse ausgesuchten Texte mehrmals. Außerdem sind Aufrufe zum Friedenserhalt als indirekte Warnungen vor zukünftigen Kriegen häufig (z.B. Pei 1944, 285); so wird der Begriff „peace" unzählige Male in den zur Feinanalyse ausgesuchten Texten gebraucht.

Der Weltfrieden wird auch in kurzen Textstellen beschworen, die nicht Teil der einzelnen Rubriken des *MLJ* sind, und gerade deswegen sehr ins Auge springen. Es sind die durch Kapitälchen hervorgehobenen Slogans, die im Untersuchungszeitraum bis einschließlich zum Jahr 1946 in das untere Seitenfeld gedruckt wurden, wenn der Schluss des jeweiligen Beitrags nicht die gesamte Seite einnimmt; dies geschah unabhängig davon, welches Thema die Texte davor hatten. Je nach dem vorhandenen Platz wurden drei Slogans auf einmal abgedruckt oder nur einer oder zwei. Am meisten relevant für die Fragestellung dieses Kapitels ist der häufig verwendete Aufruf „Foreign Languages for [sic] Global War and Global Peace!" (z.B. Olinger 1945a, 8).[12] Es wird somit das Fremdsprachenlernen an prominenter Stelle mit der Sicherung des Friedens in Verbindung gebracht. Derartige Slogans füllten auch in den Kriegsjahren vor dem Untersuchungszeitraum die Seiten der Zeitschrift „You Help Yourself and Your Country by Learning a Foreign Language!" (z.B. im Band 27(5) von 1943, 359; vgl. auch Magnan 2001, 103). Die Slogans spiegeln also die aktuelle politische Lage wider und schaffen eine offensichtliche Verbindung zwischen Fremdsprachenlernen und internationaler Verständigung für die Nachkriegszeit.

Internationale Verständigung wird nicht nur propagiert; es werden auch Wege dorthin aufgezeigt, die über das reine Sprachenlernen hinausgehen. So macht Oppenheimer darauf aufmerksam, dass Sprachkenntnisse alleine nicht automatisch zur Völkerverstän-

---

12   Neben diesem politischen Aufruf taucht auch der Satz „Foreign Languages for the 'Air Age'!" auf (z.B. Vittorini 1944, 276). Dieser Appell nennt den Grund der immer kürzer werdenden Entfernungen zwischen den Ländern wegen der fortgeschrittenen Transportmöglichkeiten, ein Gedanke, der auch in den eigentlichen Texten des *MLJ* auftaucht (z.B. Olinger 1944b, 95). Die anderen beiden Aufrufe, die ebenfalls wiederholt vorkommen, begründen das Fremdsprachenlernen nicht näher: „Americans, Awake to Language Needs!" (z.B. Olinger 1945a, 8) und „Foreign Language, America's Need for the Future!" (ebd.). Der Leser bleibt im Unklaren darüber, warum die USA Sprachen braucht und wie dies die Zukunft des Landes beeinflussen würde, ob es sich beispielsweise um Notwendigkeiten im Zusammenhang mit Wirtschaft, Diplomatie oder anderem in der Zukunft handelt.

digung führten, und somit der eigentliche Sprachunterricht nicht ausreiche (Oppenheimer 1950, 105). Deswegen sollten zumindest Teile des Sprachunterrichts durch Literaturunterricht ersetzt werden, damit das Fremde so besser kennengelernt werden könne: „Here again common sense tells us that it is better for a student to read a translation than nothing at all" (Oppenheimer 1950, 106ff.), eine durch den Einbezug der „common sense" recht suggestive Aussage. In einem weiteren Vorschlag, der über die Spracharbeit hinausgeht, wird für die Arbeit mit „cultural material" geworben; gemeint ist die Arbeit mit Filmen, Literatur und Bräuchen (Kettelkamp 1950, 644f.); dies würde die Toleranzfähigkeit stärken und zur Demokratieerziehung beitragen (Kettelkamp 1950, 640). Weiterhin werden Aufbau und Einführung einer internationalen Sprache sowie deren Unterricht an den Schulen empfohlen, basierend entweder auf einer weltweit verbreiteten Sprache, die zu vereinfachen wäre, oder als eine Form von Novial oder Interglossa (z.B. Pei 1947, 13; Benjamin 1947, 415).

Die Erziehung zur Völkerverständigung und zu einem guten Staatsbürger in der Demokratie nennt Teller als die Hauptziele des Unterrichtens von Fremdsprachen (Teller 1947, 494). Sie plädiert dafür, mögliche, ebenfalls nicht unwichtige, praktische Ziele, die auf zukünftige Berufe der Schüler und Schülerinnen ausgerichtet sind, zurückzustellen (ähnlich bei Wilner 1949 und Morgan 1950). Dies geschieht in einem langen Beitrag von 16 Seiten, einem für das *MLJ* ungewöhnlich beachtlichen Umfang. Teller bezeichnet diese zwei konkurrierenden Hauptziele des Fremdsprachenunterrichts als „humanistic function" und „tool function" (Teller 1947, 500). Ähnliche Konzepte verstecken sich hinter den als „long-range" und „short-range" genannten Zielen von Morris (Morris 1944, 192; ähnlich auch bei Kroff 1950, 211); er meint, dass die „Short-range"-Ziele an praktische Begebenheiten angepasst werden könnten, wohingegen „Long-range"-Ziele langlebig seien. Das praktische Ziel des Verstehenlernens führe ohnehin zum „Long-range"-Ziel des „human understanding" (Morris 1944, 192). Die Unterscheidung dieser beiden Pole erinnert an den neuphilologischen Diskurs in Deutschland (vgl. Ruisz 2014, 126ff.). Die Diskussion der Amerikaner verläuft jedoch in drei wichtigen Punkten anders als die der Deutschen.

Erstens beziehen sich die Forderungen der amerikanischen Autoren zumindest vordergründig auf die gesamte Schülerschaft, wohingegen die deutschen Neuphilologen das humanistische Bildungsziel nur für die höheren Schulen propagieren, welche in großen Teilen Deutschlands von weniger als 30 Prozent der Kinder und Jugendlichen besucht wurden (vgl. für Bayern: Bayerisches Statistisches Landesamt 1960, 11), so dass man für den deutschen Diskurs von einem „elitären Humanismusbegriff" (Ruisz 2014, 136ff.) sprechen kann. Kindern und Jugendlichen der Volksschulen sollte ein rein nützlichkeitsorientierter Fremdsprachenunterricht erteilt werden (so z.B. Reimers 1949, 3; vgl. Ruisz 2014, 248ff.). Es sei jedoch etwas angemerkt, was den Befund eines für die gesamte Jugend propagierten Humanismus im amerikanischen Fremdsprachenunterricht einschränkt. Die Amerikaner wollten zwar nicht explizit bestimmten Gruppen humanistische Bildungsziele vorenthalten, diskutierten aber, den Fremdsprachenunterricht nur besonders begabten Schülern und Schülerinnen anzubieten (siehe Olinger 1944b; 1945a; Rowe 1944, 136).

Ein weiterer Unterschied liegt darin, dass im deutschen Diskurs die Advokaten des Humanismus (z.B. Bohlen 1953a) klar von den Befürwortern der *social education* im Fremdsprachenunterricht (v.a. Fischer-Wollpert 1956) abzugrenzen sind, Letztere schlagen nämlich Gegenwärtiges und Politisches als Unterrichtsinhalt vor (vgl. Ruisz 2014, 148ff.), wohingegen den Ersteren zufolge die humanistische Zielsetzung vor allem durch das Lesen von Klassikern zu verfolgen gilt (vgl. Ruisz 2014, 139ff.). Anders als in Deutschland sind im amerikanischen Diskurs *social education* und humanistische Erziehung keine Gegensätze (so auch bei Teller); sie werden vielmehr gemeinsam von der „tool function" abgegrenzt (Teller 1947; ähnlich in Wilner 1949).

Der dritte Unterschied zur Diskussion in Deutschland ist, dass dort der Dissens zwischen Befürwortern des Humanismus und des Pragmatismus eine zentrale Stellung im Gesamtdiskurs der Neuphilologie einnimmt. Im *MLJ* hingegen springt die Diskussion zwischen den Neusprachlern, die sich für humanistische Bildungsziele und Demokratieerziehung auf der einen Seite und für praktische Ziele auf der anderen Seite stark machten, weniger offensichtlich als Gegensatz ins Auge. Oft wird die Berechtigung von beiden Zielrichtungen gleichzeitig propagiert (z.B. Olinger 1944a, 5; Heft 1950, 372). Für den amerikanischen Diskurs als Gesamtes kann herausgearbeitet werden, dass praktische Ziele überwogen – diese wurden nämlich am ausgiebigsten diskutiert –, oft als eine Frage der Unterrichtspraxis, ohne in eine Debatte um übergeordnete Bildungsziele eingebettet zu sein. Ferner wurden die vielen direkten und indirekten Verweise auf die Verständigung der Völker nicht immer erörtert, sondern tauchen nur im Rahmen allgemeiner Plädoyers für mehr Fremdsprachenunterricht auf (z.B. Hart 1950, 131). So kommt man der Schwerpunktsetzung des im *MLJ* ausgetragenen nachkriegszeitlichen Diskurses nahe. Die überwiegende Zahl der im *MLJ* behandelten Fragen betraf nicht das hier untersuchte sprachenpolitische Thema, sondern beispielsweise Fragen zur Leistungsmessung, grammatische Probleme in einzelnen Sprachen und Fragen zur Gegenwartsliteratur.

Zur Orientierungsdebatte ist zum Teil auch die Beschäftigung mit der „aural-oral method" (Etmekjian 1945, 477) und dabei insbesondere die Diskussion um das *Army Specialized Training Program* (*A.S.T.P*) zu zählen. Beim *A.S.T.P.* handelte es sich um Intensivkurse für Soldaten, die sie zu Sprechen und Hörverstehen befähigen sollten; die Soldaten wurden in Kleingruppen in bis zu siebzehn Stunden pro Woche über drei Monate hinweg unterrichtet (Agard et al. 1944, 156; Rowe 1944, 136f.; Olinger 1944, 5). Die Kurse waren ein großer Erfolg, vor allem im Vergleich zum Erreichten in der Mündlichkeit von Absolventen der *high schools* (Etmekjian 1945, 477; Rowe 1944, 136). Die Befürworter der Adaptierung dieser Methode für Schule und Hochschule verfolgten das Ziel „„Languages for practical conversational purposes only!"" (Pei 1944, 281; vgl. z.B. Lindquist 1944; Rowe 1944), das sie neben der Erhöhung des Anteils des Fremdsprachenunterrichts im Stundenplan durch die Einführung der auf die Mündlichkeit betonten Methodik erreichen wollten, auf Kosten von Grammatikunterricht, Übersetzungsübungen und Literaturunterricht (Lindquist 1944, 290). Ihnen gegenüber standen zum einen die Befürworter der ausschließlichen Förderung des Leseverstehens, die ein hohes Niveau beim Sprechen und Hörverstehen als überflüssig für die breite Masse der Schüler und Schülerinnen ansahen, da diese ohnehin weder beruflich noch privat ins Ausland fahren würden (Etmekjian 1945, 478; Le Coq 1950, 465) und zum anderen die Befürworter von weiterführenden Zielen wie Demokratie und Völkerverständigung (z.B. Morris 1944, 197; siehe auch Pei 1944, 281).

Im Band von 1945 behandelten 67 von 209 der Beiträge das *A.S.T.P.* (Magnan 2001, 103). In den Jahren 1945 und 1946 veröffentlichte Henri C. Olinger, Herausgeber des *MLJ*, eigens eine Artikel-Reihe „Whither Foreign Languages?", in welcher seine Korrespondenten einen Fragebogen beantworteten zum „influence of the war and the A.S.T.P. courses upon modern foreign language teaching in the secondary schools, colleges and universities" (Olinger 1945b, 665). Das Blatt unternahm also größte Anstrengungen, die Erfolge des *A.S.T.P.* für den Fremdsprachenunterricht im Bildungswesen außerhalb des Krieges fruchtbar zu machen. Dabei wurde jedoch immer wieder betont, dass sich die Methode der Armee nur schwer auf die regulären Rahmenbedingungen schulischen Fremdsprachenunterrichts übersetzen ließen, zumal die gewaltige Anzahl von ca. 15 Wochenstunden nicht annähernd replizierbar sei (so z.B. Olinger 1944a, 5). Während der Herausgeberschaft von William S. Hendrix war die thematische Schwerpunktsetzung ähnlich, wobei er selbst die Methode der Armee kritisch hinterfragte (z.B. in Agard et al. 1944, 155; vgl. Magnan 2001, 104). Wenngleich es nicht wenige kritische Stimmen gab – z.B. „The school is primarily an educational institution and not a training camp" (Huebener 1945a, 411) –, waren die Neusprachler sehr in diesen Diskursstrang vertieft, wohl auch um die öffentliche Bewunderung der Erfolge des Armee-Programms (ebd.) für die eigenen Zwecke der Propagierung des Fremdsprachenunterrichts zu nutzen.

In einem von einer Gruppe von im *MLJ* aktiven Professoren amerikanischer Universitäten veröffentlichten Artikel (Agard et al. 1944) wird dem Ausbildungsprogramm der Armee zugestanden, für die Zwecke des Militärs gut zu funktionieren, den Zielen des Programms aber keine Tauglichkeit für den Fremdsprachenunterricht an Schulen und Hochschulen bescheinigt. Dort sei „the understanding and appreciation of foreign cultures" das vorrangige Ziel von „language study in a liberal education" (Agard et al. 1944, 155). Das Programm der Armee hätte aber gezeigt, dass der Fokus der ersten Lernjahre mehr auf Mündlichkeit zu liegen habe. Die Autoren leiten daraus ihre Forderungen ab, u.a. nach erhöhten Stundenzahlen, einem früheren Einsetzen des Fremdsprachenunterrichts, kleinen Klassen, der verbesserten Sprachkenntnisse der Lehrkräfte, neuem Unterrichtsmaterial und der Erarbeitung neuer Methoden der Leistungsmessung (Agard et al. 1944, 155f., 158, 160).

Diese Forderungen kamen den amerikanischen Neusprachlern gelegen für ihre Bemühungen zur Lösung ihres grundsätzlichen Problems – dem geringen Stellenwert von Fremdsprachenunterricht in den *high schools*. Die Situation hatte sich zwar während des Zweiten Weltkrieges verbessert, so dass Olinger 1944 den ersten Artikel seiner Herausgeberschaft mit „The Worst is Over" betiteln konnte. Dies geschah nach zwanzig Jahren der Konzentration der amerikanischen Behörden auf Schulfächer, die ergiebiger für die Wirtschaft und Kriegsführung zu sein schienen als der Fremdsprachenunterricht (Olinger 1944a, 4). Inzwischen wurden Fremdsprachenkenntnisse als Teil der Kriegsführung anerkannt (ebd.; Pei 1944, 280). Das gestiegene Interesse an Fremdsprachen nahm nach dem Krieg nicht ab, sondern wurde von der Bevölkerung aufrechterhalten (Hendrix 1948, 293). Allerdings waren die Stundenzahlen nur im Vergleich zur Zwischenkriegszeit gestiegen und immer noch auf einem sehr niedrigen Niveau, und ab 1949 nahmen auch die Schülerzahlen wieder ab (Wilner 1949, 499; Roach 1951, 430f.). An vielen *high schools* wurden lediglich ein oder zwei Jahre Unterricht in einer einzigen Fremdsprache angeboten, Latein, Französisch oder Spanisch; manche Schulen boten diese Fächergruppe überhaupt nicht an (Evans 1948, 568; Teller 1947, 503). Der Grund, der für diesen miserablen Stand des Fremdsprachenunterrichts genannt wird, ist, dass Sprachen nicht gewinnbringend genug für praktische Zielsetzungen seien (ebd.).

Als Reaktion auf diese Lage sahen sich die ersten beiden Herausgeber des Untersuchungszeitraumes, Henri C. Olinger (1944–1946) und William S. Hendrix (1947–1948),[13] dazu verpflichtet, regelrecht Werbung für den Fremdsprachenunterricht zu betreiben (z.B. Olinger 1944a; Hendrix 1948) und auch in der Zeit des dritten Herausgebers, Julio del Toro (1948–1954), wurden Appelle für das Fremdsprachenlernen gedruckt (z.B. im Heft 1950).[14] Der Kampf für mehr Fremdsprachenunterricht wurde bereits gegen Ende des Krieges in Richtung Friedenszeit gelenkt:

> No, we shall have to carry our message to the public, the parents and even the pupils themselves. These must demand the inclusion of the languages in the new educational curricula after the war. (Olinger 1944a, 4)

> No, dear colleagues, there is no automatic transference. Foreign languages will not automatically move from the global war to the global peace. […] Foreign languages should play an even greater part in the global peace than in the global war period. (Olinger 1944a, 5)

Die Verneinung zu Beginn dieser beiden Absätze unterstellt dem mit „dear colleagues" direkt angesprochenen Leser, dass er nicht die Meinung des Autors teilt. In dieser Weise soll dem Leser bewusst werden, wie falsch diese Unterstellung ist, und er sehr wohl auch für die Verstärkung des Fremdsprachenunterrichts kämpfen will.

Der kurzen Begegnung mit Fremdsprachenunterricht in den *high schools* entsprechend, waren die Fremdsprachenkenntnisse der Schulabsolventen schwach ausgeprägt; die Schüler und Schülerinnen konnten nicht einmal an Konversationen zu Alltagsthemen erfolgreich teilnehmen (Etmekjian 1945, 477). Dies erklärt wohl, dass sich das Gewicht des Diskurses außerhalb der Orientierungsdebatte auf die Verbesserungsvorschläge des Sprachunterrichts per se konzentrierte. Das *A.S.T.P.*-Programm kam dabei den Appellen für mehr Fremdsprachenunterricht sehr entgegen. Es wurde an vielen Stellen eine ganze Reihe von Argumenten für den Fremdsprachenunterricht aufgezählt. Neben Demokratieerziehung und Völkerverständigung sowie dem praktischen Nutzen für Wirtschaft, Wissenschaft und Diplomatie (Morgan 1944, 43) waren es die Verbesse-

---

13   Wegen des plötzlichen Todes von Hendrix erfolgte im März 1948 ein Herausgeberwechsel während des Jahres.

14   Dies bedeutet nicht, dass in der Schwerpunktsetzung des *MLJ* methodische Fragen nicht durchgehend ebenfalls eine wichtige Rolle gespielt hätten (vgl. auch Magnan 2001, 103–105).

rung der Kenntnis der Muttersprache (Morgan 1944, 44; Olinger 1944a, 5; kritischer Rowe 1944, 141), die der Merkfähigkeit (Morgan 1944, 44), die der Denkfähigkeit (ebd.), das Kennenlernen der fremden (Hendrix 1948, 289) sowie der eigenen Kultur (Morgan 1944, 44; Hendrix 1948, 288f.), das Wahrnehmen der Führungsverantwortung der USA (Hendrix 1948, 289; Kroff 1950, 210), der Beitrag zum Wiederaufbau nach dem Krieg (Barton 1944, 64), die Freude an Ästhetischem (Morgan 1944, 44) sowie die Kommunikation für Freizeitzwecke (ebd.; Rowe 1944, 140). Außerdem sollte man durch die Beherrschung von Fremdsprachen Originale lesen können, ohne auf unter Umständen mit Absicht verfälschte Übersetzungen angewiesen zu sein (Hendrix 1948, 292). Angepriesen wurde auch der durch Fremdsprachenkenntnisse ermöglichte Zugang zu nicht übersetzten Texten, vor allem zu ausländischer Gegenwartsliteratur (Morgan 1944, 45). Die Titel von in der Zeitschrift veröffentlichten Beiträgen „Why study foreign languages?" (Kroff 1950; Lindquist 1944; Morgan 1944), „Why American Students Should Study Foreign Languages and Cultures" (Hendrix 1948) und „What is Foreign Language Study For?" (Morgan 1950) sowie der Aufruf zu einem Aufsatzwettbewerb an Schüler und Schülerinnen der *high schools* mit dem Thema „The Importance of Modern Foreign Languages Today and Tomorrow" (Barton 1944, 64f.) zeugen ebenfalls vom Rechtfertigungsdrang amerikanischer Neusprachler. Des Weiteren wird den Lehrerinnen und Lehrern empfohlen, Gründe für das Fremdsprachenlernen im Klassenverband explizit zu diskutieren (Morgan 1944, 43). Ebenfalls der Rechtfertigung dienen die abgedruckten Äußerungen von „leaders in American educational trends" zur Lösung des „language problem" (Olinger 1945a, 3) in der Serie „What Others Think of Us", die in jeder Ausgabe zu Wort kommen (z.B. Olinger 1944b; 1945a). Demnach sollte der Fremdsprachenunterricht niemandem vorenthalten werden; so die rhetorische Frage:

> How are we to develop true appreciation of other peoples, to teach international coopera-
> tion, to form the intelligent citizen of the world, if we are to deprive our children of the
> only basis of all true intercultural understanding, namely, an acquaintance with one or
> more foreign tongues? (Huebener 1945b, 678)

4 Amerikanische Neusprachler zum Fremdsprachenunterricht im Nachkriegsdeutschland

Im vorigen Abschnitt wurde gezeigt, dass im Zeitschriftendiskurs des *MLJ* politische Bildung, insbesondere die Förderung der Völkerverständigung, sehr wohl für den Fremdsprachenunterricht propagiert wurde, wenngleich der Schwerpunkt des Gesamtdiskurses woanders lag. Da es Verbindungen zu in Deutschland verorteten Diskursen gab, die in Abschnitt 5 noch zu besprechen sein werden, ist es verwunderlich, dass dort wenig von diesen Impulsen übernommen wurde. Weiter bei der Analyse des amerikanischen Diskurses bleibend, wendet sich dieser Abschnitt der Frage zu, inwieweit Autoren des *MLJ* politische Bildung im Fremdsprachenunterricht direkt für *Reeducation* in Deutschland vorschlugen.

Im Untersuchungszeitraum ist im *MLJ* ein einziger Aufsatz veröffentlicht worden, der sich tatsächlich mit der Ausrichtung des Fremdsprachenunterrichts in Deutschland beschäftigt, nicht des Englischunterrichts speziell; Englisch als Fremdsprache war auch ansonsten nur am Rande Thema des Journals, obwohl sich das *MLJ* für alle Fremdsprachen zuständig sah (Withers 1944, 216).[15] Diese eine ausführliche Stellungnahme aus dem Jahre 1944 ist natürlich einschlägig für die Fragestellung dieser Arbeit, so dass dieser Text an dieser Stelle genauer unter die Lupe genommen wird. Werner Peiser untersucht mögliche Zielsetzungen und Methoden für den Unterricht der „Fascist Youth" in Deutschland und Italien. Zunächst stellt er klar, dass der Fremdsprachenunterricht nicht automatisch zu einer Welt ohne Krieg führe, zumal dieser Unterricht auch zu „propaganda cells" (Peiser 1944, 56) geformt werden könne, wie dies im ‚Dritten Reich' geschehen sei. Er macht darauf aufmerksam, dass Fremdsprachen in Europa vor und während des Krieges zur Genüge unterrichtet worden seien, im Gegensatz zu den weitaus friedliebenderen Vereinigten Staaten (Peiser 1944, 54).

Dieser Aussage, dass Fremdsprachenunterricht in Deutschland eine stärkere Stellung hatte, soll hier genauer nachgegangen werden. Tatsächlich waren fremdsprachliche Schulfächer bereits vor der Hitler-Zeit, während des Nationalsozialismus und später in der Nachkriegszeit in den Stundenplänen der höheren Schule bei weitem besser vertreten, als dies in den USA der Fall war. Den zwei Jahren des an den *high schools* einsetzenden Fremdsprachenunterrichts standen zum Beispiel in Bayern der jährliche Fremdsprachenunterricht in den neun Jahren der höheren Schule gegenüber (vgl. zu Stundenzahlen und Sprachenfolge: Ruisz 2014, 281ff.), was den amerikanischen Neusprachlern nicht verborgen blieb:

> It is interesting now, as it has always been for an American, to note that German school-men still think in terms of six and more years of study of a given foreign language, and not in terms of a smattering two years such as we have in the United States. (Anon. 1948b, 450)

So in einem Absatz in der Rubrik *Notes and News* zur Neugründung des ADNV 1947, der einzigen Erwähnung des deutschen Verbandes. Auch in der Anzahl der Wochenstunden ging es nicht um zwei Wochenstunden, wie in den Sekundarschulen der USA, sondern um ungefähr das Doppelte.

Das aufmerksame Lesen von Peisers Aufsatz erklärt, warum dieser Unterschied in der Quantität den amerikanischen Leserinnen und Lesern noch gewaltiger erscheinen musste, als er schon ohnehin war. Peiser geht davon aus, dass der an den höheren Schu-

---

15   Es findet sich die Forderung, dass nicht nur die Amerikaner mehr Fremdsprachenunterricht erhalten sollten, sondern auch Englisch in anderen Ländern unterrichtet werden solle (Pei 1944, 285). Ferner gibt es einen kleinen Diskursstrang zum Englischunterricht in Südamerika. Dabei ging es darum, die Gründe für die guten Englischkenntnisse der dortigen Bevölkerung zu erkunden und dieses Wissen für den Fremdsprachenunterricht in den USA zu nutzten; in erster Linie sah man die erhöhte Motivation der Lerner wegen des sofort erkennbaren praktischen Nutzens des Englischen sowie wegen des größeren stundenplanmäßigen Stellenwerts des Faches als ausschlaggebend für den Erfolg im Süden (Farr Savaiano 1950). Der Englischunterricht in Südamerika wurde aktiv vom State Department aus unterstützt, wie in der *MLJ* berichtet wurde (Beardsley 1949, 467f.).

len angebotene Unterricht allen deutschen Schülerinnen und Schülern offenstand; zumindest erwähnt er nicht, dass dies für zwei Drittel eines Jahrgangs nicht der Fall war. Dieses Missverständnis rührt aus einem Übersetzungsfehler; die Begriffe *high school* und ‚höhere Schule' werden gleichgesetzt.[16] Dieser Fehler soll hier aber nicht davon ablenken, dass mit der erwähnten Textstelle ein entscheidender Punkt für die Beantwortung der hier gestellten Fragen berührt wird. Amerikanische Neusprachler konnten sich schlecht dafür einsetzen, in Deutschland mehr Gewicht auf den Fremdsprachunterricht zu legen, um dort Demokratie und Frieden zu fördern. Aus ihrer Sicht war der Unterricht fremder Sprachen dort schon seit langer Zeit dem der USA überlegen.

Dieser pessimistische Blick auf die Einflussmöglichkeiten des Fremdsprachenunterrichts setzt sich jedoch in Peisers Aufsatz nicht fort. Mit dem Wort „However" gleich nach seiner Einführung macht er deutlich, dass er einer inhaltlichen Reformierung des Fremdsprachenunterrichts in Deutschland optimistisch gegenübersteht.

> However, it is evident that nobody who is interested in Europe and its future would venture to draw the opposite conclusion, that, on account of the unsatisfying results in Europe, the teaching of foreign languages should be abolished. On the contrary, if we believe in the possibility of creating a better world, if we believe in reconstruction, foreign languages shall contribute to this goal and shall serve as an efficient instrument to create a basis on which the different nations may live and work and compete peacefully together. (Peiser 1944, 54)

Der Verfasser schließt also aus seiner ersten Aussage, dass der Fremdsprachenunterricht nichts gebracht habe, nicht, dass es diesen nun nicht mehr geben sollte; vielmehr kommt er durch eine weitere Antithese zu dem Resultat, dass dieser Unterricht sehr wohl zum Frieden in der Welt beitragen könne. Es folgen sodann Angaben dazu, wie und mit welchen Zielen dieser Friede zu erlangen sei. Peiser schlägt einen Weg vor, den er als „ethical approach" bezeichnet (Peiser 1944, 55). Dieser habe das Ziel, den „ethical background" der Lerner zu vertiefen, nur so könne die vom Faschismus eingenommene Jugend umerzogen werden (ebd.).

Der Verfasser gibt auch konkrete Anregungen dafür, wie die übergeordneten Unterrichtsziele erreicht werden könnten. Es sollten die Schulbücher revidiert (Peiser 1944, 56f.) und vor allem die Lehrkräfte gut ausgesucht und fortgebildet werden, da diese vollkommen demokratisch gesinnt sein müssten (Peiser 1944, 57ff.). Nur so könne politische Bildung erfolgreich sein, wobei die Lehrenden nicht zu aufdringlich sein dürften:

> The classroom should not be transformed into a propaganda place even if the propaganda has the noblest goal, namely, converting misled youngsters to truth and displaying before them the values which are objectively higher than those taught before. (Peiser 1944, 59)

Diese Vorsicht vor Zwang zur Umerziehung führt zum zweiten Angelpunkt in dem Erklärungsversuch für die schwache Verbindung zum Fremdsprachenunterricht in Deutschland. Es ist die Problematik der Demokratisierung durch Diktat, die das gesamte *Reeducation*-Konzept vor kaum lösbare Aufgaben stellte (vgl. Müller 1995, 118). So

---

16 Den gleichen Fehler findet man auch im Diskurs der Neuphilologen in Deutschland (z.B. Winkelmann 1949, 169; nicht z.B. in Bohlen 1955, 1).

war es nicht einfach, Empfehlungen für das vom Nationalsozialismus gebeutelte Land zu machen.

Interessant in diesem Zusammenhang ist auch, dass Peiser für den Unterricht jeglicher Fremdsprache jedoch nicht speziell für eine Umerziehung durch Englischunterricht warb. Dies hatte zum einen wohl den Grund, dass die Problematik des Diktats beim Unterricht der Sprache der Besatzer besonders auffiel (vgl. Ruisz 2014, 121). Ein dreizeiliger Bericht in der Rubrik *Notes and News* zeugt davon, wie die Neusprachler zu diesem Dilemma standen:

> Winston Churchill's endorsement of Basic English has probably hurt the study in English in Latin America by giving a political slant to what after all is a cultural instrumentality. It suggests 'master race' ideas. (Doyle 1945, 710).

Der Vergleich zur rassistischen Nazi-Ideologie durch die Wahl des Vokabulars „master race" ist beachtlich. Abgesehen von dieser Textstelle gibt es keine weiteren, die explizit den Standpunkt der Neusprachler zu diesem Thema kundtun. Man kann so nur annehmen – der Verfasser Henry Grattan Doyle war eine zentrale Figur des *MLJ*, zwischen 1934 und 1938 der Herausgeber des Journals (Anon 1948a; vgl. Magnan 2001, 101f.) –, wie kritisch man solchen Ideen gegenüberstand.

Genau dieses Dilemma könnte der Grund dafür sein, dass sich das *MLJ* so wenig mit Deutschland auseinandersetzte. Man hätte in Bezug auf Deutschland in erster Linie gerade den Unterricht des Englischen diskutieren müssen, da für das Englische, als der Weltsprache schlechthin, der Trend ab Beginn des Jahrhunderts aufsteigend war (vgl. Ruisz 2014, 237, 281ff.); Englisch war bereits von den Nationalsozialisten als erste Fremdsprache an den höheren Schulen festgesetzt worden (vgl. Lehberger 2007, 611f.).

5 Der amerikanische Diskurs als Erklärungshilfe für die Art der politischen Bildung im Englischunterricht in Deutschland

Am Anfang dieses Beitrags wurde Bezug auf ein Ergebnis früherer Forschungsarbeit genommen, die das geringe Interesse der US-amerikanischen Militärregierung an der Beeinflussung des Englischunterrichts in ihrer Besatzungszone zeigt (vgl. Ruisz 2014, 122f.). Ebenfalls ist in vergangenen Untersuchungen angenommen worden, dass die Vernachlässigung des Fremdsprachenunterrichts im Konzept der *social education* innerhalb der USA zu den Gründen für die Vorgehensweise in Deutschland zählte. Dieser Erklärungsstrang sollte hier durch die Analyse des Diskurses der amerikanischen Neusprachler hinterfragt werden, wobei insbesondere Aussagen zur politischen Bildung untersucht wurden. Die obigen Befunde sollen nun resümiert und ergänzt werden. Der Beurteilung der Frage, inwieweit sich der neusprachliche Diskurs der Vereinigten Staaten auf Deutschland auswirkte, kann man sich nähern, wenn man die Kommunikationskanäle betrachtet, die es zwischen den Diskursen der beiden Länder gab.

Tatsächlich weist der neuphilologische Diskurs im Deutschland der Nachkriegszeit Verbindungslinien zu dem der amerikanischen Neusprachler auf. Die Aufsätze des *MLJ* konnten indirekt auch in Deutschland rezipiert werden. Relevant sind die Zeitschriftenschauen von Theodor Zeiger (z.B. Zeiger 1952; 1953; 1953b).[17] In diesen werden einzelne Aufsätze zur „Lage des neusprachlichen Unterrichts in USA" (so der Titel von Zeiger 1952) zusammengefasst – in der Form von wörtlichen Zitaten aus den Aufsätzen des *MLJ*. Die Leserinnen und Leser konnten sich durch ausgesuchte Textstellen einen der Realität weitgehend entsprechenden Eindruck über den entsprechenden Diskurs im Ausland machen. Dabei wurde deutlich, dass die Diskussion zur Methodik des Fremdsprachenunterrichts durch die von der Armee entwickelten Ansätze einen Aufschwung erfahren hat (Zeiger 1953b, 456). Zudem wurde ein Einblick in den Diskursstrang zur Rechtfertigung für das Erlernen von Fremdsprachen gegeben (v.a. Zeiger 1952). Des Weiteren wurde deutlich, dass der Fremdsprachenunterricht als essentiell für die Verständigung der Völker gesehen wurde (v.a. Zeiger 1952 zu Sharton 1951).

Dieser letzte Punkt weist zu einer Parallele im Diskurs in Deutschland: Das friedliche Zusammenleben der Völker als Ziel hatte auch in den deutschen Fachzeitschriften einen sehr hohen Stellenwert. Insofern ist es nicht ausgeschlossen, dass hier eine Beeinflussung stattgefunden hat. Einschränkend ist jedoch anzumerken, dass Völkerverständigung für den Fremdsprachenunterricht bereits in der Weimarer Republik (z.B. Litt 1979 [1926], 175) und zuvor schon um die Jahrhundertwende im Rahmen der Bemühungen um einen Schülerbriefwechsel und einen Schüleraustausch (vgl. Schleich 2015, 139ff.) diskutiert worden war, wenngleich nur am Rande. Sicher ist jedoch, dass dieses Thema von den Deutschen gerne aufgenommen wurde, da internationale Verständigung als ein über das reine Erlernen von Sprachkenntnissen hinausgehendes Ziel galt, für das entsprechend erhöhte Stundenzahlen gefordert werden konnten (z.B. Bohlen 1953b, 102). Gleichzeitig konnte man durch Appelle im Bereich der ‚inneren Schulreform' einer Forderung der Militärregierung nachkommen und hatte Kapazität frei, um sich anderen Forderungen zu widersetzen, nämlich der ‚äußeren Schulreform', der auch die Neuphilologen kritisch gegenüberstanden (vgl. Ruisz 2014, 239ff.).

Die potentiellen Impulse aus dem kleinen Diskursstrang im *MLJ* zur Demokratieerziehung schafften es hingegen zumindest auf der Schiene der Zeitschriftenschauen nicht in den deutschen Diskurs. Wie jedoch oben erwähnt, gab es einen kleinen Diskursstrang in den deutschen Journalen zu diesem Thema (siehe v.a. Fischer-Wollpert 1954 und 1956). Bei der geringen Anzahl der Textstellen im *MLJ* zur *social education* ist es nicht verwunderlich, dass der amerikanische Diskurs keine Vorbildfunktion in Deutschland hatte. Die Orientierungsdebatte im *MLJ* bot des Weiteren nur einen einzigen Aufsatz mit Empfehlungen direkt für politische Bildung in Deutschland (Peiser 1944).

Bemerkenswert in diesem Zusammenhang sind ferner zwei Aufsätze im *MLJ*, die weiter oben nicht erwähnt wurden. Es ist dies zum einen ein Text mit Empfehlungen für das deutsche Schulsystem mit der üblichen von amerikanischer Seite geäußerten Kritik daran, die Schülerschaft in mehr oder weniger akademische Schulgattungen aufzuteilen (Schneeweiss 1950; ähnlich: Amann 1948). Dabei wird Schule in Deutschland ohne jegliche Erwähnung von Fremdsprachenunterricht beschrieben. Zum anderen ist es ein

---

17   Zeigers Arbeiten enthalten eine Reihe von Fehlern; Überschriften sind falsch übertragen, in den wörtlichen Zitaten sind Wörter falsch, es fehlen Satzteile und sogar ganze Sätze (z.B. in Zeiger 1952 versus Anon. 1951, 394).

Bericht über die von den US-Besatzern eingerichteten Amerikahäuser als ideale Einflusssphäre für die Umerziehung der Deutschen (Spahn 1949; vgl. Ruisz 2014, 114ff.). Auch hier wird nicht auf Englisch als Fremdsprache eingegangen, und es werden denkbare, zum Beispiel an Englischlehrkräfte gerichtete Angebote nicht erwähnt. Es handelt sich um zwei Aufsätze, die in einem Organ eines Verbandes zur Förderung von modernen Fremdsprachen erschienen sind. An diesen Stellen scheint der amerikanische Diskurs Chancen verpasst zu haben, ein Programm für das Fremdsprachenlernen im Deutschland nach der Nazi-Diktatur zu entwerfen. Dies wird nachvollziehbar, wenn man das oben beschriebene Dilemma bedenkt, Demokratie versus Diktat, und die daraus resultierende Scheu vor Ratschlägen vor allem für den Unterricht der Sprache der Besatzer.

Zusammenfassend lässt sich bei der Analyse des Inhaltes des Diskurses der US-amerikanischen Neuphilologen zweierlei Relevantes für den entsprechenden Diskurs in Deutschland feststellen. Erstens konnte das in den USA Diskutierte nur im Bereich der Völkerversöhnung etwas für Deutschland bieten, jedoch kaum zu anderen Bereichen der *social education*. Zweitens wurden in der amerikanischen Neuphilologie Möglichkeiten ungenutzt gelassen, auf die Situation in Deutschland passende Konzepte über den neusprachlichen Diskurs zu entwickeln und zu verbreiten. Inwieweit verstärkte Versuche zur Einflussnahme Früchte getragen hätten, bleibt natürlich offen. Es sei jedoch zu bedenken, dass Impulse aus den USA hier vielleicht ohnehin wenig überzeugend gewirkt hätten, denn die äußerst schwache Stellung des Fremdsprachenunterrichts in den USA machte Kritik und Ratschläge aus Übersee wenig attraktiv.

Literatur

Quellen

Agard, Frederick B.; Clements; Robert J.; Hendrix, William S.; Hocking, Elton; Pitcher, Stephen L.; Eerden, Albert van; Doyle, Henry Grattan (1944). A Survey of Language Classes in the Army Specialized Training Program. In: *MLJ* 28(2), 155–160.

Amann, William F. (1948). Education in Post-War Germany. In: *MLJ* 32(5), 390–392.

Anon. (1948a). Dean Henry Grattan Doyle Honored. In: *MLJ* 32(6), 449.

Anon. (1948b). Ohne Titel [in der Rubrik Notes and News]. In: *MLJ* 32(6), 450.

Anon. (1948c). New Periodicals. In: *MLJ* 32(6), 451.

Anon. (1951). Statement Concerning Modern Languages and Liberal Education. Report by the Commission on Liberal Education of the Association of American Colleges in a Meeting at Kenyon College. November 25–26, 1950. In: *MLJ* 35(5), 394–395.

Barton, Francis B. (1944). Reprints from the Minnesota Romance Languages News Letter. In: *MLJ* 28(1) 63–65.

Beardsley, Wilfred A. (1949). High Tribute to the Power of Language Teaching. In: *MLJ* 33(6), 467–468.

Benjamin, Harold (1947). Improved Communication for World Security. In: *MLJ* 31(7), 409–415.

Bohlen, Adolf (1953a). Die Neuphilologie am Scheidewege. In: *Mitteilungsblatt des ADNV* 6(1), 1–4.

Bohlen, Adolf (1953b). Die schulpolitische Situation der Neuen Sprachen. In: *Die Neueren Sprachen* 52, 101–113.

Bohlen, Adolf (1954). Neusprachlicher Unterricht im Ausland. In: *Mitteilungsblatt des ADNV* 7(1/2), 1–3.

Bohlen, Adolf (1955). Fremdsprachen-Unterricht in USA. In: *Mitteilungsblatt des ADNV* 8(1/2), 1–5.

Doyle, Henry Grattan (1945). Washington Notes to Teachers. In: *MLJ* 29(8), 710.

Etmekjian, James (1945). Language Objectives of the Secondary Schools in the Post-War Period. In: *MLJ* 29(6), 477–480.

Evans, Arthur E. (1948). The Cultural Lag in Modern Languages. In: *MLJ* 8(32), 568–573.

Fischer-Wollpert, Heinz (1954). Die fremden Kulturen als Gegenstände des neusprachlichen Unterrichts. Zum Deutschen Neuphilologentag 1954. In: *Die Neueren Sprachen* 53, 293–304.

Fischer-Wollpert, Heinz (1956). Das sozialkundliche Prinzip im englischen Unterricht der Oberstufe. In: *Gesellschaft, Staat, Erziehung* 1(4), 162–172.

Hart, Olive Ely (1950). Modern Languages in the Modern Curriculum. In: *MLJ* 50(2), 126–131.

Heft, David (1950). Foreign Languages in the Curriculum. In: *MLJ* 34(5), 372–376.

Hendrix, William S. (1948). Why American Students Should Study Foreign Languages and Cultures. In: *MLJ* 32(4), 288–293.

Huebener, Theodore (1945a). What Shall the Aims of Foreign Language Teaching Be in the Light of Recent Experience? In: *MLJ* 29(5), 411–413.

Huebener, Theodore (1945b). Comment on the Harvard Report. In: *MLJ* 29(8), 677f.

Kettelkamp, Gilbert C. (1950). Realism in the Teaching of Foreign Civilizations. In: *MLJ* 34(8), 640–645.

Kragness, Shiela I. (1945). Critical Thinking Through Language. In: *MLJ* 29(6), 521–523.

Kroff, Alexander (1950). Why Study Foreign Languages. In: *MLJ* 34(3), 209–215.

Le Coq, John P. (1950). A Quest for Basic Aim. In: *MLJ* 34(6), 464–469.

Lindquist, Lilly (1944 [1943]). Why Study Foreign Languages Answered by Our Armed Forces. A Bulletin for Foreign Language Teachers. In: *MLJ* 28(3), 289–291.

Litt, Theodor (1979 [1926]). Gedanken zum ‚kulturkundlichen' Unterrichtsprinzip. In: Hüllen, Werner (Hrsg.). *Didaktik des Englischunterrichts*. Darmstadt: Wissenschaftliche Buchgesellschaft, 144–180.

Morgan, Bayard Quincy (1950). What is Foreign Language Study For? In: *MLJ* 34(1), 27–34.

Morgan, E. A. (1944). Why Study Foreign Languages? In: *MLJ* 28(1), 43–45.

Morris, M. C. (1944), Ends and Means in Language Teaching. In: *MLJ* 28(2), 192–198.

Olinger, Henri C. (1944a). The Worst is Over. In: *MLJ* 28(1), 4f.

Olinger, Henri C. (1944b). What Others Think of Us. In: *MLJ* 28(2), 95–98.

Olinger, Henri C. (1944c). Editor's Chat. In: *MLJ* 28(6), 451.

Olinger, Henri C. (1945a). What Others Think of Us. In: *MLJ* 29(1), 3–8.

Olinger, Henri C. (1945b). Whither Foreign Languages? In: *MLJ* 29(8) 665f.

Oppenheimer, Jr., Max (1950). The Contribution of the Study of Literature to World Understanding. In: *MLJ* 34(2), 103–110.

Pei, Mario A. (1944). The Function of Languages in the Post-War World. In: *MLJ* 28(3), 280–285.

Pei, Mario A. (1947). One World? One Language? In: *MLJ* 31(1), 11–14.

Peiser, Werner (1944). Objectives in Teaching Foreign Languages to the Fascist Youth. In: *MLJ* 28(1), 54–59.

Reimers, Hans (1949). Neuere Fremdsprachen in der Schule von heute. In: *Die lebenden Fremdsprachen* 1, 2–6.

Roach, Corwin Carlyle (1951). Language, the Key to Life. In: *MLJ* 35(6), 430–436.

Rowe, Benjamin (1944). The Army Streamlines Language Instruction. In: *MLJ* 28(2), 136–141.

Savaiano, Geraldine Farr (1950). The Teaching of English in Latin America. In: *MLJ* 34(1), 51–54.

Schiller, Friedrich. (um 1900 [1788]). *Die Künstler*. In: o. Hrsg., *Schillers sämmtliche* [sic] *Werke in zwölf Bänden*. Bd. 1. Leipzig: Philipp Reclam jun., 55–65.

Schneeweiss, Margarete L. (1950). The German Schools and Democracy. An American Observer in German Classrooms. In: *MLJ* 34(2), 111–125.

Sharton, Felix E. (1951). What Is Blocking International Understanding? In: *MLJ* 35(1), 37–41.

Spahn, Raymond J.; Poste, Leslie I. (1949). The Germans Hail America: Some Aspects of Communication Media in Occupied Germany. In: *MLJ* 33(6), 417–426.

Teller, Gertrude E. (1947). Effective Citizenship and Foreign-Language. In: *MLJ* 31(8), 494–509.

U.S. Department of State (Hrsg.) (1947). *Occupation of Germany. Policy and Progress. 1945–1946*. Bd. 23. Washington, DC: U.S. Government Printing Office.

Vittorini, Domenico (1944). What Shall We Teach Our Youth After the War? To the Teachers of Italian in America. In: *MLJ* 28(3), 271–276.

Wilner, Ortha L. (1949). The Foreign Language Teacher and the Curriculum. In: *MLJ* 7(33), 499–509.

Winkelmann, Elisabeth (1949). Aus dem amerikanischen Erziehungswesen der Gegenwart. Eindrücke und Gedanken. In: *Die lebenden Fremdsprachen* 1, 168–179.

Withers, A. M. (1944). Correspondence. Letter to the Editor. In: *MLJ* 28(2), 216f.

Zeiger, Theodor (1952). Die Lage des neusprachlichen Unterrichts in USA. *Die Neueren Sprachen* 51, 204–213.

Zeiger, Theodor (1953a). Zeitschriftenschau. In: *Die Neueren Sprachen* 52, 44–47.

Zeiger, Theodor (1953b). Zeitschriftenschau. In: *Die Neueren Sprachen* 52, 454–458.

Zellmer, Ernst (1954). Deutscher Neuphilologentag in Hamburg 1954. In: *Mitteilungsblatt des ADNV* 7(4), 37–51.

Sekundärliteratur

Bayerisches Statistisches Landesamt (Hrsg.) (1960). *Die Entwicklung des bayerischen Schulwesens von 1945/46 bis 1959/60.* Unter Mitarbeit von Hans Lohbauer. München: Bayerisches Statistisches Landesamt.

Byrnes, Heidi (2016). Notes from the Editor: Celebrating 100 Years of The Modern Language Journal. In: *MLJ* 100 (Suppl.1), 3–18. http://onlinelibrary.wiley.com/journal/10.1111/(ISSN)1540-4781, Zugriff am 17.8.2016.

Doff, Sabine (2008). *Englischdidaktik in der BRD 1949–1989. Konzeptuelle Genese einer Wissenschaft im Dialog von Theorie und Praxis.* München: Langenscheidt.

Funk, Hermann (1991). *Bildungsziele und Inhalte im Englischunterricht. 1924–1964. Von den preußischen Schulreformen bis zum Hamburger Abkommen.* München: tuduv.

Lehberger, Reiner (2007). Geschichte des Fremdsprachenunterrichts bis 1945. In: Bausch, Karl-Richard; Christ, Herbert; Krumm, Hans-Jürgen (Hrsg.) (⁵2007). *Handbuch Fremdsprachenunterricht.* Tübingen: Francke, 609–614.

Magnan, Sally Sieloff (2001). *MLJ* Editorial Policy: Reflections on the Profession, Definition of Its Disciplines. In: *MLJ* 85(1), 92–125.

Müller, Winfried (1995). *Schulpolitik in Bayern im Spannungsfeld von Kultusbürokratie und Besatzungsmacht. 1945–1949.* München: Oldenbourg.

Ruisz, Dorottya (2014). *Umerziehung durch Englischunterricht? US-amerikanische Reeducation-Politik, neuphilologische Orientierungsdebatte und bildungspolitische Umsetzung im nachkriegszeitlichen Bayern (1945–1955).* Münster und New York: Waxmann.

Ruisz, Dorottya (2015). Social education in the English language classroom? The implementation of US-American policies in the English language classrooms of Bavaria (1945–1951). In: Paul, Heike; Gerund, Katharina (Hrsg.). *Die amerikanische Reeducation-Politik nach 1945. Interdisziplinäre Perspektiven auf „America's Germany".* Bielefeld: transcript, 161–184.

Schleich, Marlis (2015). *Geschichte des internationalen Schülerbriefwechsels. Entstehung und Entwicklung im historischen Kontext von den Anfängen bis zum Ersten Weltkrieg.* Münster und New York: Waxmann.

Meike Hethey

„Es versteht sich von selbst, daß ein Lesebuch die Meisterwerke der Literatur nicht verdrängen kann.“

Zum Stellenwert von Literatur im westdeutschen Französischunterricht der „langen“ 1950er Jahre

1 Ausgangsüberlegungen

Die Auseinandersetzung mit literarischen Texten im Fremdsprachenunterricht erfolgt seit dem bildungspolitisch forcierten Paradigmenwechsel zur Kompetenz- und Output-orientierung, der sich zunächst in den nationalen Bildungsstandards 2003/04 mani-festierte, mit unterschiedlichsten Zielrichtungen. Literarische Texte dienen als Grund-lage für den Aufbau von Lesekompetenz; als sogenannte authentische Materialien sol-len sie einen direkten Zugang zu den Zielkulturen ermöglichen. Sie liefern demnach Inhalte, um soziokulturelles Orientierungswissen aufzubauen und bieten Erfahrungs-räume, in denen inter- bzw. transkulturelle Lernprozesse angeregt werden können. Die-se Aufzählung ließe sich ohne Weiteres verlängern. Aber trotz dieser doch vermeintlich vielfältigen Verortung literarischer Texte im Fremdsprachenunterricht mehren sich seit Anfang der 2000er Jahre auch die kritischen Stimmen aus der (fremdsprachlichen) Lite-raturdidaktik, die um die Stellung literarischer Texte fürchten und diese nur noch als Ausgangspunkt oder Grundlagentexte für den Aufbau anderer Kompetenzbereiche se-hen (vgl. z.B. Bredella 2007). Das literarisch-ästhetische Lernen selbst habe seinen festen Platz im Fremdsprachenunterricht verloren. Mit unterschiedlichsten Ansätzen, wie dem Versuch, auch literarische Kompetenzmodelle zu entwickeln (vgl. z.B. Hallet et al. 2015), beziehungsweise der Kompetenzorientierung grundsätzlich ein weniger pragmatisches, sondern eher humanistisch beeinflusstes Bildungsverständnis entgegen-zusetzen (vgl. z.B. Küster 2015), bemüht sich die Literaturdidaktik darum, dem literari-schen Lernen selbst wieder einen festen Ort im Fremdsprachenunterricht einzuräumen.

Aber ist es tatsächlich so, dass sich der Wert literarischer Texte im Fremdsprachen-unterricht grundsätzlich verändert hat? Oder wurden literarische Texte nicht schon im-mer aus unterschiedlichsten Motiven und mit verschiedenen Zielsetzungen im Fremd-sprachenunterricht eingesetzt?

Diesen Fragen soll exemplarisch anhand einer Analyse des Stellenwerts von Litera-tur im Fremd-, und hier primär im Französischunterricht der „langen“ 1950er Jahre nachgegangen werden. Neben der Frage, welche Literatur mit welcher Begründung überhaupt Eingang in den Französischunterricht der unmittelbaren Nachkriegszeit gefunden hat, untersucht dieser Beitrag, unter welcher Zielsetzung literarische Texte im Unterricht behandelt werden sollten.

Mit dem Begriff der „langen" 1950er Jahre wird hier die Zeitspanne von der Gründung der Bundesrepublik Deutschland im Jahr 1949 bis Anfang der 1960er Jahre bezeichnet, in denen für den Französischunterricht bereits der Abschluss des *Deutsch-französischen Freundschaftsvertrages* von 1963 einschneidende Veränderungen brachte und in denen Georg Pichts Programmschrift *Die deutsche Bildungskatastrophe* (1964) den Beginn eines erneuten bildungstheoretischen Wandels markierte. Nach dem Ende des Zweiten Weltkriegs bestand die Notwendigkeit einer Neuorientierung im Bildungssystem. Die Wesenskunde, der nach nationalsozialistischer Ideologie umgedeutete kulturkundliche Ansatz, musste nach 1945 schnellstens überwunden und im Prozess der Entnazifizierung und Demokratisierung Westdeutschlands durch neue bildungstheoretische Konzepte und bildungspolitische Vorgaben ersetzt werden (vgl. Bohlen 1957: 21f., 31). Der Prozess der Neuorientierung (in bildungstheoretischer Hinsicht vielleicht eher einer Re-Orientierung) erreichte mit Gründung der Bundesrepublik Deutschland 1949 ein erstes wichtiges Zwischenziel. Mit der Rückgewinnung der Eigenstaatlichkeit in einer nun demokratischen Regierungsform wurde ein sichtbarer Abstand zur nationalsozialistischen Vergangenheit geschaffen, mit der zugleich die Wiedererlangung von Souveränität in unterschiedlichsten staatlichen Belangen einherging, so auch in bildungspolitischen Fragen. Hier wurde zunächst an Hans Richerts Konzept der *Kulturkunde* (vgl. Richert 1920) angeschlossen, das auf der Düsseldorfer Konferenz von 1955 offiziell bestätigt und in Adolf Bohlens Schrift *Moderner Humanismus* weiterentwickelt wurde (vgl. Bohlen 1957). Mit dem Wiederanknüpfen an ein bereits in der Weimarer Republik etabliertes Konzept sollte zum einen Kontinuität dokumentiert werden (vgl. Bohlen 1957: 31f., 131). Zum anderen ermöglichte die Re-Orientierung auch, die rassenideologisch motivierte *Wesenskunde* als abgeschlossene Episode erscheinen zu lassen.

Wie im weiteren Verlauf des Beitrags noch ausführlicher dargelegt wird, spielen literarische Texte vor allem im Fremdsprachenunterricht der Oberstufe bereits in Richerts Überlegungen, aber mindestens ebenso sehr in Bohlens Ausführungen zu einem modernen Humanismus eine besondere Rolle. Welche Erwartungen in kulturkundlichen Ansätzen mit der Auseinandersetzung mit literarischen Texten verknüpft wurden, soll daher im ersten Teil des Beitrags genauer dargestellt werden, um damit zugleich die bildungstheoretischen und fremdsprachendidaktischen Grundlagen zu erläutern, die den Fremdsprachenunterricht in der jungen Bundesrepublik beeinflussten (vgl. Kap. 2). Der eigentliche Schwerpunkt dieses Beitrags liegt dann allerdings auf einer genaueren Analyse zeitgenössischer Französischlehrwerke der 1950er Jahre, die zum einen danach untersucht werden, welche Rolle literarische Texte grundsätzlich in ihnen spielen, in denen zum anderen aber auch überprüft werden soll, inwiefern sich die kulturkundlichen Ansätze in ihnen niedergeschlagen haben (vgl. Kap. 4). In einem abschließenden Fazit (vgl. Kap. 5) lässt sich dann zeigen, dass mit dem Einsatz literarischer Texte im Französischunterricht zwei zentrale Ziele verfolgt wurden. Ging es zum einen in einem eher traditionellen humanistischen Ansatz darum, mit der Auseinandersetzung mit Literatur die Herausbildung des eigenen Geistes und den Aufbau von Bildungswissen zu verfolgen, sollte die Arbeit an literarischen Texten zum anderen einen sehr konkreten Beitrag zur Friedenserziehung, zu einem besseren Verständnis der deutsch-französischen Beziehungen und damit zur dauerhaften Aussöhnung nach den Erfahrungen der beiden Weltkriege leisten.

2 Zurück zu den Ursprüngen? Der Rückbezug zur Kulturkunde – das Anknüpfen an Vergangenes und vorsichtige Neuorientierung vor dem Hintergrund der Erfahrungen aus dem Zweiten Weltkrieg

2.1 Richerts Konzept der *Kulturkunde* (1920/25): Überlegungen zum Stellenwert von Literatur im (Fremd-)Sprachenunterricht

Als Hans Richert 1920 seine Überlegungen zur deutschen Bildungseinheit veröffentlichte, war die Ausgangslage für die Entwicklung bildungstheoretischer Ansätze durchaus mit der Lage nach dem Zweiten Weltkrieg in Deutschland vergleichbar. Anders als in den späten 1940er Jahren sahen sich deutsche Bildungswissenschaftler und Bildungspolitiker zwar nicht mit direkten Anforderungen von Seiten der Besatzungsmächte zur Neugestaltung des Bildungswesens konfrontiert (vgl. Bohlen 1957, 32), aber auch Hans Richert konstatierte eine Krise des deutschen Bildungswesens nach dem Ende des Ersten Weltkriegs und dem gleichzeitigen Wandel von einer autoritären zu einer demokratischen Staatsordnung. Für den späteren Ministerialrat im preußischen Bildungsministerium hatten die Deutschen erheblichen Nachholbedarf in der Entwicklung des *deutschen Geistes* (vgl. Richert 1920, 51) und damit in ihrer nationalen Selbstfindung, bei der er seit 1871 keine nennenswerten Fortschritte erkennen konnte. Seine Überlegungen legte Richert bereits 1920 in seiner Monographie *Die deutsche Bildungseinheit und die höhere Schule* dar, mit der er einen Reformvorschlag für das höhere preußische Schulwesen unterbreitete. Sein Konzept der Kulturkunde wurde 1925 zum grundlegenden bildungstheoretischen Paradigma für die Lehrpläne für höhere Schulen in Preußen und als so genannte Richert'sche Richtlinien auch für andere Reichsländer der Weimarer Republik.

Richert war davon überzeugt, dass jede einzelne Kultur sich durch eine eigene *Geistigkeit* auszeichnete. Um diese zu bewahren und zu fördern, sah er es als wesentliche Aufgabe des Schulunterrichts an, die *deutsche Geistigkeit* zu seinem Inhalt zu machen, damit die Schülerinnen und Schüler zentrale Merkmale ihrer eigenen Kultur, ihres eigenen Wesens, erfassten (vgl. Richert 1920, 52). Vor allem im Vergleich der eigenen Kultur mit anderen Kulturen sah Richert die Möglichkeit, ein eigenes Nationalbewusstsein zu entwickeln (vgl. Risager 2007, 31).

Richert verstand Kulturen dabei als in sich kohärente Systeme, die sich in einem konstanten Widerstreit befänden, sich in diesem Prozess aber auch kontinuierlich gegenseitig beeinflussten (vgl. Christ 2011, 68; Richert 1920, 58). Die so entstandene europäische Kulturverbundenheit sei seit langem gegeben und tief in den einzelnen europäischen Kulturen verankert (vgl. Richert 1920, 58). Für Deutschland erhoffte Richert nach dem Ende des Ersten Weltkriegs eine stärkere Teilhabe an diesem Kräftemessen, um die eigene Nationalkultur – den *deutschen Geist* – weiterzuentwickeln und zu stärken.

Bei der Herausbildung des deutschen Geistes in der Schule kam für Richert der deutschen Sprache eine besondere Rolle zu (vgl. Richert 1920, 19), mit Blick auf den geforderten Kulturvergleich aber auch den beiden modernen Fremdsprachen Englisch und Französisch. Die Auseinandersetzung mit der eigenen aber auch mit anderen europäischen Kulturen sollte dabei in den sprachlichen Fächern auf der Basis literarischer Texte erfolgen:

> Die Lektüre steht im Mittelpunkt des neusprachlichen Unterrichts. Das zusammenhängende Lesen ganzer Werke oder selbständiger Abschnitte daraus soll möglichst früh einsetzen [...]. Für die Auswahl der Lektüre ist neben der Forderung hochwertiger Form der maßgebende Gesichtspunkt, besonders auf der Oberstufe, die Einführung in die verschiedenen Gebiete und Epochen des fremden Geisteslebens [...]. (Richert 1925, 119)

Die Arbeit mit Literatur im Fremdsprachenunterricht diente primär der geistigen Durchdringung dieser Texte zur Entwicklung des kulturellen Verständnisses der eigenen wie der fremden Kultur und erst nachrangig dem Aufbau fremdsprachlicher Kompetenz (vgl. Richert 1925, 119f.). Um dieses Ziel zu erreichen, empfahl Richert, vor allem Texte im Unterricht einzusetzen, die sich als beständig erwiesen hätten und die ein erkennbares Potential zur Ausformung der Zielkultur erkennen ließen. Zwar verzichtete Richert auf explizite Textempfehlungen, aber er gab für den Französischunterricht dennoch konkrete Orientierungshilfen zur Textauswahl für die Lehrenden. So sollten neben Texten aus dem französischen *siècle classique*, dem 17. Jahrhundert, auch politische und historische Texte zu führenden politischen Vertretern Frankreichs in den Unterricht einbezogen werden. Literatur aus der Zeit des späten französischen Absolutismus sollte ebenso behandelt werden wie die französische Lyrik des 19. Jahrhunderts. Um aber auch einen Eindruck von eher jüngeren ökonomischen, sozialen und kulturellen Entwicklungen gewinnen zu können, empfahl Richert zudem, auch literarische Texte neuerer Autoren zu behandeln (vgl. Richert 1925, 122f.).

Im Zusammenhang mit Richerts Hinweisen zur Textauswahl für den Französischunterricht ist eine kurze terminologische Anmerkung zu seinem Verständnis von Literatur angebracht. Dieses umfasst neben Lyrik, Dramen und Prosatexten auch politische und philosophische Texte. Dieses Begriffsverständnis war in der ersten Hälfte des 20. Jahrhunderts noch weit verbreitet (vgl. Sharp 2013, 154). Auch Adolf Bohlen sowie zahlreiche Verfasser von Lehrwerken verwendeten den Begriff gleichzeitig in einem engeren und zugleich weiteren Sinne.

Richert löste mit seiner Auffassung, wonach Kulturen in der Auseinandersetzung mit literarischen Texten in objektiver Weise erfasst werden könnten, in den 1920er Jahren eine kritische Debatte aus (vgl. Hüllen, 2005, 116f.; Surkamp 2013, 196), wenngleich es auch zeitgenössische Stimmen gab, wie z.B. den Neuphilologen Karl Graef, die Richerts Einschätzung der Bedeutung von Literatur als Kulturträger zustimmten (vgl. Sharp 2013, 154). Richerts Konzept der Kulturkunde beeinflusste daher nicht nur das deutsche Schulwesen der Weimarer Zeit, sondern bildete einen wesentlichen Orientierungspunkt in der bildungstheoretischen Neuausrichtung in den frühen Jahren der jungen Bundesrepublik. Dies wird vor allem im *Moderne[n] Humanismus* von Adolf Bohlen deutlich.

2.2 Zentrale bildungspolitische und fremdsprachendidaktische Überlegungen nach dem Ende des Zweiten Weltkriegs: Adolf Bohlens *Moderner Humanismus* (1959)

Nach dem Ende der nationalsozialistischen Herrschaft in Deutschland war eine Neuausrichtung des Schulwesens notwendig. Die Besatzungsmächte verfolgten in diesem Zusammenhang je eigene bildungspolitische Absichten, die in den westlichen Besatzungszonen jedoch weniger stark zum Tragen kamen als im Osten Deutschlands (vgl. Hüllen 2005, 132f.; Bohlen 1957, 16f.). Vielmehr knüpfte man in der jungen Bundesrepublik an den kulturkundlichen Ansatz der Weimarer Zeit an. Dieser wurde in der Folge im Rahmen des Düsseldorfer Abkommens von 1955 erneut als ein zentraler didaktischer und pädagogischer Ansatz bestätigt (vgl. Hüllen 2005, 132) und sollte unter anderem den Eindruck einer gewissen Kontinuität erwecken. Ein innovativer Charakter ist daher zumindest vordergründig nicht zu erkennen. Dies wird exemplarisch an den Ausführungen Adolf Bohlens deutlich, für den das Düsseldorfer Abkommen den Fortbestand humanistischer Prinzipien in pädagogischen und didaktischen Ansätzen bedeutete (vgl. Bohlen 1957, 32).

Im Jahr 1957 veröffentlichte Bohlen sein Buch mit dem Titel *Moderner Humanismus*, das zur Lösung der kulturellen Krise beitragen sollte, in der sich die „westliche" Menschheit seiner Auffassung nach seit dem Beginn des 20. Jahrhunderts befand. Sein Vorschlag sah nicht nur für die deutsche, sondern für alle (vor allem für die europäischen) Kulturen eine Neu-, besser eine Re-Orientierung hin zu einer kulturellen Bildung im humanistischen Sinne vor. Zu verstehen war darunter eine offene Geisteshaltung, die kulturelle Begegnungen und den Austausch mit anderen Kulturen beförderte. Ganz in humanistischer Tradition sollte die Schule als Bildungsinstitution Schülerinnen und Schüler in ihrem Denken anregen und dafür Sorge tragen, dass die in den Curricula festgelegten Bildungsinhalte in bedeutendem Maße dazu beitragen konnten, den *Geist* der Schülerinnen und Schüler und damit ein tiefes kulturelles Verstehen zu schärfen (vgl. Bohlen 1957, 32).

Da das Reisen und der kulturelle Austausch mit Mitgliedern anderer Nationen wichtige Merkmale der höheren Schulbildung waren, wurde dem Erwerb moderner Fremdsprachen eine zunehmende Bedeutung beigemessen. *„Fremdsprache = Sprache + Kultur + Literatur"* wurde für Bohlen daher zu einer wichtigen Formel und bedeutete nicht, eine Fremdsprache ausschließlich in den unterschiedlichsten kommunikativen Situationen anwenden, sondern zugleich in die anderen Kulturen eintauchen zu können, was für ihn vor allem durch die Auseinandersetzung mit Literatur erfolgen konnte (vgl. Bohlen 1957, 38f., Hervorhebung im Original). Er forderte ein Bewusstsein dafür, „daß unser

Lehrziel ein humanistisches ist, d.h. daß nicht eine Gebrauchssprache, sondern eine Bildungssprache gelehrt wird" (Bohlen 1957, 91). Hier wird eine deutliche Nähe von Bohlens Überlegungen zu den Ansätzen der 1920er Jahre deutlich. Er sah die junge Bundesrepublik als Puffer zwischen Ostblock und westlicher Welt fest verwurzelt in frühen pädagogischen Konzepten und ihrer Vorstellung davon, Fremdsprachen als *Bildungssprachen* in klassisch humanistischem Sinne zu unterrichten.

2.3   Literatur als „höchste[r] Ausdruck der Geistigkeit eines Volkes"

„Dort [im deutschen Gymnasium] aber bietet der höchste Ausdruck der Geistigkeit eines Volkes, seine Literatur, die Gelegenheit zu der im Sinne des Humanismus geforderten vertieften Sprachbehandlung" (Bohlen 1957, 106). Dieses Zitat von Adolf Bohlen unterstützt die Einschätzung von Elisabeth Stuck, dass die Auseinandersetzung mit literarischen Texten im modernen Fremdsprachenunterricht nach dem Zweiten Weltkrieg an bundesdeutschen Gymnasien eine wichtige Rolle spielte (vgl. Stuck 2013, 190).

Für Bohlen gehörte die Literatur unzweifelhaft zu den Bausteinen, mit denen eine Kultur in all ihren Charakteristika beschrieben werden konnte (vgl. Bohlen 1957, 14). Bohlen schloss dabei in seinen Überzeugungen direkt an Richerts Überlegungen zur Kulturkunde an, entwickelte sie aber weiter. Er teilte Richerts Auffassung, dass andere Kulturen durch die Auseinandersetzung mit ihrem literarischen Werk besser zu verstehen seien (vgl. Bohlen 1957, 150). Dieses Verständnis anderer Nationalkulturen trug laut Bohlen dazu bei, Missverständnisse und Spannungen in internationalen Beziehungen zu vermeiden oder zumindest zu überwinden und leistete darüber hinaus einen Beitrag zur Völkerverständigung. An dieser Stelle wird deutlich, wie stark Bohlen durch die Erfahrungen von zwei Weltkriegen geprägt wurde. Seine Vorstellung einer kulturellen und politischen Erziehung der Nachkriegsgenerationen war daher im Vergleich zu Richert noch stärker von einem europäischen Denken geprägt (vgl. Hüllen 2005, 139). Die Betonung der Gemeinschaft der europäischen Kulturen, die anzustrebende Aussöhnung mit ehemaligen Kriegsgegnern sowie die Friedenswahrung bildeten das Fundament in Bohlens Überlegungen zum „Moderne[n] Humanismus" (vgl. Bohlen 1957, 21f., 136ff.).

Aber welche Literatur sollte nun im modernen Fremdsprachenunterricht zum Einsatz kommen? Eine Auswahl aus der „Fülle literarischer Meisterwerke" (Bohlen 1957, 107) zu treffen war und bleibt eine zentrale Herausforderung für den fremdsprachlichen Literaturunterricht. Bohlen selbst war nicht überzeugt davon, dass es Schülerinnen und Schüler in ihrem Aufbau kulturkundlichen Wissens tatsächlich helfen würde, mit einer Fülle von Texten konfrontiert zu werden. Für ihn stand die intensive Analyse weniger Meisterwerke im Mittelpunkt des Fremdsprachenunterrichts (vgl. Bohlen 1957, 107). Diese sollten zudem keineswegs primär unter formalästhetischen Gesichtspunkten detailliert analysiert werden, sondern er präferierte vor allem eine inhaltliche Auseinandersetzung mit den literarischen Texten, in denen sich die sorgfältige Analyse zentraler

Schlüsselstellen mit Phasen der extensiven Lektüre abwechselte (vgl. Bohlen 1957, 107). Diesen Ansatz hatte Bohlen bereits in seiner 1952 erschienenen *Methodik des neusprachlichen Unterrichts*[1] vertreten (vgl. Bohlen [5]1966, 137ff.). Was die Textauswahl betrifft, beschränkte sich Bohlen darauf, verschiedene Auswahlkriterien anzuführen, die eine starke Nähe zu den Überlegungen Richerts aufweisen. So empfahl Bohlen ebenfalls Texte der französischen Klassik, da diese die „Grundlagen des europäischen Geistes aufdecken" (Bohlen 1957, 108), Prosa der Aufklärung sowie der Revolutionszeit, Lyrik aus den Epochen der Romantik sowie des Naturalismus und darüber hinaus Texte, die Ausdruck der „französischen Zivilisationsidee und einer neuen europäischen Gesinnung" waren (Bohlen 1957, 108). Anhand der eingeforderten Merkmale der Texte zeigt sich erneut die kulturkundliche Orientierung von Bohlens Ansatz. Nicht ein literarisch-ästhetischer Wert dieser Texte im engeren Sinne sollte die Auswahl beeinflussen, sondern die Bedeutung der Texte für die Zielkultur sowie ihr Potential, diese zu erfassen und damit kulturelles Verständnis zu fördern. Die Auswahl konkreter Titel überließ auch Bohlen den Lehrkräften, lediglich einem weiteren Kriterium sollten die ausgewählten Texte entsprechen: „sie müssen *Klassiker* sein" (Bohlen 1957, 108, Hervorhebung i.O.).

Nach dem Zweiten Weltkrieg fand also keine Neuorientierung statt, sondern ein Rückbezug auf Altbewährtes, wenn auch nun mit einem vielleicht noch stärkeren Bestreben, humanistische Werte wie Toleranz und Offenheit gegenüber anderen Denkansätzen zu stimulieren. Dabei stand ihm eine kritische Auseinandersetzung mit dem Nationalgedanken vor Augen, um zu einem positiv zu betrachtenden neuen Patriotismus-Begriff zu kommen und vor allem die Friedenserziehung zu stärken. Mit Blick auf die Überlegungen zum Französischunterricht muss gerade der letztgenannte Punkt fokussiert werden, stand doch die deutsch-französische „Erbfeindschaft" über ein Jahrhundert im Zentrum geistiger Auseinandersetzungen. Die Annäherung der ehemaligen Gegner war für eine dauerhafte Stabilität in Europa unerlässlich und bildete das Fundament des Europagedankens.

3   Anmerkungen zur Auswahl der Lehrmaterialien und Analysekriterien

Für eine umfassende Analyse wurden mehrere Oberklassen-Lesebücher und, sofern möglich, die Begleitmaterialien der 1950er und frühen 1960er Jahre herangezogen, die sowohl die Bandbreite des Angebots an Lehr- und Lernmaterialien repräsentieren als auch jeweils weite Verbreitung gefunden haben.

Mit dem von Schlupp herausgegebenen Lesebuch *Français vivant – A la découverte de la France*, wurde ein Lesebuch ausgewählt, das bereits im Gründungsjahr der Bundesrepublik erstmals erschien, im Verlaufe der 1950er Jahre zahlreiche Neuauflagen

---

1   Die erste Fassung dieses Buches erschien 1930 unter dem Titel *Neusprachlicher Unterricht*. Nach Ende des Zweiten Weltkriegs überarbeitete Bohlen sein Werk und gab es 1952 neu heraus. Das Buch war bis weit in die 1960er Jahre hinein ein wichtiges fremdsprachendidaktisches Grundlagenwerk.

erlebte und in der gesamten Bundesrepublik eingesetzt wurde.[2] Ergänzt wird es durch *La Civilisation française*, das Hofmann und Morlang 1950 herausgaben und das eine ähnlich hohe Verbreitung fand wie *Français vivant*. Beide Lesebücher repräsentieren in dieser Analyse den Stand der Lehrmaterialien zu Beginn der Re-Orientierung nach dem Zweiten Weltkrieg.

Mit *La voix de la France* von Kreuzberg und Scheffbruch, das 1960 in einer dritten überarbeiteten Auflage erschien, sowie mit *Qu'est-ce que la France?*, von Rothmund und Dhuicq 1961 erstmals herausgegeben, werden zwei gängige weitere Lesebücher mit dem Ziel hinzugezogen, beurteilen zu können, inwiefern im Verlaufe eines Jahrzehnts Veränderungen zu verzeichnen waren. Vor allem die Beschlüsse der Düsseldorfer Konferenz von 1955, aber auch Adolf Bohlens Überlegungen (Bohlen 1957) könnten sich in den neueren Lehrmaterialien ebenso niedergeschlagen haben, wie auch die zu verzeichnenden Fortschritte in der Annäherung von Deutschland und Frankreich.

Neben den schon benannten vier Lesebüchern wurde darüber hinaus Bentmanns *Anthologie de la littérature du XXe siècle* aus dem Jahr 1953 mit einbezogen. Ebenfalls als Lesebuch deklariert, unterscheidet es sich in seinem Aufbau stark von den anderen und ist damit zugleich ein Indiz für die Bandbreite, die bereits auf dem Lehrwerkmarkt der jungen Bundesrepublik zu finden war.

Die nachfolgende Analyse konzentriert sich primär auf den Stellenwert literarischer Texte in einem engeren Begriffsverständnis. Ausgehend von den eingangs gestellten Fragen sowie den theoretischen Ausführungen zum Einsatz literarischer Texte im Fremd- beziehungsweise Französischunterricht wurden an die ausgewählten Lesebücher die folgenden Analysefragen gestellt:

- Wie sind literarische Texte (im engeren Sinne) in die Lesebücher integriert? Wird ihnen ein eigenständiges Kapitel gewidmet? Oder werden literarische Texte zur Behandlungen unterschiedlicher Themen herangezogen?
- Inwiefern nehmen die Herausgeber[3] der Lehrwerke selbst Stellung zum Stellenwert von literarischen Texten in ihren Lehrwerken?
- Nach welchen Kriterien erfolgte die Auswahl der Texte?
- In welchem Verhältnis stehen so genannte Klassiker und neuere literarische Texte?
- Lassen sich spezifische inhaltliche Schwerpunkte in der Auswahl der literarischen Texte ausmachen: möglicher Beitrag zur Friedenserziehung? Förderung des Europagedankens? Betrachtung des deutsch-französischen Verhältnisses? etc.

---

2   *La Civilisation Française* erschien 1949 in erster Auflage. Lediglich kleinere Veränderungen, wie Korrekturen von Druckfehlern, wurden in die dritte Auflage eingearbeitet, die 1951 herauskam. Die Ausgabe von 1957 entspricht also inhaltlich in Gänze der Erstausgabe aus dem Gründungsjahr der Bundesrepublik Deutschland.

3   Ich verwende an dieser Stelle die maskuline Form, da an der Erarbeitung der hier analysierten Lehr- und Lernmaterialien nur in einem Fall eine Frau beteiligt war.

- Welche Formen von Aufgaben und Fragestellungen werden mit der Behandlung literarischer Texte verknüpft?

In der Analyse zeichnet sich schnell ab, dass vor allem die in engerem Sinne literarischen Texte in Kapitel eingebunden wurden, die explizit Friedenserziehung und die Entwicklung des Europagedankens thematisieren oder dem deutsch-französischen Verhältnis gewidmet sind. Aus diesem Grund werden diese beiden Aspekte im folgenden Kapitel genauer beleuchtet. Eingeleitet wird der nächste Abschnitt mit einer Reflexion zeitgenössischer Überlegungen zu den Zielen und dem Aufbau der Lesebücher sowie zur Textauswahl.

4   Die Lesebücher der „langen" 1950er Jahre

4.1   Zeitgenössische Überlegungen zu Zielen und Aufbau der Lesebücher sowie zur Auswahl literarischer Texte für den Französischunterricht

„Die Literatur ist die hervorragendste und umfassendste Form des geistigen Lebens. Das gilt in Frankreich mehr als in allen anderen Kulturländern." (Hoffmann/Morlang 1950, 27). Die hohe kulturelle Bedeutung von Literatur wurde in allen Oberstufenlesebüchern besonders hervorgehoben. Literatur schien für die Verfasser die höchste Form des Ausdrucks eines so genannten Nationalcharakters zu sein und damit sinnbildlich dessen besondere Eigenschaften, Merkmale und Werte zu verkörpern. Für Schlupp traf dies in besonderem Maße für die französische Literatur zu, wenn er konstatierte, dass die „Literatur Frankreichs [...] mehr als bei jedem anderen Volke der Spiegel der gesamten französischen Zivilisation" sei (Schlupp [5]1957, 6).

Aus den hier angeführten Hinweisen der Lehrwerkverfasser lässt sich bereits erkennen, dass die Lesebücher für den Französischunterricht den Anspruch haben sollten, den eigentlichen französischen Charakter in seiner ganzen Vielfalt abzubilden und erfahrbar zu machen. Bentmann formulierte für seine Anthologie explizit die Absicht, die Schülerinnen und Schüler an die „Wesenskräfte des französischen Geistes" (Bentmann 1953, V) heranzuführen. Aber neben dem Ziel, sich dem vermeintlichen französischen Wesen so weit wie möglich anzunähern und mit ihm in einen Gedanken- und Erfahrungsaustausch zu treten, wurden für den Einsatz der Lesebücher weitere übergeordnete Ziele formuliert, die in unmittelbarem Zusammenhang mit Erfahrungen aus Nationalsozialismus und Zweitem Weltkrieg standen. So stellten Rothmund und Dhuicq (1961) ihrem Lesebuch anstelle eines Vorworts einen Ausschnitt aus Henri Bergsons *Les deux sources de la morale et de la religion* (1932) voran, in dem dieser über die Möglichkeit reflektierte, ein anderes Land kennenzulernen. Bergson war davon überzeugt, dass die Kenntnis einer fremden Sprache und der Literatur eines Volkes der Schlüssel zu einer dauerhaften Verständigung seien:

Celui qui connaît à fond la langue et la littérature d'un peuple ne peut pas être tout à fait son ennemi. *On devrait y penser quand on demande à l'éducation de* préparer une entente entre nations. (Rothmund/Dhuicq 1961, VIII, Hervorhebungen durch die Verf.)

Rothmund und Dhuicq verwiesen mit diesem Einstieg in ihr Lesebuch auf die wichtigen Ziele der Aussöhnung und der Völkerverständigung, die von allen Verfassern besonders betont wurden. Mit Blick auf zukünftige Aufgaben hoben sie die besondere Bedeutung hervor, die den deutsch-französischen Beziehungen in Europa zukam, wie hier auch explizit von Schlupp formuliert wurde:

> Jahrhunderte lang kämpfen Frankreichs Denker und Dichter mit einer Glaubenskraft, die nie erlahmte, um die Erziehung des Menschen, kämpfen um seine Freiheit und Würde, gegen Diktatur und Krieg. Der heutige Unterricht muß mehr denn je dieser wenig beachteten Geisteshaltung der Franzosen Rechnung tragen und unsere reiferen Schüler zu einer ehrlichen Auseinandersetzung mit dem Nachbarvolke anregen, sollen doch auch sie einmal mitwirken, die zwischen Deutschland und Frankreich bestehenden Spannungen zu beseitigen und die geistigen Brücken über den Rhein wieder aufzubauen. Soll Europa leben, dann muß die Feindschaft von gestern zur Solidarität von heute werden. Möge zur Erreichung dieses großen Zieles der vorliegende Band einen nützlichen Beitrag leisten! (Schlupp [5]1957, 7)

Die bisherigen Ausführungen zu den Lesebüchern der Nachkriegszeit ließen im Zusammenspiel mit den obigen Erläuterungen zu den kulturkundlichen Ansätzen von Richert und Bohlen bereits unmittelbare Zusammenhänge erkennen. Und in der Tat knüpften die Lesebücher der jungen Bundesrepublik in ihrem Ansatz und ihren Zielsetzungen an die kulturkundlichen Lesebücher der Weimarer Zeit an (vgl. Sharp 2013). Sie formulierten allerdings in einem vielleicht noch stärkeren Maße die konkrete Aufgabe, durch individuelle Bildung und den intellektuellen Austausch zur europäischen Aussöhnung und Annäherung beizutragen. Sie entwickelten damit, wie auch Bohlen in seinem *Modernen Humanismus*, den kulturkundlichen Ansatz auf der Basis jüngster Erfahrungen weiter.

Deutlich wird dies auch an der Themenwahl der einzelnen Lesebücher. Mit thematischen Kapiteln zur französischen Geschichte, Politik, Wirtschaft, Literatur, Religion etc. bemühten sich die Verfasser zunächst darum, ein möglichst umfassendes Bild von den Ursprüngen, Merkmalen und Ausprägungen der französischen Kultur zu zeichnen. Ergänzt wurden diese in fast allen Lesebüchern durch Kapitel zu den deutsch-französischen Beziehungen, zur Friedenswahrung und zum Europagedanken (vgl. u.a. Schupp [5]1957, 294ff.; Hofmann/Morlang [9]1957, 190ff.). Und gerade mit Blick auf die letztgenannten Schwerpunkte wurde die Behandlung der letzten Kriegserfahrungen bewusst außen vor gelassen:

> Ohne der Wahrheit Abbruch zu tun, haben wir es bewußt unterlassen, alte Wunden aufzureißen. Ein neues Europa wird nicht durch einen Blick auf vergangenes Leid geschaffen. Zudem bestätigt es sich immer wieder, daß unsere Jugend des Hasses müde ist und voll guten Willens danach strebt, am Bau der neuen Welt mitzuhelfen. (Hofmann/Morlang [9]1957, 3)

Die Verfasser bewegten sich mit dieser Einstellung im Einklang mit dem Zeitgeist, denn die frühe Nachkriegszeit stand vor allem im Zeichen von Wiederaufbau und Aussöhnung. Eine kritische Auseinandersetzung mit der eigenen unmittelbaren Vergangenheit wurde erst in den späten 1960er Jahren gefordert und fand nicht vor den 1970er Jahren Eingang in den Schulunterricht.

Doch nach welchen Kriterien wurden nun die Texte der Lesebücher zusammengestellt? Beinahe alle Verfasser entschieden sich für eine Textsammlung, um ein möglichst breites Themenspektrum abdecken zu können. Dabei waren sie sich gleichzeitig der Problematik einer „Häppchenliteratur" (Hofmann/Morlang 1950, 22) bewusst. Es sei daher Aufgabe der Lehrenden, diese „in den richtigen geistigen Zusammenhang" zu rücken (vgl. Hofmann/Morlang 1950, 22).

Eine Ausnahme unter den gängigen Französisch-Lehrwerken stellte in mehrerlei Hinsicht Bentmanns *Anthologie de la littérature du XXᵉ siècle* (1953) dar. Ihm ging es gerade nicht darum, ein möglichst breites Textspektrum abzudecken. Vielmehr beschränkte er sich auf wenige Autoren, „um jeweils ein möglichst vollständiges Werk zu vermitteln" (Bentmann 1953, V). Darüber hinaus zog er primär literarische Texte im engeren Sinne heran, die zeitlich in einem unmittelbaren Zusammenhang mit den Weltkriegserfahrungen standen. Er begründete seine Auswahl damit, dass „die Erschütterung des menschlichen Existenzbewußtseins in einer Zeit, die in zwei Weltkriegen aus den Fugen gerict" (Bentmann 1953, VII), in der neueren französischen Literatur Niederschlag fand. Und so griff er unter anderem mit Auszügen von Antoine de Saint-Exupéry und aus der Résistance-Literatur hochaktuelle Texte auf (vgl. Bentmann 1953, 85ff.). Bentmanns Konzept fand allerdings kaum Nachahmer. Vielmehr betonten die Verfasser der Lesebücher zumeist, dass vor allem etablierte und damit kanonische Texte im Unterricht eingesetzt werden sollten (vgl. u.a. Schlupp ⁵1957, 6; Hofmann/Morlang 1950, 22). Dennoch reflektierten Hofmann und Morlang die Möglichkeit, Beispiele aus der Résistance-Literatur einzusetzen. „[D]a ihre Beurteilung noch zu sehr dem Kampf der Tagesmeinungen unterworfen" wäre (Hofmann/Morlang 1950, 34), verzichteten sie jedoch auf Texte dieser Epoche.[4]

Insgesamt lässt sich darüber hinaus noch feststellen, dass literarische Texte im engeren Sinne einen erheblichen Anteil der in den Büchern zusammengestellten Auszüge ausmachten. Sie ließen sich nicht nur in den explizit literaturgeschichtlichen Kapiteln (vgl. Schlupp ⁵1957, 175ff.; Hofmann/Morlang ⁹1957, 149ff.) finden, sondern durchzogen sämtliche thematischen Abschnitte. Dies gilt auch für die Kapitel, die sich in besonderem Maße den deutsch-französischen Beziehungen und der Friedenswahrung widmeten.

---

4 Die beiden Verfasser führten darüber hinaus noch die erheblichen organisatorischen Schwierigkeiten an, die mit der Suche nach jüngerer französischer Literatur einhergingen: „Ausgebombte Büchereien, gesperrte Grenzen, Devisenschwierigkeiten, und was dergleichen mehr ist, sind Hindernisse, die im Augenblick noch nicht zu überspringen sind." (Hofmann/Morlang ⁹1957, 3–4)

4.2   Réconciliation – Friedenswahrung – Europagedanke

> Il n'y a pas de grandes ou de petites nations: il n'y a que de grands ou de petits hommes.
> (Victor Hugo) [...]
> Puissent tous les hommes se souvenir qu'ils sont frères. (Voltaire) [...]
> Le plus beau métier des hommes est d'unir les hommes. (A. de Saint-Exupéry)
> (Kreuzberg/Scheffbruch [3]1960, III)

Anstelle eines Vorworts stellten Kreuzberg und Scheffbruch ihrem Lesebuch eine Reihe von Zitaten voran, die alle die Aussöhnung Deutschlands und Frankreichs, die Idee eines gemeinsamen Europas und vor allem die Hoffnung auf dauerhaften Frieden ausdrückten. Sie formulierten damit zugleich die zentralen Kriterien, die ihre Textauswahl beeinflusst haben. Ähnlich klar lassen sich diese übergeordneten Ziele für den Französischunterricht und damit auch für die Lesebücher in den anderen Lehrwerken finden (vgl. u.a. Hofmann/Morlang [9]1957, 2). Aber Bentmann ging sogar noch einen Schritt weiter und betonte, dass sich diese Gedanken vor allem mit Hilfe literarischer Texte im Unterricht bearbeiten ließen, wenn er konstatierte, dass vor allem die französische Literatur des 20. Jahrhunderts den Glauben an eine gemeinsame europäische Idee belege (vgl. Bentmann 1953, XI).

Anhand zweier Beispiele soll daher verdeutlicht werden, dass gerade literarische Texte mit besonderem Augenmaß in dieser Thematik eingesetzt wurden.

> Temps futurs! vision sublime!
> Les peuples sont hors de l'abîme.
> Le désert morne est traversé.
> Après les sables, la pelouse;
> Et la terre est comme une épouse,
> Et l'homme est comme un fiancé. [...]
> (Victor Hugo: *Lux* in: Hofmann/Morlang [9]1957, 212)

Hofmann und Morlang schlossen ihr Lesebuch mit dem Gedicht *Lux* aus Victor Hugos *Châtiments* (1853) ab. In diesem gab er seiner Hoffnung Ausdruck, dass nach einer kriegerischen Auseinandersetzung die grundsätzliche Hoffnung auf Aussöhnung, Verständigung und ein pazifistisches Miteinander bestehe. Sie formulierten die doppelte Bedeutung, die dieses Gedicht für alle Europäer habe, da es zum einen den grundsätzlichen Glauben an das Gute und an eine positive Zukunft betone und Hugo zum anderen seiner Hoffnung auf einen dauerhaften Frieden und den Aufbau einer *République universelle* Ausdruck gebe (vgl. Hofmann/Morlang [9]1957, 211). In Kenntnis der Tatsache, dass Hugo das erste Gedicht seiner *Châtiments* mit *Nox* betitelte und mit *Lux* abschloss, unterstrichen auch die Verfasser mit der Wahl dieses Gedichts sowohl die Möglichkeiten, aber auch die Herausforderungen, mit denen die damalige Schülergeneration konfrontiert war. Und sie formulierten daher auch die Aufgabe, aus dem Gedicht die Darstellung einer dunklen Vergangenheit und einer positiven Zukunft im Sinne einer Versöhnung herauszuarbeiten (vgl. Hofmann/Morlang 1950, 39). Eine ähnlich bedeutsame Wahl ihres Schlusstextes haben Rothmund und Dhuicq mit dem Gedicht *Être unis* aus *Une Leçon de morale* (1949, vgl. Rothmund/Dhuicq 1961, 191) getroffen, damit allerdings im Gegensatz zu *Lux* auf einen hochaktuellen Text zurückgegriffen. Als Vertreter einer *poésie engagée* verstand Éluard seine Gedichte als Beiträge zu aktuellen politischen und gesellschaftlichen Fragen. Und auch in diesem Text beschrieb er zunächst die Anstrengungen, die überwunden werden müssten, um eine Vereinigung der Völker und tiefes Verständnis für den anderen zu erreichen. Auch hier endete das Gedicht (und damit das Lesebuch) mit einem Vers, der den Glauben auf eine dauerhafte Aussöhnung ausdrückt: „[...] Et nous ensemençons l'amour." (Rothmund/Dhuicq 1961, 191).

Einen Beitrag zu Frieden, Aussöhnung und einer Vereinigung der europäischen Nationen leisten zu können, zeichnete sich als wesentliches Ziel ab, das mit dem Französischunterricht in der Oberstufe verfolgt wurde. Die Auswahl und die Abfolge der literarischen Texte unterstreichen dies deutlich. Inwiefern in diesem Zusammenhang der Auseinandersetzung mit den deutsch-französischen Beziehungen eine besondere Rolle zukommt, wird im folgenden Abschnitt thematisiert.

4.3   *Les relations franco-allemandes* – das Ende der „Erbfeindschaft"

In allen Lesebüchern wurde das deutsch-französische Verhältnis in besonderer Weise hervorgehoben. Von Interesse ist dabei, dass nicht die schwierige gemeinsame Vergangenheit beider Nationen behandelt wurde, sondern explizit gemeinsame kulturelle Ursprünge und besondere Beispiele für eine Förderung des deutsch-französischen Verhältnisses zusammengestellt wurden. Wie bereits oben herausgestellt (vgl. 4.1), ging es darum, die so genannte „Erbfeindschaft" und bestehende geistige Gräben zu überwinden. Auch dieses Ziel lässt sich erneut in besonderer Weise anhand der ausgewählten literarischen Texte nachvollziehen. Exemplarisch soll daher zunächst noch einmal genauer auf die Konzeption von Bentmanns *Anthologie* eingegangen werden. Abschließend steht mit Romain Rollands *Jean-Christoph* der Roman der deutsch-französischen Freundschaft im Mittelpunkt, der in allen Lehrbüchern ein wichtiger Referenztext ist und daher genauer betrachtet werden soll.

Bentmann beschränkte sich in seiner *Anthologie* auf eine geringe Anzahl von Autoren und literarischen Texten in einem engeren Verständnis. Er verzichtete zudem auf Lyrik, um Verständnisschwierigkeiten zu vermeiden (vgl. Bentmann 1953, V). Auch hier wird erneut deutlich, in welch starkem Maße die inhaltliche Auseinandersetzung mit den Texten dominierte. Bentmann wählte vor allem Autoren aus, die sich in besonderer Weise um das deutsch-französische Verhältnis bemüht hatten, oder die in ihren Texten eine große, durchaus auch kritische Nähe zu Deutschland erkennen ließen, wie z.B. André Gide oder Jean Giraudoux. Ihre Bedeutung für die deutsch-französischen Beziehungen stellte er in einleitenden Ausführungen zu den Autoren explizit dar. So betonte er, dass vor allem André Gide nach beiden Weltkriegen öffentlich die Aussöhnung mit Deutschland suchte (vgl. Bentmann 1953, 2). In diesem Kontext ist auch die

Auswahl eines Auszugs aus Gides *Le Retour de l'Enfant Prodigue* (1907) zu betrachten, einer Parabel auf den Bibeltext zum verlorenen Sohn. Dieser wird trotz großer Entfremdung und Verfehlungen auch nach einem zweimaligen Ausbruch aus dem Elternhaus wieder zu Hause aufgenommen. In Bentmanns *Anthologie* kann sie als Metapher für die von Gide befürwortete Möglichkeit der deutsch-französischen Aussöhnung verstanden werden.

Durchaus bemerkenswert ist darüber hinaus Bentmanns Entscheidung, mit Jean Giraudoux einen Autor in den Mittelpunkt zu rücken, der sich im Laufe seines Lebens aus Enttäuschung über die deutsche Entwicklung immer weiter von dem Land abwandte, zu dem er als Student der Germanistik eine enge Beziehung aufgebaut hatte. Bentmann betonte, dass Giraudoux sich vor allem unter dem Eindruck seiner Erfahrungen als Frontsoldat im Ersten Weltkrieg immer wieder mit dem deutsch-französischen Verhältnis auseinandergesetzt habe. Giraudoux nahm in Bentmanns Lesebuch die Rolle eines kritischen Mahners ein, da das „alte Motiv vom Mißverstehen beider Nationen, von der Angst Frankreichs vor den unruhigen, dynamischen Nachbarn [...] in seinen Schriften" anklinge (Bentmann 1953, 51). Mit einem Auszug aus seinem Drama *La Guerre de Troie n'aura pas lieu* (1935) wählte Bentmann einen Text, in dem Giraudoux über die antike Sage auf die von Deutschland ausgehende drohende Kriegsgefahr in Europa hinweist. Bentmann hob sich auch mit dieser Entscheidung von der Konzeption der anderen Lesebücher ab (vgl. 4.1) und regte im Gegensatz zu anderen zeitgenössischen Lehr- und Lernmaterialien eine umsichtige kritische Auseinandersetzung mit der jüngeren Geschichte der deutsch-französischen Verhältnisse an.

Einigkeit herrschte hingegen in der Bewertung eines anderen Romans. Alle Verfasser führten im Zusammenhang mit dem deutsch-französischen Verhältnis zum Teil mehrere Auszüge aus Romain Rollands *Jean Christophe* an (vgl. u.a. Schlupp [5]1957, 300ff.; Hofmann/Morlang [9]1957, 193ff.). Dabei wurden die ästhetischen Unzulänglichkeiten durchaus benannt, aber der Roman ist „eins der wichtigsten Dokumente für das deutsch-französische Verhältnis, gestaltet von einem glühenden Verfechter der Idee einer europäischen Kultur, deren Pfeiler die Solidarität von Deutschland und Frankreich ist." (Hofmann/ Morlang 1950, 36). Der eigentlich zehnbändige *roman fleuve* erschien von 1904 bis 1912. Und Romain Rolland wurde mit ihm als engagierter Verfechter einer Völkergemeinschaft und Vertreter einer deutsch-französischen Annäherung in einer Zeit bekannt, in der sich das deutsch-französische Verhältnis als Ergebnis des Krieges von 1870/71 weiter verschlechterte (vgl. Heitmann 1994, 455). Aus diesem Zusammenhang heraus ist auch die Verleihung des Literaturnobelpreises an Romain Rolland im Jahr 1916 zu verstehen. In seinem Roman steht die Freundschaft des Deutschen Jean Christophe zu dem Franzosen Olivier im Mittelpunkt. Beide verkörpern jeweils ein vermeintliches Ideal ihrer Kultur, allerdings vereint Jean Christophe die Ideale des noch nicht geeinten Deutschland vor 1871. Das neue Deutschland, das sich dem Militarismus und dem Großmachtstreben verschrieben hat, schrieb Rolland der Figur des Onkels Theodor zu und ließ beide Ausprägungen Deutschlands in einen Konflikt treten (vgl. Heitmann 1994, 463). Im Verlaufe des Romans beleuchtete

Rolland beide Nationen kritisch und betonte schlussendlich ihre gemeinsame Bedeutung für Europa, das nur mit beiden Flügeln fliegen könne:

> Nous sommes les deux ailes de l'Occident. Qui brise l'une, le vol de l'autre est brisé. Vienne la guerre! Elle ne rompra point l'étreinte de nos mains et l'essor de nos génies fraternels. (Rolland zit. in Heitmann 1994, 455)

5   Fazit

Der Fremdsprachenunterricht der jungen Bundesrepublik knüpfte konzeptionell an die kulturkundlichen Ansätze der Weimarer Zeit an. Dies lässt sich anhand bildungspolitischer Beschlüsse und bildungstheoretischer Überlegungen (vgl. Bohlen 1957) wie auch von Lesebüchern nachvollziehen, die im (langen) ersten Jahrzehnt auf den Markt und in zahlreichen Französischklassen zum Einsatz kamen. Als Resultat der Erfahrungen aus Nationalsozialismus, Zweitem Weltkrieg und dem Einfluss der westlichen Besatzungsmächte wurde dieser Ansatz um eine zentrale Zielsetzung ergänzt: die Aufforderung zu Aussöhnung und Annäherung zwischen den europäischen Völkern zur Wahrung eines dauerhaften Friedens in Europa.

Literatur spielte in diesem Zusammenhang als kultureller Ausdruck eine dominante Rolle. Mit der Zusammenstellung von Textsammlungen sollte ein vermeintlich repräsentatives Bild der anderen Nation in all ihren Facetten gezeichnet werden, um den Schülerinnen und Schülern so das Verstehen der jeweils „anderen" Kultur zu ermöglichen. Zwar ist mit dieser Absicht zunächst ein weiter Literaturbegriff verbunden, aber die genauere Analyse der Lehrwerke zeigt, dass literarische Texte im engeren Sinne ebenfalls für die Behandlung aller Schwerpunkte empfohlen wurden. Im Mittelpunkt standen hier vor allem Texte des Literaturkanons, die in erster Linie einen literaturhistorischen Abriss darstellten und deren hoher Wert von den Verfassern der Lesebücher als gesichert eingeschätzt wurde. Gerade mit Blick auf das übergeordnete Ziel der Friedenserziehung kam literarischen Texten allerdings noch eine stärkere Bedeutung zu. Die Analyse der Lesebücher macht deutlich, dass die Auswahl der Texte hier mit besonderer Sorgfalt darauf ausgerichtet war, Gemeinsamkeiten und den Willen zur Annäherung zu betonen (vgl. u.a. Hofmann/Morlang [9]1957, 3), wie exemplarisch anhand der jeweils abschließenden Gedichte *Lux* von Victor Hugo (vgl. Hofmann/Morlang [9]1957, 212) und *Être unis* von Paul Éluard (vgl. Rothmund/Dhuicq 1961, 191) erläutert wurde. Gerade die schwierige Rolle des deutsch-französischen Verhältnisses sollten die Schülerinnen und Schüler auch in der Auseinandersetzung mit literarischen Texten nachvollziehen können, wie vor allem die Stellung von Rollands *Jean Christophe* verdeutlicht. Noch stand also eine primär inhaltliche (und nicht sprachliche, abgesehen von Aspekten einer strukturalistischen Textanalyse) Auseinandersetzung mit den Texten im Fokus, aus der die Schülerinnen und Schüler im Idealfall eine offene Einstellung gegenüber dem französischen Nachbarn und der Idee eines neuen, gemeinsamen (West-)Europa entwickeln sollten.

Literatur

Bentmann, Fr. (1953). *Anthologie de la littérature du XXe siècle.* Karlsruhe: Braun.

Bohlen, Adolf (1957). *Moderner Humanismus.* Heidelberg: Quelle & Meyer.

Bohlen, Adolf (⁵1966). *Methodik des neusprachlichen Unterrichts.* Heidelberg: Quelle & Meyer.

Bredella, Lothar (2007). Die welterzeugende und die welterschließende Kraft literarischer Texte: gegen einen verengten Begriff von literarischer Kompetenz und Bildung. In: Bredella, Lothar; Hallet, Wolfgang (Hrsg.). *Literaturunterricht, Kompetenzen und Bildung.* Trier: WVT, 65–85.

Christ, Herbert (2011). Die Stunde der Politik. Drei Beispielfälle für Versuche der staatlichen Regulierung des Fremdsprachenunterrichts. In: *französisch heute* 2, 65–74.

Hallet, Wolfgang; Surkamp, Carola; Krämer, Ulrich (Hrsg.) (2015). *Literaturkompetenzen Englisch. Modellierung – Curriculum – Unterrichtsbeispiele.* Seelze: Klett-Kallmeyer.

Heitmann, Klaus (1994). Die beiden Flügel des Abendlands. Deutschlandbild und Frankreichbild in Romain Rollands Jean Christophe. In: Krauß, Henning (Hrsg.). *Offene Gefüge. Literatursysteme und Lebenswirklichkeit.* Tübingen: Narr, 455–469.

Hofmann, Fritz; Morlang, Wilhelm (1950). *La Civilisation Française. Beiheft. Anregungen und Arbeitsvorschläge für Lehrerinnen und Lehrer.* Frankfurt a.M.: Hirschgraben-Verlag.

Hofmann, Fritz; Morlang, Wilhelm (⁹1957). *La Civilisation Française. Lesebuch für Oberklassen.* Frankfurt a.M.: Hirschgraben-Verlag.

Hüllen, Werner (2005). *Kleine Geschichte des Fremdsprachenlernens.* Berlin: Erich Schmidt.

Kreuzberg, B. J.; Scheffbruch, A. H. (³1960). *La Voix de la France: Livre de lectures pour les classes supérieures.* Frankfurt a.M.: Diesterweg.

Küster, Lutz (2015). Warum ästhetisch-literarisches Lernen im Fremdsprachenunterricht? Ausgewählte theoretische Fundierungen. In: Küster, Lutz; Lütge, Christiane; Wieland, Katharina (Hrsg.). *Literarisch-ästhetisches Lernen im Fremdsprachenunterricht.* Frankfurt a.M.: Lang, 15–32.

Picht, Georg (1965). *Die Deutsche Bildungskatastrophe.* München: Deutscher Taschenbuch Verlag.

Richert, Hans (1920). *Die deutsche Bildungseinheit und die höhere Schule. Ein Buch von deutscher Nationalerziehung.* Tübingen: Siebeck.

Richert, Hans (Hrsg.) (1925). *Richtlinien für die Lehrpläne der höheren Schulen Preußens.* Berlin: Weidmann.

Risager, Karen (2007). *Language and Culture Pedagogy. From a National to a Transnational Paradigm.* Clevedon: Multilingual Matters.

Rothmund, Alfons; Dhuicq, Jane (1961). *Qu'est-ce que la France? Französisches Lesebuch für Oberklassen.* Frankfurt a.M.: Diesterweg.

Schlupp, Friedrich (⁵1957). *Français vivant. A la découverte de la France. Lesebuch.* Paderborn: Schöningh.

Sharp, Felicitas (2013). ‚Verständigung setzt Verstehen voraus': Zwei kulturkundliche Lesebücher der Weimarer Zeit im Vergleich. In: Klippel, Friederike; Kolb, Elisabeth; Sharp, Felicitas (Hrsg.). *Schulsprachenpolitik und fremdsprachliche Unterrichtspraxis. Historische Schlaglichter zwischen 1800 und 1989.* Münster: Waxmann, 153–165.

Stuck, Elisabeth (2013). Schule im deutschsprachigen Bereich. In: Rippl, Gabriele; Winko, Simone (Hrsg.). *Handbuch Kanon und Wertung. Theorien, Instanzen, Geschichte.* Stuttgart/Weimar: J.B. Metzler, 188–193.

Surkamp, Carola (2013). Geschichte der Kanones englischsprachiger Literatur an deutschen Schulen. In: Rippl, Gabriele; Winko, Simone (Hrsg.). *Handbuch Kanon und Wertung. Theorien, Instanzen, Geschichte.* Stuttgart/Weimar: J.B. Metzler, 193–200.